JUDAÏSME/ISRAËL
Collection dirigée
par
Marie-Pierre Bay et Dominique Bourel

Nöel 89.

Un livre sur le plus
célèbre des ghettos du
Moyen-Age.
Nous espérons que ce
livre te ravira l'esprit
et en tant que juif,
la mémoire.
Merry Christmas !
Barbara et Katherine

Dans la même collection

HISTOIRE DU GHETTO DE VENISE

Riccardo Calimani

Histoire du ghetto
de Venise

TRADUIT DE L'ITALIEN
PAR
SALVATORE ROTOLO

Préface d'Elie Wiesel

Judaïsme/Israël
Stock

Titre original :

STORIA DEL GHETTO DI VENEZIA
(Rusconi, Milano)

Si vous souhaitez être tenu au courant de la publication
de nos ouvrages, il vous suffira d'en faire la demande
aux Éditions Stock, 22, avenue Pierre-Iᵉʳ-de-Serbie,
75116 Paris. Vous recevrez alors, sans aucun engagement de votre part, le bulletin où sont régulièrement
présentées nos nouveautés que vous trouverez chez
votre libraire.

Remerciements

Cet ouvrage ne serait pas ce qu'il est sans les nombreuses personnes qui m'ont apporté leur concours et que je désire remercier : Marino Zorzi (Biblioteca Nazionale Marciana) ; Marika Michieli et Pietro Falchetta (Biblioteca R. Maestro) ; Paolo Sereni ; Vittorio Levis ; Sandro Romanelli ; Roberto Bassi ; Anna Campos Calimani ; Dario Calimani ; Emanuela Trevisan Semi ; Claudio Disegni ; Nello Pavoncello ; Mario Infelise ; Cinzia Nicoletto ; Shlomo Simonsohn ; Benjamin Ravid ; Giulio Lepschy ; Susanna Biadene ; Luciano Sinigaglia ; Ranieri da Mosto ; Marina Reinisch et Giovannina Sullam Reinisch ; Franca Bonfante ; Nino Vascon ; le rabbin Raffaele Grassini, responsable du glossaire, qui a bien voulu me faire part de ses suggestions et de ses observations.

Je remercie particulièrement Elena Sereni Angelini, pour sa révision finale du travail.

Je remercie mon épouse Anna-Vera sans l'aide de qui je n'aurais pu écrire ce livre.

Remerciements du traducteur

Je remercie le docteur Jacques Finkelstein pour ses précieuses remarques d'ordre méthodologique.

Je remercie M. André Dayan (docteur d'État) pour sa relecture minutieuse, son humour constant.

Je remercie mon épouse, Rachel Uziel-Rotolo, qui m'a fait bénéficier, à tous les instants, de sa profonde connaissance du judaïsme.

Préface

Le touriste moyen va à Venise pour visiter le Rialto ou le Lido ; le Juif, lui, s'y rend pour voir le Ghetto.

C'est que de tous les ghettos médiévaux, celui de Venise est le plus célèbre ; et de tous les livres qui lui sont consacrés, celui de Riccardo Calimani est le plus réussi.

Érudition d'historien, écriture nerveuse de journaliste, style captivant de mémorialiste : dans une longue série d'événements et de portraits, l'auteur nous fournit un document qui se lit comme un roman d'aventures.

Tout y est : depuis les questions concernant les premiers Juifs qui ont surgi à Venise, peut-être au Xᵉ siècle, jusqu'à la déportation des Juifs par les Allemands et leurs collaborateurs en 1944.

Donc, mille ans d'histoire. Histoire palpitante, bouleversante, parfois angoissante, d'autres fois exaltante. Banquiers et rabbins, talmudistes et émancipés, mystiques et adeptes d'un faux messie, poètes et savants y foisonnent.

1516 : pour la première fois, les Juifs sont obligés

de se concentrer dans le Vieux Ghetto entouré de murailles. Gardées par quatre chrétiens, les deux portes sont fermées à minuit. Les gardes, ce sont les Juifs qui doivent les payer. Eh oui, en ce temps-là c'était comme ça : c'est le prisonnier qui devait payer son geôlier. Quatre siècles plus tard, les Allemands feront payer aux Juifs le prix des billets de chemins de fer pour Auschwitz.

Étrange : le passé récent semble, sur d'autres points aussi, refléter le passé lointain. Qu'est-ce que l'étoile jaune, sinon la rouelle remise à la mode ? Les décrets antisémites des années 30 et 40 rappellent les lois anti juives du XVIe siècle : interdiction des rapports sexuels entre Juifs et chrétiens, défense aux Juifs de pratiquer certains métiers et d'occuper des postes publics, interdictions aux chrétiens de se mettre au service des Juifs...

Les autorités vénitiennes publient un décret le 24 avril 1516 : « Les médecins juifs doivent aussi entrer dans le Ghetto. » Je lis cette phrase et je me souviens : printemps 1944, à Sighet, dans les Carpates ; tous les Juifs sont forcés de s'entasser dans le ghetto — sauf les médecins, car la population chrétienne en a besoin. La veille de notre déportation, nous apprenons que les médecins doivent évacuer leurs appartements et venir se joindre à nous, dans le ghetto...

Le nôtre n'a pas vécu longtemps ; celui de Venise, si. Presque trois siècles, jusqu'à l'arrivée des armées napoléoniennes...

Lisez cet ouvrage et vous y découvrirez des personnages étonnants de sagesse, de piété, de fantaisie aussi. Vous y rencontrerez don Itzhak Abrabanel, mon grand héros, qui renonça à la gloire et à la fortune à la cour de Ferdinand et d'Isabel les

Catholiques et choisit l'exil plutôt que la conversion ; c'est ici, à Venise, qu'il est venu écrire ses ouvrages mystiques et ses commentaires bibliques. Saviez-vous qu'il y compare la constitution de Venise à la loi de Moïse ?

Dans cet ouvrage, si riche et enrichissant, vous rencontrerez aussi don Joseph Nasi, le duc de Naxos, qui eut l'audace d'entrer en guerre (économique) contre le Conseil des Dix vénitien et qui eut le courage beaucoup plus grand d'espérer en sortir vainqueur ? Toute cette guerre commença par un enlèvement d'inspiration romantique...

Miroir du monde juif, et de l'histoire juive, tout s'y reflète : la vie des marranes, les agissements de l'Inquisition, les rêves sabbatéens... Saviez-vous que Nathan de Gaza, le porte-parole de Sabatai Zevi, avait visité le Ghetto de Venise ? et qu'il y provoqua des troubles, car certains Juifs n'avaient pu résister à la promesse facile et dangereuse du faux messie ?

Et le nom de Léon de Modène, vous le connaissez ? Ce savant qui pratiqua vingt-quatre métiers, selon ses propres dires, et qui suscita de nombreuses controverses par ses attaques contre le mysticisme, savez-vous qu'il souffrait d'un mal que j'ai honte à nommer ? Joueur invétéré, il perdait son argent au jeu ; il cessa seulement le jour où la communauté vénitienne déclara que quiconque jouerait serait excommunié... Personnage fascinant d'une galerie que le visiteur refuse de quitter, tant il est pris par les portraits qu'il confronte.

Tenez, rabbi Moshe-Chaim Luzzato, le célèbre Ramchal, qui décida que le Ghetto de Venise serait le lieu choisi où quelques amis étudieraient le Zohar sans interruption... Ils jeûnèrent tous les dix jours. Dans leurs échanges quotidiens, aucune parole profane ne fut prononcée. Leur but ? Réparer les cassures, les brisures du monde et du cœur de l'homme... Le Ramchal fut attaqué par des rabbins, il fut défendu par d'autres rabbins... Il partit en Terre sainte où il mourut à trente-neuf ans...

Bien sûr, les Juifs du Ghetto ne furent pas tous des saints ni des sages. Il y eut parmi eux des faibles, des lâches, des hérétiques aussi. Tenez, le fils du grand Asher Meshulam — homme richissime, chef de la communauté — se convertit et prit le nom de Marco Paradiso : le pape Clément VII lui-même vint à la cérémonie grandiose offrir sa bénédiction... Comme partout, comme toujours, les convertis se montrèrent particulièrement fanatiques dans le cadre de leur nouvelle religion... Après tout, le Ghetto de Venise n'était pas tellement différent des autres lieux où les Juifs étudiaient, travaillaient, souffraient, espéraient et attendaient la rédemption... Seulement, le Ghetto de Venise a ceci de particulier qu'il est le plus ancien. Et que, en durée, il en surpassa beaucoup d'autres. Et puis, ceci : ce Ghetto est spécial aussi parce qu'il a, en Riccardo Calimani, un biographe magnifique qui sait en parler avec mélancolie et amour.

Lisez donc ce livre et vous comprendrez pourquoi moi aussi j'en parle avec un amour mélancolique que, de tout mon cœur, j'appelle.

Élie Wiesel.

« Il est faux de dire que tout ce qui n'est pas écrit n'existe pas. »

Jacques LE GOFF.

« Ce qui fut est ce qui sera et ce qui fut fait sera fait à nouveau. »

Écclésiaste, 1,9.

« Celui qui oublie son passé est condamné à le revivre. »

Georges de SANTAYANA.

« Ce que tu as hérité de tes pères, il te faudra le reconquérir si tu veux le posséder réellement. »

GŒTHE, *Faust*.

Prologue

Le Juif Shylock

Shylock, le Juif le plus célèbre de Venise, n'a jamais existé. Et pourtant, dans son drame, Shakespeare en a fait un symbole tourmenté, insaisissable, aux allures tragiques, voire cruelles.

Rappelons ce que dit Shylock dans la première scène du troisième acte du *Marchand de Venise* : « Il m'a ôté ma dignité, m'a fait perdre un demi-million, il a ri de mes pertes, il s'est moqué de mes gains, il a raillé mon peuple, contrecarré mes affaires, éloigné mes amis, et contre moi excité mes ennemis, et pour quelle raison tout cela ? Je suis un Juif. Un Juif n'a-t-il pas d'yeux ? N'a-t-il pas de mains, d'organes, de proportions, de sens, d'affections, de passions ! Ne se nourrit-il pas de la même nourriture, n'est-il pas blessé par les mêmes armes ni atteint par les mêmes maladies que les chrétiens ? N'est-il pas guéri par les mêmes remèdes, chauffé et refroidi par les mêmes hivers et les mêmes étés ? Si vous nous piquez, ne saignons-nous pas ? Si vous nous chatouillez, ne rions-nous pas ? Si vous nous empoisonnez, ne mourons-nous pas ? Et si vous nous offensez, ne devrions-nous point nous venger ? Car, si nous vous ressemblons en tout, pourquoi ne serions-nous pas, en cela aussi, vous semblables[1] ? »

Ces paroles reflètent bien ce qu'a été le destin des Juifs au Moyen Age : pourchassés, raillés, vilipendés, il n'en ont pas moins parfois été courtisés et flattés, en raison de l'irremplaçable fonction économique de prêteur d'argent qu'ils remplissaient.

Shylock est un personnage imaginaire mais vraisemblable ; il est fait de chair et d'os, de haine et de vengeance, et il est remarquablement moderne dans ses revendications : ce qu'il réclame c'est l'égalité dans la différence et ce qu'il proclame avant tout, c'est son identité d'homme.

Son plaidoyer cingle et claque, véritable coup de fouet.

Pour en saisir, du plus loin, toute la signification, pour mieux comprendre ce que furent l'existence, les expériences vécues des Juifs de cette période ; pour mieux distinguer, mieux percevoir toute l'ambiguïté des relations entre la République Sérénissime et son Ghetto, pour mesurer enfin le symbole qu'est Shylock, la connaissance de l'histoire des Juifs de Venise est un préalable dont on ne saurait se dispenser.

1. Traduction : Salvatore Rotolo.

1

Les origines

*Le recensement de 1152. — La taxe de 1290. —
L'origine du nom « Giudecca ». — Les deux concessions et les premiers prêts (XIVe siècle).*

« Les Juifs habiteront tous regroupés dans l'ensemble de la maison sis en ghetto, près de San
Girolamo ; et, afin qu'ils ne circulent pas toute la
nuit, nous décrétons que du côté du Vieux Ghetto
où se trouve un petit pont, et pareillement de l'autre
côté du pont, seront mises en place deux portes,
lesquelles seront ouvertes à l'aube et fermées à
minuit par quatre gardiens engagés à cet effet et
appointés par les Juifs eux-mêmes au prix que notre
collège estimera convenable. »

Nous sommes à Venise, le 29 mars 1516. Ceci
pourrait bien passer pour un acte législatif quelconque, parmi tant d'autres qu'édicta la République
Sérénissime. Détrompons-nous. Ces quelques mots
sont destinés à avoir un retentissement des plus
lugubres dans l'histoire de la diaspora juive d'Europe
et du monde. Et les murs du Ghetto, qui à l'origine
indiquaient des limites précises, physiquement

17

infranchissables, ne tarderont pas à se transformer en un des symboles les plus tenaces qui aient jamais vu le jour.

A quelle époque peut-on considérer que se sont établis les premiers liens entre Venise et le peuple juif ? La réponse est bien difficile. Le temps a effacé la plupart des traces et celles qui persistent revêtent à présent un caractère bien ambigu. Réalité et conjectures finissent par s'entremêler. Et pouvait-il en être autrement de cette union ? Entre une ville de lagunes et de bancs de sable, où se mêlent la terre et l'eau, ville marginale, de par son essence et sa nature, et ces hommes errants, désespérés, opiniâtres, accoutumés au précaire, hommes de marginalité, eux aussi ?

Certes il existe, avant 1516, de nombreux vestiges témoignant d'une présence juive à Venise. Mais il faut bien avouer que les historiens, dans leur quête de vérité et leurs efforts pour donner quelque cohérence aux éléments en leur possession, ont eux-mêmes, les premiers, contribué à la création de nombreuses légendes.

Un ouvrage de G.B. Galicciolli, imprimé à Venise en 1795, constitue l'une des sources dans laquelle ont puisé — parfois de façon insuffisamment critique — de nombreux chercheurs vénitiens. Cet historien, s'appuyant sur un nombre important d'indices, insiste sur le rôle dynamique que tenaient les Juifs dans le monde du commerce vénitien au XIIe et au XIIIe siècle.

« Des documents irréfutables démontrent que la présence des Juifs à Venise est très ancienne... », écrit-il. Il fait alors principalement référence à un recensement daté de 1152 et qui permettait de dénombrer mille trois cents Juifs. « Mais en réalité, ajoute Galicciolli, je crains fort qu'il n'y ait erreur sur la date. » Plus tard, d'autres chercheurs justifièrent cette crainte et finalement l'on peut considérer que le recensement a bien eu lieu, mais qu'il est à situer en l'année 1552.

Un décret de 1290, qui institue une taxe, apparaît à Galicciolli comme une seconde preuve de la présence juive à Venise à une époque très ancienne. Ce document attesterait que les Juifs, pour des raisons commerciales, se trouvaient en nombre dans la cité lagunaire et cela dès la fin du XIIIe siècle.

Cette preuve présumée sera, à son tour, réfutée par l'historien Ravid : le décret de 1290, issu des délibérations du Conseil suprême de Venise, avait établi que tous les Juifs du Nègrepont (aujourd'hui Eubée dans la mer Égée) ainsi que « tous ceux qui vont par mer » étaient imposables pour un montant égal à 5 p. 100 de la valeur de toute marchandise importée ou exportée. Nous voyons donc que cette taxation, ne concernant pas spécifiquement les Juifs de Venise, peut difficilement être considérée comme un indice déterminant.

Ainsi, l'époque de l'installation des Juifs dans la ville demeure toujours indécise. Reste une troisième source d'hypothèses, fort suggestives elles aussi, mais dont le fondement se perd dans la nuit des temps : la preuve de la présence juive à Venise serait fournie par l'origine du nom Giudecca donné à l'île de Spinalunga. Il faut dire que le débat sur ce point n'a à ce jour pas été tranché. Bien sûr des *giudecche*, c'est-à-dire des quartiers habités exclusivement par des Juifs, il en existait dans toutes les villes de la Méditerranée. Le problème qui se pose, cependant, est de déterminer le moment où l'île de Spinalunga a, elle, reçu le nom de *Giudecca*.

Sur un vieux plan, dressé au XIVᵉ siècle par un moine franciscain, l'île portait déjà le nom de *Judaica*. Quelques historiens pensèrent néanmoins que le terme original était probablement *giudicato*, désignant le magistrat et le conseil qui avaient à cette époque exilé sur l'île certains conjurés (les Caloprini et les Flabanici) et que ce terme aurait ensuite évolué dans le dialecte vénitien en *Zudegà*, puis en *Zuecca* et en *Giudaica*.

L'incertitude ne faisant qu'alimenter la légende, on a parlé d'une pierre portant des inscriptions hébraïques qu'on aurait trouvée à la Giudecca et qui aurait disparu par la suite. Il a également été fait mention de l'existence sur l'île de deux synagogues, mais cette allégation, du reste jamais confirmée, n'aurait de toute façon pas suffi, à elle seule, à démontrer que cet endroit, et celui-là seul, avait, dans le passé, été un quartier juif.

Assez curieusement, ce débat a même été enrichi par une source juive. Un anonyme de la moitié du XVIIᵉ siècle rapporte : « Dans la grande ville de Venise, capitale de la Dominante, de terribles événements ont frappé les fils de Dieu. En effet, les Vénitiens, ne voyant guère d'un bon œil les Juifs habiter au centre de leur ville, ils les repoussèrent en des temps anciens à une portée d'arc... Le nom du lieu était à l'origine *Giudaica*, du nom des Juifs qui y habitaient... Certains Vénitiens, envieux des Juifs, décidèrent de s'en prendre à leurs biens et les attaquèrent. Ils occupèrent leurs propriétés et les tuèrent tous à l'exception d'un jeune enfant de famille allemande du nom de Lippmann. Les gouverneurs de Venise en éprouvèrent une grande indignation. Ils se rendirent sur l'île juive et, trouvant l'enfant vivant, ils décidèrent de le convertir au christianisme et de lui faire épouser une noble vénitienne. Voilà donc expliquée l'origine de la noble famille vénitienne des Lippomano. »

Bien qu'on puisse lire dans le manuscrit *Origini delli Nobili* que les Lippomano étaient d'ascendance juive, de nombreux historiens pensent que, selon toute vraisemblance, il s'agit là d'une légende ; celle-ci témoigne bien cependant de l'enchevêtrement de réel et d'imaginaire dont a été tissée l'histoire de la République Sérénissime et des Juifs dès lors que se sont croisées leurs destinées.

Nous voyons ainsi fondre, les unes après les autres, toutes les preuves de nature à confirmer une installation durable des Juifs à Venise au XIIe et au XIIIe siècle : le recensement de 1152 date en réalité de 1552 ; la taxe de 1290 concerne les Juifs du Nègrepont et des territoires d'outre-mer ; et pour ce qui est de l'origine du nom *Giudecca*, les historiens modernes n'ont toujours pas réussi à se départager...

De nombreux autres éléments ont été recueillis par un chercheur contemporain, profond connaisseur de l'histoire de la Méditerranée, du nom d'Ashtor. Avec « Les Voyages d'Isaïe de Trani », il nous rapporte un bien curieux témoignage, figurant dans le *Keter* de Damas, une très belle bible que certains experts estiment dater du IXe siècle, et qui proviendrait de Babylone ou de Palestine. La reliure de cette bible est constituée par un document rédigé en latin et sur lequel, selon les spécialistes du British Museum, figure le nom de Venise. On suppose donc que cette reliure a été exécutée à Venise. Peut-on cependant considérer ceci comme une preuve de la présence de Juifs à Venise au temps des croisés ? Tout au plus s'agit-il là d'un indice — fragile.

Autre indice : selon une chronique de 1224, le

rabbin Isaïe de Trani traversa les canaux de Venise pendant le Sabbat. Il n'est pas précisé si cela s'est produit lors d'une courte visite ou à l'occasion d'un long séjour. Certains historiens considèrent pourtant Isaïe de Trani comme le premier rabbin de la communauté juive de la Giudecca.

De fait, pour ce qui est des origines incertaines de la présence juive à Venise, les historiographes modernes sont unanimes à penser que les documents de l'époque des croisés n'apportent guère d'éléments déterminants. En outre, le *Codice Diplomatico Veneziano* (« Code diplomatique vénitien »), promulgué par les grandes assemblées, le Conseil suprême et le Sénat, est entièrement dépourvu de toute référence explicite aux Juifs, ce qui laisserait à penser qu'il ne s'en est pas trouvé à Venise avant le début du XIIIᵉ siècle. Quant à l'examen des actes notariés ou judiciaires, qui rendaient compte de la vie au jour le jour, il ne fournit pas non plus d'indices réellement convaincants.

D'autre témoignages fragmentaires, datant de la fin du XIIIᵉ siècle, ne présentent guère d'éléments plus décisifs : en 1298 se serait tenue à Venise une réunion de rabbins ayant pour objet de débattre, au sein d'un tribunal rabbinique élargi, de l'orthodoxie des œuvres de Maïmonide. La réunion avait été demandée par le rabbin Hillel, de Vérone. Certains commentateurs pensent qu'il aurait eu l'intention de se rendre à Venise, d'autres soutiennent au contraire qu'il songeait en fait à une autre ville de la Méditerranée.

Mais il existe une trace datant de 1314 : il s'agit d'un appel lancé par un Juif de Crète nommé Ulimidus qui, au nom de la communauté locale, s'adresse au doge Soranzo. On sait aussi que quelques années plus tard un médecin juif fut autorisé à exercer à Venise, et c'est à partir de ce moment que l'on peut relever des traces de plus en plus nombreuses de Juifs allant et venant du Nègrepont ou de Zurich.

Vers la moitié du XIVe siècle, Venise traversa un moment particulièrement délicat de son histoire. La peste, la guerre contre Gênes (1350-1355) qui succédait à une guerre contre Vérone, étaient à l'origine de graves difficultés économiques : les échanges commerciaux, en raison d'une très importante pression fiscale, s'étaient considérablement affaiblis ; la circulation monétaire diminuait toujours davantage, les taux d'intérêt étaient de l'ordre de 40 p. 100 et le nombre des pauvres ne faisait qu'augmenter.

En décembre 1356, le Grand Conseil fut contraint d'aborder la question financière et débattit d'un projet visant à permettre l'accès à Venise des prêteurs sur gages qui depuis longtemps déjà étaient présents à Mestre et à Trévise. Le projet des Quarante fut repoussé, mais dès lors la question du prêt, avec ses implications religieuses et morales, ne cessa de se retrouver au centre du débat politique : le Sénat et le Collège furent à maintes reprises sollicités et leurs votes furent souvent contradictoires. Mais la nécessité d'autoriser le prêt sur gages commençait à se faire cruellement sentir : il devenait urgent de soulager la misère des citadins et il était impératif de fournir des crédits aux marchands.

A ce moment-là et même si cela n'allait pas tarder à se produire, les Juifs n'étaient pas encore les seuls à remplir le rôle de prêteurs sur gages. Fuyant les persécutions engendrées par la peste noire, certains courants migratoires étaient descendus vers la Vénétie en provenance du nord et des pays germaniques ;

23

d'autres courants arrivaient du sud et d'Italie centrale, en quête de conditions moins pénibles que celles qui étaient leur lot dans les domaines de la papauté.

Le *podestà* vénitien de Mestre, sur autorisation du Grand Conseil, finit par négocier avec les prêteurs de Mestre qui souhaitaient étendre leurs activités économiques à la cité de la lagune. Plusieurs historiens interpréteront, à tort, ce premier pas comme un permis de séjour à Venise accordé aux Juifs, alors qu'en réalité il concernait tous les prêteurs en général, dont beaucoup étaient chrétiens. Il n'existe pas de preuve, en effet, que ces prêteurs aient été Juifs, quoi que puisse en dire Roberto Cessi qui considère l'année 1366 comme celle du déclin des banques chrétiennes et de l'arrivée des prêteurs juifs à Venise.

L'arrivée de ces prêteurs juifs enclencha un mécanisme économique nouveau, qui allait plus tard se développer selon les modalités suivantes : les prêteurs fournissaient des capitaux frais à des taux d'intérêt fixes et soumis à un contrôle. L'État, lui, devenait partie prenante de ce volant économique : il taxait les prêteurs et leur imposait des prêts obligatoires destinés à satisfaire ses propres exigences. Une des conséquences non négligeables de ces arrangements fut d'endiguer la pauvreté et de réduire du même coup les tensions politiques intérieures. De plus, l'hostilité populaire n'était plus dirigée contre l'État mais bien contre les usuriers : les Juifs tout particulièrement n'allaient pas tarder, en effet, à servir de bouclier et de paratonnerre au pouvoir politique. Devant tous ces avantages, l'oligarchie vénitienne ne pouvait que taire ses méfiances.

L'activité bancaire, considérée comme usuraire

sous toutes ses formes, et ayant fait l'objet d'inter-dictions religieuses répétées, avait été rigoureuse-ment bannie de la ville. Dès 1300 avait même été mis en place un organisme, l'Officium Publicarum ou Piovego, qui s'occupait des biens domaniaux et du dragage des canaux, mais qui, en outre, avait pouvoir de juridiction sur les hérétiques et les usuriers. Ces magistrats veillaient à éviter tout prêt abusif ; mais il apparaît néanmoins évident qu'en raison de la situation de Venise et de Mestre, de part et d'autre de la lagune, il n'était guère possible de contenir le flot de tous ceux qui cherchaient à bénéficier des services des prêteurs, et plus encore pendant la période où Mestre dépendait de Trévise et non de Venise.

Les guerres avec Gênes et les luttes successives avec Chioggia (1378-1381) avaient vidé les caisses de la Sérénissime. Les prélèvements obligatoires avaient atteint des niveaux exorbitants, les titres de la République avaient subi des baisses désastreuses et de nombreux financiers en étaient réduits à les brader pour payer des taxes très élevées sur leur patrimoine. Les systèmes de crédit jusque-là utilisés n'étaient plus en mesure de faire face à l'ampleur de la crise. Il fallait de toute urgence des capitaux frais, même s'ils devaient provenir de l'extérieur. En 1381, l'un des chefs des Quarante proposa d'autoriser le prêt à intérêt à Venise. La proposition fut repoussée par le Sénat qui devait néanmoins l'accepter l'année suivante. Dans le projet de loi il n'était fait mention ni de Juifs ni de chrétiens, mais, dans les faits, ce fut bien là le début de la première concession accordée aux Juifs à Venise.

Et c'étaient, bien évidemment, les magistrats du Piovego qui avaient la charge de réglementer l'activité des usuriers. Le taux d'intérêt fixe ne devait pas être supérieur à 10 p. 100 pour les prêts sur gages et à 12 p. 100 pour les prêts avec reconnaissance de dette écrite (dans les autres villes de la Vénétie, ces mêmes taux variaient entre 20 et 30 p. 100). De graves sanctions étaient prévues à l'encontre des contrevenants. Les magistrats se chargeaient eux-mêmes de vendre aux enchères du Rialto les gages de ceux qui ne payaient pas leurs dettes. Le Piovego détenait la liste des prêteurs autorisés ; ils n'étaient admis à Venise que pour une période de cinq ans. Pratiquement tous les prêteurs, selon les actes notariés, étaient juifs.

En l'an 1385 arriva à échéance la première concession accordée aux prêteurs juifs sur le territoire de Venise ; il fut décidé de la reconduire. Ce fut là le début d'une longue série de tractations entre les autorités de Venise et les représentants juifs, qui se prolongera durant plusieurs siècles, et où chacun des interlocuteurs usera de tout son pouvoir pour obtenir les meilleures conditions. En contrepartie d'une nouvelle autorisation de séjour, les Juifs allaient devoir réorganiser leurs activités, baisser leurs taux d'intérêt, et — en un mot — servir la politique de pouvoir de l'oligarchie vénitienne. Le Sénat n'utilisait plus, cette fois, le terme générique de *feneratores* (prêteurs), mais parlait bien de *Judei*. Le nouvel accord, conclu pour une durée de dix ans, imposait à la communauté juive d'acquitter une taxe de quatre mille ducats. Les chefs de la communauté, élus de façon autonome, répartissaient cette taxe, déterminant la quote-part de chaque individu. En dehors des droits habituels sur les marchandises importées ou exportées, les Juifs n'acquittaient pas d'autre impôt. Ils faisaient ainsi l'objet d'une exception juridique codifiée, qui relevait cette fois non plus du Piovego mais des Sopraconsoli. Il leur avait de plus été promis un quartier où ils pourraient habiter, ce qui était à considérer comme un véritable privilège.

La précarité traditionnelle s'interrompait donc pour au moins une décennie, mais la pression du pouvoir n'en diminuait pas pour autant : toutes les occasions étaient bonnes pour tenter d'abaisser le taux des prêts tout en augmentant, d'autre part, les impôts. Les rapports restaient en permanence conflictuels. Parfois c'étaient les Juifs qui se refusaient à accorder de petits prêts aux gens modestes ; ou les autorités de la Sérénissime qui de leur côté ne se privaient pas d'exercer leur pression, retardant, par exemple, la concession du quartier promis, ce qui ne manquait pas de soulever des agitations et des protestations de toute sorte. Le Sénat nommait des commissions d'experts et l'on procédait, de temps à autre, à des révisions des accords fondamentaux de la concession. C'est ainsi qu'en 1389 on ouvrit des banques spécialisées dans les petits prêts : elles furent confiées, pour une grande part, à des Juifs allemands de Nuremberg, ou aux *Franzosi*, des Juifs d'origine française.

Il est vraisemblable que les Juifs eussent préféré s'occuper de gros prêts et des transactions commerciales les plus importantes. Mais la République Sérénissime les contraignit cependant à traiter également les affaires plus modestes, soucieuse qu'elle était de préserver la paix sociale et de garder des moyens de contrôle sur les pauvres de la ville.

C'est aussi sous la pression du gouvernement que les Juifs furent conduits à consentir au seigneur de Vérone, Antonio della Scala, un prêt fort risqué, garanti par les bijoux des Scaligeri, transférés à Venise. Les bijoux présentés en gage restèrent aux mains des magistrats de la Signatura, qui se chargèrent non seulement de les faires estimer, mais incitèrent également certains Vénitiens fortunés à se porter garants de leur valeur en engageant une partie de leurs biens, et même, à la limite, à les acheter. Ce fut un consortium de banques juives qui accorda le prêt à Della Scala dont la fortune militaire ne cessa cependant de décliner. Il mourut en exil à Faenza, en 1388. Deux ans plus tard, malgré la nomination d'une commission de vente, les banques n'avaient toujours pas recouvré l'intégralité de leurs fonds, ce qui avait provoqué une grave pénurie de liquidités.

A partir de 1389, la situation économique à Venise commença à s'améliorer, notamment grâce à un renouveau du trafic maritime. Les relations entre Sénat et prêteurs juifs s'en ressentirent presque aussitôt : de lourdes amendes furent infligées à tous ceux qui ne respectaient pas les accords sur les petits prêts, et l'on exclut du prêt sur gages tous les objets religieux. A nouveau on revint sur la promesse faite aux Juifs de leur donner un quartier où ils pourraient durablement s'installer. La décision fut même prise par le Sénat de ne pas renouveler la concession. On accusait les Juifs de ne pas suffisamment aider les pauvres de la ville et de leur faire au contraire subir des vexations. On affirmait que leur influence avait atteint des proportions intolérables et que l'on risquait de voir toutes les richesses s'accumuler entre leurs mains. On les accusait également de refuser tout prêt à ceux qui ne présentaient pas, en garantie, de l'or ou des bijoux.

A l'échéance de la concession, en 1397, les Juifs

se retirèrent à Mestre, ce qui ne les empêcha nullement de se rendre à Venise pour vendre leurs gages au Rialto. Avec le temps, ils séjournèrent de moins en moins à Mestre et de plus en plus à Venise, et ils finirent ainsi par tourner le « pieux esprit du Décret ».

A partir de 1397, les Juifs ne furent autorisés à séjourner en ville que quinze jours consécutifs, durant lesquels ils étaient tenus de porter un petit disque jaune comme signe distinctif. Tout contrevenant s'exposait à une forte amende sans recours possible. Le prêt ne fut cependant pas remis en cause, et la présence à Venise des représentants des banques juives de Mestre était autorisée le jour de la vente d'un gage laissé en dépôt.

Les autorités vénitiennes décidèrent d'interdire aux Juifs l'acquisition ou la possession de biens immobiliers à l'intérieur des territoires vénitiens. avec une seule exception : l'île de la Guidecca. Les Juifs étaient ainsi contraints de garder tous leurs avoirs en argent liquide : ceci favorisait leurs activités de prêt et leur donnait une grande mobilité, mais limitait d'autant toute possibilité d'installation durable. Dans le même esprit, les immeubles des chrétiens ne pouvaient pas être hypothéqués en garantie d'emprunts bancaires.

En d'autres occasions, par le passé, les Juifs avaient été contraints de porter un habit différent de celui des chrétiens ; ainsi en 1221, en Sicile, par décret de Frédéric II, et en 1311 à la suite d'une prescription du *Codice Ravennate*.

Galicciolli raconte : « Établis à Venise, et s'imaginant peut-être que la procédure de la reconduction n'était que subtilité politique, et que leur domicile leur était désormais acquis à perpétuité, les Juifs se

29

préoccupèrent de l'achat d'un terrain qui pourrait abriter leurs tombes. » La Seigneurie ducale accorda, le 25 septembre 1386, la concession d'un terrain qui pouvait être utilisé comme cimetière, et la plaça sous la compétence du Piovego. Il s'agissait d'un terrain vague, désertique, mais les religieux de San Nicoló ne le cédèrent point sans une âpre résistance, allant jusqu'à intenter un procès à la magistrature vénitienne. Ce ne fut qu'en 1389 que l'on parvint à un accord avec les religieux et que le terrain fut délimité. C'est également de cette année que date la plus ancienne pierre tombale, celle de Samuel fils de Samson.

Les autorités de la Sérénissime constatèrent, le 7 septembre 1402, que les Juifs continuaient de circuler quasi librement à Venise, séjournant volontiers dans certaines zones de la ville (Sant'Apollinare et San Silvestro) ; elles décrétèrent alors que tout Juif, après avoir séjourné quinze jours à Venise, ne pourrait plus y revenir avant quatre mois. De plus on retira aux médecins le privilège de ne pas porter de disque jaune, de nombreux Juifs se faisaient passer pour chrétiens ou pour médecins.

Chassés de la ville, les Juifs finirent par parcourir toute la Vénétie sans pourtant jamais réellement quitter Venise, puisque en 1423 nous retrouvons un décret leur intimant de revendre, sous deux ans, tout bien immobilier, acquis au mépris des lois en vigueur. La Sérénissime Dominante édictait souvent, nous le voyons bien, des ordonnances restrictives aussitôt mitigées par une application diluée dans le temps.

Ce genre de pragmatisme politique transparaît également dans l'attitude de la République vénitienne à l'égard de la présence juive, qu'elle ne tolérait guère à Venise, où la communauté était insignifiante, et qu'elle encourageait en revanche sur ses possessions d'outre-mer, si bien qu'il existait, déjà au XIIIᵉ siècle, de prospères communautés aussi bien en Crète et à Candia que dans le Nègrepont.

Les rapports officiels entre les Juifs et Venise étaient donc sujets à de nombreux changements d'humeur, alors qu'au niveau individuel, il apparaît que les rapports, commerciaux et autres, ont été tout à fait normaux, et parfois même « davantage ». En témoignent certains actes du début du XVᵉ qui font référence à l'existence de rapports sexuels entre hommes juifs et femmes chrétiennes. Le 19 juillet 1424 est édicté un décret qui les interdit formellement. Parmi les peines prévues : une forte amende et six ou douze mois de prison selon qu'il s'agit d'une femme du peuple ou d'une aristocrate. A peine deux jours plus tard on constate déjà une première violation.

Le Sénat interdisait également aux Juifs d'ouvrir des écoles de quelque nature qu'elles fussent sous peine d'encourir une amende de cinquante ducats assortie d'une peine de six mois de prison.

La résistance des Juifs aux mesures restrictives de ce type fut des plus tenaces. Obligés de porter un signe distinctif, ils utilisèrent toutes les astuces pour le rendre invisible. Durant le XVᵉ siècle, les autorités vénitiennes se penchèrent à huit reprises sur la question et de nombreuses condamnations ont pu être relevées contre des Juifs qui n'avaient pas observé la prescription. Ne parvenant pas à obtenir satisfaction, le Sénat décida en 1496 de substituer au signe jaune un couvre-chef de la même couleur, plus facilement repérable. On accordait, à titre individuel, certaines exemptions, en particulier aux médecins. Et même on concéda à Davide Mavrogonato (1463), qui avait accompli une mission pour le compte de la Sérénissime, ainsi qu'à un Juif allemand au service de Maximilien Ier, le privilège de circuler en armes et de se faire accompagner par des gardes du corps.

Le signe distinctif faisait courir aux Juifs un danger, surtout pendant leurs voyages, car il les exposait à des risques permanents d'agression. Ils obtinrent donc, afin de ne pas être reconnus, de porter le même béret que les chrétiens pendant leurs déplacements. En 1517, intervenant une nouvelle fois dans un domaine décidément bien fluctuant, le conseil des Dix révoqua toutes les dispenses et rendit le port du béret jaune obligatoire même pour les médecins célèbres.

De nombreux historiens ont souligné les multiples facettes de la politique de Venise à l'égard des communautés juives : répressive dans la cité lagunaire, elle était bien plus permissive dans les colonies. Lorsque Padoue fut conquise, par exemple, on étendit également à cette ville l'obligation de porter un signe jaune distinctif « *quod sit bene apparens*[1] », alors que dans les colonies, cette norme était appliquée avec une bien moindre rigueur. A Venise, le contrôle exercé à l'égard des Juifs était rigide, tandis qu'à Corfou et dans le Nègrepont était plutôt de mise un certain libéralisme, fréquemment ponctué d'accès de zèle religieux, il est vrai.

En 1408 une nouvelle intervention du Sénat, cette fois, rétablit la libre circulation des Juifs qui devaient auparavant respecter un intervalle de quatre mois entre leurs visites à Venise. Mais la lutte entre les

_____

1. « Qui fût parfaitement apparent ». *(N.d.T.)*.

colombes et les faucons au sein du Conseil suprême n'était pas terminée pour autant et à peine sept mois plus tard, elle tournait à nouveau à l'avantage de ces derniers avec le retour au *statu quo ante*. Six mois plus tard, nouveau coup de théâtre : abolition de l'intervalle de quatre mois et permission pour les Juifs qui ne pratiquaient pas le prêt à usure de retourner à Venise. Une restriction cependant : le port du disque jaune.

Mais l'État vénitien ne se bornait pas à instituer des impôts ou infliger des amendes, il lui arrivait aussi, parfois, de faire preuve de bienveillance. Il figure, dans les protocoles du Sénat, de nombreux décrets imposant aux autorités locales de défendre les Juifs et de les laisser vivre selon leurs lois religieuses. D'ailleurs, s'il n'y avait pas eu, tout au long des siècles, une tolérance religieuse effective, on ne comprendrait pas très bien cette osmose qui a continuellement enrichi la communauté vénitienne aussi bien de Juifs allemands venant du nord que de Juifs sépharades et orientaux qui arrivaient de l'ouest.

Le rapport entre le petit peuple vénitien et cette communauté, initialement étrangère, est plein de nuances et d'ambivalences. Les différences sont innombrables : la langue, les rites religieux, les coutumes des Juifs, leur nourriture, leur mode de vie, tout est mystérieux ; étrangers, ils le sont doublement puisqu'ils sont juifs et allemands, orientaux et juifs, plus tard, espagnols et juifs.

Quant aux Vénitiens, il y a, de façon approximative et schématique, d'un côté le petit peuple, parfois tranquille, parfois rempli d'animosité, excité par les prédicateurs et les religieux, qui ne pouvaient guère voir d'un très bon œil ces contestataires, involontaires il est vrai, de la foi chrétienne ; de l'autre côté il y a la classe dominante, qui sait user des Juifs avec un grand pragmatisme politique et économique, en leur faisant, au besoin, jouer le rôle de boucs émissaires.

Vers la moitié du XVᵉ siècle parvinrent à Venise les échos des débats théologiques qui divisaient franciscains et dominicains sur la question de l'usure. La papauté, qui avait pourtant donné son aval à l'institution des monts-de-piété, se gardait bien de trancher en la matière. C'est ainsi que, profitant de la visite à Venise du cardinal Bessarione, émissaire de Pie II, en 1463, les autorités de la ville décidèrent de le consulter sur la délicate question du prêt à intérêt pratiqué par les Juifs. La lettre adressée par le cardinal au doge Cristoforo Moro en date du 18 décembre 1463, constitue un document de la plus haute importance. Bessarione, sans parler de l'usure, et ayant rappelé les rapports avantageux qui s'étaient établis par le passé entre Venise et les Juifs, s'interroge sur les inconvénients qu'il peut y avoir à rapprocher la communauté juive de la communauté chrétienne. Ne pourrait-il y avoir avantage à permettre aux Juifs de vivre au contact des chrétiens ? Oui, répond Bessarione, considérant que ce rapprochement pouvait amener certains Juifs à la conversion. De tout le poids de son autorité pastorale, il confirmera la nécessité de respecter — dans leur intégralité — tous les accords conclus avec les Juifs. Les autorités vénitiennes pouvaient donc, sans avoir à craindre les foudres de l'Église, librement traiter avec eux.

En 1478, après un nouveau débat au sein de l'oligarchie dominante, les dispositions en vigueur furent confirmées — c'était une victoire des libéraux de l'époque — sous toutes leurs formes et l'expulsion de 1426 annulée. Subsistait une seule restriction, désormais habituelle : le port du signe distinctif jaune.

2

L'usure, les Juifs, les chrétiens

La position des rabbins et de la papauté face à l'usure. — Les établissements de prêt sur gages : leur fonctionnement. — Les monts-de-piété et la prédication des franciscains. — Bernardino de Feltre. — L'accusation d'homicide rituel.

Le problème du prêt constitue dans l'histoire des Juifs de Venise, d'Italie et d'Europe, l'un des points où la tension idéologique avec les chrétiens est la plus vive.

Historiquement parlant, le phénomène se situe principalement au Moyen Age ; mais c'est plus haut dans le temps, jusqu'à la Bible, qu'il faut remonter pour trouver les racines d'une controverse qui allait encore approfondir le fossé entre Juifs et chrétiens.

L'Ancien Testament dit : « Tu pourras percevoir un intérêt de l'étranger, mais tu ne pourras pas en faire de même avec ton frère... » Les Juifs donc peuvent faire commerce de l'argent, mais cette phrase sera discutée dans le Talmud et deviendra l'objet d'un débat contradictoire. C'est ainsi que dans le Talmud babylonien Rav Hunna est d'avis que « le profit retiré de l'usure, même lorsqu'il est perçu d'un idolâtre, est voué à la perte ». De nombreux autres rabbins se sont également penchés sur la question, aboutissant, dans le droit fil de la tradition juive, non à une position univoque, mais à une palette nuancée des interprétations les plus diverses. Les rabbins, soucieux de garantir la survie de leur communauté, justifiaient parfois l'usure par de tortueux raisonnements économico-théologiques.

De fait, des conditions sociales difficiles et un environnement hostile, au sein d'une Europe médiévale chrétienne, ont fini par imposer une vue pragmatique du problème : le commerce de l'argent était une question de survie ; cela apparaît clairement dans une réponse faite, au courant du XIIe siècle, par le talmudiste Rachi de Troyes : « Lorsque cette interdiction [sur le commerce] a été prononcée, les Juifs vivaient entre eux et pouvaient faire du commerce les uns avec les autres ; mais à présent nous sommes une minorité et nous ne pouvons pas subsister sans faire de commerce avec les non-Juifs, car nous vivons parmi eux et aussi parce que nous les craignons. »

En Italie, au XVe siècle déjà, la pratique du prêt à intérêt et du prêt sur gages s'était solidement installée. Elle n'était d'ailleurs pas encore totalement assimilée aux coutumes juives.

Rabbenou Tam, un talmudiste du XIIe siècle, avait déjà clairement affirmé que le commerce de l'argent était un choix dicté par la nécessité : « Aujourd'hui les gens ont pris l'habitude de prêter contre intérêt aux non-Juifs... parce que nous devons payer les taxes au roi et aux seigneurs et que toutes ces choses sont nécessaires à notre subsistance. Nous vivons parmi les non-Juifs et nous ne pouvons pas gagner notre vie sans faire de commerce avec eux. Il n'est donc plus interdit de prêter à intérêt. » Et pourtant le malaise juif, même étouffé et rationalisé, n'en est pas pour autant réellement dissipé. Poliakov pose à ce propos une question à laquelle il n'est guère aisé d'apporter une réponse simple, car c'est tout l'univers psychologique de l'individu juif qui s'en trouve agité. « Quel a pu être le jugement que les Juifs eux-mêmes pouvaient porter sur une activité que l'effort éducatif de l'Église entourait d'un discrédit progressivement croissant ? » Un élément de réponse nous est proposé par le rabbin provençal Jacob ben Élie qui, au XIIIe siècle, écrivait à l'apostat Paolo Cristiani à propos de l'usure : « Chez les Juifs d'Orient, chacun vit du travail de ses propres mains... Dans nos contrées il en va différemment... Car nos rois et nos princes n'ont d'autre souci que de nous dépouiller de notre argent. Et regardez à présent cette cour de Rome devant laquelle s'inclinent tous les chrétiens... Tous courent derrière le profit... Quant à nous, à quoi donc tient notre vie ? Notre force et notre puissance ? Nous devons remercier Dieu d'avoir multiplié nos richesses, car elles nous permettent de protéger nos vies, et celles de nos fils et de faire échouer les desseins de nos persécuteurs. »

Dans un *responsum* de 1600, le rabbin vénitien Léon de Modène se montrait, quant à lui, plus pragmatique : « Si nous créons de nouvelles banques le peuple se mettra en colère et fera expulser les Juifs, car chacun sait à quel point le peuple déteste l'usure et, plus que de la complaisance du prince, c'est des bons sentiments du peuple que le Juif a besoin, car, lorsqu'il est hostile aux Juifs, le peuple adresse au prince des pétitions pour les faire expulser, et le prince écoute, comme cela est arrivé en divers endroits, surtout à cause de l'usure. » Cette réflexion de Léon de Modène révèle une certaine évolution par rapport à celle contenue dans un responsum antérieur, rédigé dans la seconde moitié du XVᵉ siècle par le rabbin Joseph Colon. Celui-ci, qui s'interrogeait aussi sur l'opportunité d'ouvrir de nouvelles banques dans une ville italienne, observait que si, avant la prédication des franciscains, l'ouverture d'un nouvel établissement bancaire aurait automatiquement allégé les taxes de la communauté tout entière, « aujourd'hui ces établissements s'étant multipliés, ils sont devenus des "sources de tracas" ». Le rabbin Colon observe encore : « Voilà ce qui arrive lorsqu'un individu ajoute son propre poids à un chameau déjà lourdement chargé : la bête s'effondre ; et c'est cet individu qui doit être tenu pour responsable car sans lui, elle aurait supporté la charge... » Il ajoute encore : « Comme je l'ai déjà écrit ce jour-là, à cause de nos péchés la main des prédicateurs s'abattra lourdement sur nous et nous vivons chaque année dans la crainte de ce jour. Il est certain que personne ne peut venir dans une ville et prêter de l'argent contre de l'intérêt sans l'autorisation des gens de cette ville. »

Si donc les arguments de Léon de Modène reflètent une plus grande maturité politique et un changement d'attitude idéologique, les deux rabbins sont néanmoins bien conscients de la position délicate dans laquelle se trouvent les prêteurs juifs face au peuple chrétien.

La législation canonique régissant l'intérêt sur les prêts, imposée dans un premier temps aux Juifs puis aux non-Juifs, remonte à une période antérieure au XIIᵉ siècle. Schématiquement la conception économique de la doctrine chrétienne a reposé, quelle que soit, l'époque sur deux maximes. Une maxime aristotélicienne : « *pecunia pecuniam parere non potest* » : l'argent ne peut engendrer l'argent, il est stérile, perpétuel, et ces deux caractéristiques sont incompatibles avec le concept d'intérêt. L'autre est de saint Luc, dans son Évangile : « *Mutuum date nihil inde sperantes* ». Il ne s'agit donc pas seulement d'une interdiction de percevoir des intérêts, mais également d'une invitation à ne pas déranger celui qui doit de l'argent pour en exiger la restitution. Voilà, synthétisés, les deux principes qui pendant longtemps ont inspiré la doctrine chrétienne appliquée par la suite à l'économie médiévale.

L'interdiction de l'Église contre l'usure avait-elle cours également pour les Juifs qui, eux, bien évidemment, se situaient hors de l'Église ? De nombreux chercheurs font remarquer que les sources ecclésiastiques ne sont guère limpides en la matière et qu'elles observent le silence, peut-être pour ne pas reconnaître aux infidèles des concessions qui sont refusées aux fidèles. Aussi, dans sa *Summa Theologica*, saint Thomas s'exprime-t-il ainsi : « Aux Juifs il fut interdit de prêter à usure à leurs coreligionnaires, c'est-à-dire aux autres Juifs. Une telle interdiction nous fait comprendre que le prêt à usure est toujours une action blâmable puisque nous devons traiter chacun comme notre prochain et notre frère, et spécialement dans le respect de l'Évangile, auquel nous sommes tous conviés. A eux il était cependant permis de prêter à intérêt aux étrangers, non comme si cela était juste, mais pour éviter un plus grand mal, c'est-à-dire pour éviter qu'en raison de l'avarice à laquelle ils étaient enclins, selon Isaïe, ils ne prêtent contre intérêt aux Juifs mêmes, leur coreligionnaires dans la foi en Dieu. »

Au xve siècle le débat concernant les Juifs et l'usure sera fort animé. Entre deux positions extrêmes, permettre ou interdire le commerce de l'argent, on parviendra finalement à une forme ambiguë d'acceptation de l'état de fait.

Les débats sont particulièrement vifs en Vénétie, vers la moitié du xve siècle, où l'on assiste à la confrontation des thèses de Paolo di Castro et d'Alessandro de Nevo. Le premier estime qu'il faut laisser l'usure aux Juifs et traiter avec eux. Au contraire, De Nevo pense qu'il faut leur interdire l'usure pour leur offrir une chance de salut. — Notons que les écrits de De Nevo ont servi de référence à de nombreux moines dans leurs polémiques anti-juives. Les Juifs qui prêtent à usure, pèchent-ils ? L'Église doit-elle s'opposer à ce péché ? Oui, répond le théologien, « car celui qui contracte un emprunt devient le serf de l'usurier ». L'Église doit-elle tolérer ce péché pour éviter de pires maux, au nom d'un plus grand bien ? Saint Augustin écrit qu'il faut tolérer les rites des Juifs pour que ceux-ci témoignent de la vérité de la foi chrétienne. Mais aux questions : les princes ou les conseils des villes et des communes peuvent-ils accorder licence aux Juifs ? Le pape peut-il accorder des dispenses aux princes ou bien à la ville afin qu'il leur soit permis de traiter avec les prêteurs juifs ? Les réponses seront négatives.

On voit donc que la position de l'Église vis-à-vis des Juifs et du commerce de l'argent était loin d'être univoque, et le débat fut souvent des plus vifs. Aux considérations d'ordre strictement religieux qui pouvaient faire les délices des théologiens venait s'ajouter l'exigence d'apporter un soulagement à la grande masse des pauvres ; par ailleurs, il n'était nullement

41

dans les intentions de l'Église de renoncer au contrôle de fait qu'elle exerçait sur le prêt à gages : on ne pouvait en effet envisager d'implanter une banque dans une ville sans l'approbation de l'autorité religieuse locale et tout contrevenant s'exposait à des sanctions pouvant aller jusqu'à l'excommunication.

Malgré tous les atermoiements et les difficultés que, pour des raisons opposées, suscitaient les moines et les rabbins, les Juifs virent leur rôle de prêteurs s'affirmer de façon monopolistique et définitive au XIVᵉ et au XVᵉ siècle. Au reste, l'évolution rapide de l'économie rendait la tâche des penseurs chrétiens de plus en plus ardue. Il leur fallait concilier, au prix d'artifices dialectiques et de finesses théologiques toujours plus élaborées, des exigences clairement contradictoires : d'un côté la pureté religieuse, de l'autre le développement économique. Le prêteur juif, tout en étant soumis à des taxes et à des contrôles, finit par exercer une fonction essentielle : Marin Sanudo, dans ses *Diarii*, en vint à dire, à l'occasion de l'accord signé en 1519 entre les Juifs et Venise, qu'ils étaient plus nécessaires que les boulangers. Exclus des arts et de nombreux métiers, des emplois publics et des armes, des professions libérales et de la propriété foncière, ne s'offrait plus à eux qu'une voie unique : le commerce de l'argent, c'est-à-dire l'activité de prêt qu'au Moyen Age on appelait usure. Les Juifs, désirés et détestés, finirent par s'installer dans les principales villes italiennes, obtenant souvent, à l'occasion de l'implantation d'une banque, non seulement des avantages d'ordre financier, mais également des privilèges de nature différente. Par exemple, la ville de Montefiascone, en 1312 après le siège imposé par Orvieto, demanda un prêt aux Juifs romains ; ceux-ci se proposèrent d'accepter à condition que leur fussent accordés le droit de citoyenneté et la pleine appartenance à la corporation locale des arts et métiers. Le véritable motif pour lequel ces contrats étaient proposés et acceptés était souvent là : obtenir une « concession » qui leur permette de s'établir dans la ville et de bénéficier de « droits civiques ».

En quoi consistait une telle concession ? Il s'agissait essentiellement d'un accord dont les innombrables clauses n'étaient en général fixées qu'après des tractations d'une dureté extrême entre les Juifs et les autorités de la ville. L'accord ainsi conclu devenait le code de comportement réciproque qui devait régir les rapports entre le gouvernement et les banquiers et donnait droit à une patente d'exercice. Le schéma formel de l'accord était à peu près constant : on fixait les conditions et les types de prêt ; le nombre des banques autorisées ; le lieu d'installation de chaque banque, ses horaires d'ouverture, la rue ou à défaut tout autre point de référence qui puisse la situer ; on enregistrait les renseignements concernant les prêteurs, leurs familles, leurs assistants ; on clarifiait les rapports internes, de type patrimonial ou autre, entre les différents associés ; s'il s'agissait d'une société on en identifiait les membres et on déterminait les parts de capital de chacun.

A Venise on distinguait les banques par des couleurs : rouge, vert, noir. Les jours de fermeture étaient réglementés. On permettait aux Juifs de fermer à l'occasion de leurs fêtes. Pour les jours de fête chrétiens, il y avait cependant des discussions : les prêtres exigeaient la fermeture en signe de respect, les Juifs voulaient, de leur côté, profiter, pour leurs affaires, de l'affluence plus importante ces jours-là. On arrivait le plus souvent à un compromis : ouverture le matin lors des festivités mineures, fermeture totale à Pâques et le jour du patron de la ville. Étaient également envisagées des fermetures exceptionnelles en cas de tension sociale.

Le taux d'intérêt varia sensiblement selon les accords, les régions, le moment historique. Il y eut des trangressions à la règle et des abus mais, d'une façon générale, les conditions du prêt, issues de longues tractations, étaient respectées. Pour les prêts importants consentis aux gouvernements ou aux princes des taux préférentiels étaient prévus. Cela valait également pour les étudiants. Le prêt sur gages et le prêt avec reconnaissance de dette étaient typiques de l'activité financière des Juifs : le premier, assorti d'une solide garantie, était accordé à des taux plus bas, et l'estimation de gage était librement laissée aux parties, mais il était interdit aussi bien par l'Église que par les rabbins de donner en gage des objets du culte chrétien, et les soldats ne pouvaient en outre pas céder leurs armes ni les étudiants leurs livres. Les prêteurs ne pouvaient refuser de donner une somme minimale fixée à l'avance à quiconque en faisait la demande, pourvu que le gage en fût suffisant. Il existait même une clause qui garantissait le prêteur au cas où lui seraient remis des gages provenant de vols. Il n'avait à les rendre qu'après restitution des sommes prêtées augmentées des intérêts. Généralement la durée minimale du prêt était d'un mois et la période maximale d'un an et demi. Les intérêts étaient calculés mensuellement et il n'était en outre pas prévu que l'on puisse percevoir un intérêt sur l'intérêt. Tout gage était enregistré. Les Juifs écrivaient en hébreu, ou bien ils transcrivaient des mots italiens en caractères hébraïques. Ceci donnait souvent lieu à des abus, même si le contrôle des autorités municipales était des plus stricts. En cas de sinistre (incendie, inondation), la responsabilité du prêteur n'était pas engagée. C'étaient toujours les employés de la commune qui vendaient les gages non retirés après les délais fixés. Les règles étaient minutieusement codifiées et établies de manière à protéger les débiteurs. Si la valeur du gage vendu dépassait le montant du prêt, la différence, déduction faite de certaines dépenses mineures, revenait au débiteur.

La seconde catégorie de prêts était celle dite « sur papier ». La durée en était plus longue et les sommes accordées plus importantes, avec également une augmentation du taux des intérêts. La garantie était ici pratiquement inexistante et les prêts de ce type étaient beaucoup moins appréciés, certains accords autorisant même leur refus.

La durée de la concession pouvait varier entre cinq et dix ans. Si la communauté juive initiale s'élargissait, on pouvait prévoir une réglementation différenciée : un chapitre était alors réservé aux banquiers, un autre aux autres membres de la communauté.

La précarité de leur condition, les contraintes et les restrictions auxquelles ils étaient soumis amenèrent donc les Juifs à faire du commerce de l'argent leur planche de salut.

On a souvent discuté sur la raison et l'origine de ce rôle si caractéristique et de ce quasi-monopole. Certains, indépendamment de tout jugement de type canonique, accordent le rôle prééminent à la dynamique intrinsèque des lois générales de l'économie selon lesquelles les peuples commerçants hautement civilisés, lorsqu'ils sont dépassés dans le négoce des marchandises par de plus jeunes rivaux, ont pour habitude les mécanismes financiers et les systèmes de prêt modernes et seraient ainsi devenus des banquiers avant la lettre.

De fait, les facteurs qui permirent aux Juifs de s'installer dans leur fonction de prêteurs d'argent sont multiples. Les données sont labiles et évoluent rapidement et parfois même en quelques années sont à l'opposé de ce qu'elles étaient initialement. Ainsi l'Église, dans un premier temps, réprima l'usure avec sévérité, ce qui, par contrecoup et parce qu'ils n'étaient pas concernés par les sanctions, favorisa l'activité des prêteurs juifs. Plus tard, les autorités ecclésiastiques tentèrent de remédier à cet effet pervers en s'attaquant directement aux Juifs. Mais, faute de pouvoir empêcher la pratique du prêt, si appréciée par les princes qui convoitaient la présence des Juifs à leur cour, l'Église eut recours aux impôts. Cela donne un aperçu de l'entrecroisement des facteurs religieux et économiques, inter-action souvent dynamique, qui engendra des restrictions toujours nouvelles auxquelles Église, Juifs et princes tentèrent de s'adapter au mieux.

Vers le milieu du XVe siècle, les conditions économiques des Juifs s'étaient sensiblement améliorées grâce notamment aux activités liées au prêt: ils avaient obtenu le droit tant attendu de résidence, une certaine liberté religieuse et jouissaient somme toute d'un certain confort par rapport à la grande majorité de la population de l'époque qui vivait parfois dans une situation proche de l'indigence. Pour la plupart d'entre eux, ils ne portaient plus le signe distinctif et leurs activités commençaient à se détacher quelque peu d'un commerce par trop étroit pour se tourner vers des opérations financières et commerciales de plus grande envergure. Mais ce processus d'assimilation allait se trouver enrayé par la prédication des frères franciscains qui se développa à cette époque, et pour lesquels il ne pouvait y avoir d'activité plus condamnable que l'usure.

Le champion de cette lutte contre l'usure fut Bernardino da Siena. Parti de l'Ombrie, il propage ses idées dans toute l'Italie centrale. Toute compensation d'un prêt, si minime soit-elle, relève de l'usure. Ceux qui la pratiquent (les Juifs) sont des ennemis du peuple. Ceux qui l'autorisent ou la tolèrent (les princes, les autorités des communes) ne méritent que l'excommunication.

C'était là le début d'une grande crise moralisatrice, intégriste, pourrait-on dire de nos jours, contre le relâchement des mœurs. Les frères mineurs étaient d'une intransigeance extrême quant à l'application des principes qu'ils prêchaient et qu'ils mettaient d'ailleurs en œuvre par leur pratique de la charité. Mais à leur instigation allait s'installer un climat idéologique favorable au développement d'un énorme mouvement de protestation populaire, tant sur le plan social que religieux. Ce mouvement, éminemment subversif à l'encontre de l'ordre établi, ne pouvait laisser indifférent ni l'Église, ni les princes, moins encore les Juifs. Ce vent de révolte, qui aurait dû, en bonne logique, souffler contre les classes dominantes, fut en fait détourné sur les Juifs, qui connurent ainsi de nouvelles persécutions.

Sur un autre plan, l'activité des moines franciscains ne devait pas non plus rester sans effet, puisque, pour lutter contre le pouvoir des banques juives, ils instituèrent les premiers monts-de-piété. Ces organismes tentaient de répondre, au nom du plus pur esprit religieux, aux exigences sociales du moment. On constitua dans chaque ville, grâce aux donations et oblations faites par les fidèles en échange d'indulgences, un capital qui devait leur permettre de fonctionner. De petits prêts pouvaient ainsi être accordés aux pauvres de la ville sans le moindre intérêt.

Vers la fin du XVᵉ et le début du XVIᵉ siècle, cette nouvelle institution économique se propagea dans toute l'Italie, mais, du fait même de ses buts humanitaires, elle connut une fortune bien inégale et les fidèles d'une même ville furent plusieurs fois mis à contribution pour reconstituer un capital bien vite dispersé. Cette institution, conformément du reste à l'intention de ses fondateurs, était en réalité une œuvre de charité ; elle ne pouvait donc véritablement être considérée comme un établissement de prêt.

Il est évident qu'en raison de leurs caractéristiques si différentes, il ne pouvait y avoir d'affrontement direct, sur le plan économique, entre les banques juives et les monts-de-piété. L'activité des banques était d'une plus ample envergure et, grâce à l'expérience accumulée au fil des ans, plus organisée ; plus professionnelle, plus audacieuse, elle bénéficiait d'un véritable réseau capillaire qui lui permettait d'être présente même dans les campagnes. De l'autre côté, les monts-de-piété répondaient davantage aux besoins d'une société statique qu'à ceux d'une société en plein essor commercial : ils obéissaient à des sollicitations d'ordre religieux et non à des exigences de nature économique. Leur gestion finit par tomber aux mains d'une classe de bureaucrates parasitaires, peu concernés par leur bon fonctionnement, si bien qu'ils n'allaient pas tarder à être détournés de leurs objectifs initiaux.

La confrontation entre monts-de-piété et banques

juives fut donc avant tout une affaire politique et religieuse ; par la suite, lorsque les monts-de-piété finirent par appliquer eux-mêmes un taux d'intérêt, minime, comme simple dédommagement partiel des frais de fonctionnement, la concurrence se fit toutefois plus redoutable, et précisément sur le terrain économique. Le propagateur le plus habile de cette idéologie de l'assistance que véhiculaient les monts-de-piété fut Bernardino da Feltre. En l'espace de neuf ans, de 1484 à 1492, il parvint à fonder vingt-deux institutions de cette nature, la majeure partie sur les territoires de la République vénitienne. C'était une homme d'une intransigence religieuse absolue et d'une inébranlable conviction dans le combat qu'il avait entrepris en faveur des pauvres ; du relâchement des mœurs des nobles aux moindres joies et divertissements terrestres, il fit preuve de la même intolérance. Son rigorisme alla jusqu'à lui faire bannir Ovide et Pétrone de ses bibliothèques. Durant l'épidémie de peste de Padoue, il se serait dédié aux malades et aux pauvres avec une totale abnégation, entièrement inspiré par l'enseignement de Bernardino da Siena pour qui la mort au cours d'une épidémie était considérée comme un martyre. Il semblerait également qu'il se soit astreint aux tâches les plus humbles et qu'il ait lavé les pieds des malades. Soutenu par sa foi, il défia les autorités de toute l'Italie, de Venise à Naples, en passant par Mantoue, Florence et peut-être même Rome. Au cours de cette lutte intégriste, il trouva sur son chemin ce qui lui apparaissait comme son ennemi naturel : l'usure et donc les Juifs.

Au cours de sa prédication il se rendit à Mantoue et à Ferrara, à Gênes et en Ombrie, parcourant principalement la Vénetie. A Florence, l'issue de son combat fut longtemps indécise. Il avait bien sûr beaucoup de partisans, mais la charge subversive que renfermait sa prédication enflammée n'était bien vue ni des Médicis ni des Juifs qui tentaient de se défendre contre ses accusations, et encore moins des dominicains et des augustiniens. En effet ces derniers, toujours au nom de la pureté de la foi, niaient obstinément toute légitimité au projet sur les monts-de-piété, à partir du moment où leur fonctionnement impliquait la perception d'intérêts. Les facettes de ce combat étaient donc multiples : on y trouvait bien sûr la théologie et ses abstruses subtilités juridico-religieuses ; mais aussi la psychologie, la rhétorique de masse, la politique et ses articulations complexes, véritable toile de fond du développement de la bourgeoisie marchande. Le pouvoir politique et les ordres religieux savaient cependant faire taire leurs dissensions habituelles lorsqu'il s'agissait de limiter l'influence des banques juives. La lutte entre banques et monts-de-piété ouvrait de nouvelles perspectives à la concurrence, dont les princes et autres dirigeants, voyant bien le parti qu'ils allaient tirer d'une telle situation, ne pouvaient que se réjouir. Et pourtant, face à l'impétuosité des prédicateurs, les Juifs qui ne refusaient jamais de payer un impôt, même extraordinaire, et qui, du point de vue politique, étaient de loin les éléments les plus contrôlables, avaient les plus fortes chances d'emporter la préférence de la classe politique au pouvoir.

L'autre effet de la violente attaque des frères fut les accusations calomnieuses envers les Juifs et les persécutions dont ils furent l'objet. Dès 1475, pendant le Carême, à Trente, frère Bernardino da Feltre s'en était âprement pris aux chrétiens qui entretenaient de bons rapports avec les Juifs ; à ceux qui lui répondaient que les Juifs, bien que différents de par leur foi, étaient de braves gens, il avait répondu par cette lugubre prophétie : « Vous ne savez pas le mal que vous font tous ces gens que vous croyez si bons, mais la Pâque du Seigneur ne sera pas terminée qu'ils sauront vous donner une preuve de leur grande bonté. » Le Jeudi saint de l'année 1475, au soir, disparaissait un enfant nommé Simon. Les Juifs étaient ce jour-là tous enfermés chez eux (ainsi que l'avait prescrit le concile de Tolède en 633 : « Juifs et musulmans, quel que soit leur sexe ne devront pas, le jour de la Pâque, se présenter en public, ni se promener, moqueurs, dans l'irrespect du Créateur »). Ils n'en furent pas moins, sur la base du témoignage d'un Juif converti, Giovanni da Feltre, fils de Samuel, chef de la communauté juive, tous accusés d'homicide rituel et soumis à la question. Nombreux furent ceux qui en moururent ; d'autres sous la contrainte, confessèrent, tout ce qui leur était imputé. L'évêque Hunderbach, prévoyant, bien avant la conclusion du procès, la condamnation des Juifs, s'était empressé de confisquer leurs biens. Pourtant un commissaire envoyé par le pape déclara les Juifs innocents, et l'on finit même par retrouver le coupable, un certain Schweitzer. Cette accusation d'homicide rituel s'était, de toute évidence, révélée une grossière mise en scène. Beaucoup d'hommes juifs en étaient morts, et les femmes et les enfants avaient été expulsés de Trente et avaient dû partir pour Rovereto. Cela n'allait cependant pas empêcher, en 1562, le pape Grégoire XIII de béatifier le petit Simon et de l'inclure dans le *Martyrologum Romanum*. Plus tard, les Juifs allaient jeter sur Trente le *cherem* (l'anathème) : plus jamais ils ne retourneraient dans cette ville tant que serait maintenu le culte de Simon de Trente.

L'accusation d'homicide rituel est une accusation récurrente tout au long de l'histoire : sa signification symbolique est telle qu'elle peut facilement enflammer l'imagination des grandes masses. Les premiers chrétiens avaient eu, eux aussi, à subir le même type d'accusations. Les nombreuses interventions et bulles papales qui se succédèrent entre 1250 et 1540, ne réussirent pas à éviter la diffusion de cette accusation infâme. Les calomnies ne perdirent rien de leur force et de leur effet. Dans une bulle postérieure de plus d'un siècle à l'événement, Paul III écrivait : « Les ennemis des Juifs, aveuglés par la haine et l'envie ou, ce qui paraît encore plus vraisemblable, par l'avidité, et dans le but de s'emparer de leurs biens sous quelque prétexte que ce soit, accusent à tort les Juifs de tuer de jeunes enfants et de boire leur sang, ainsi que de commettre d'autres épouvantables délits de tout genre contre notre foi, et de cette façon ils tentent de soulever contre eux les âmes simples des chrétiens, de sorte que souvent les Juifs sont injustement privés non seulement de leurs biens, mais encore de leur vie. » Paul III alla même plus loin : il ordonna que soit renouvelée aux Juifs la protection que leur avaient garantie certains de ses prédécesseurs (en particulier Martin V), se proposant d'avoir recours, si la nécessité s'en faisait sentir, à l'aide du bras séculier.

Les hommes de savoir chrétiens ont de tout temps infirmé ces rumeurs d'homicides rituels. Mais il faut bien avouer qu'elles n'en ont pas moins profondément imprégné l'âme populaire. Et l'on sait que, durant des siècles, eurent lieu des procès contre des sorcières accusées de rapports avec le diable. Dans le val de Non et le val del Sole, situés dans la région de Trente, ce ne fut qu'au milieu du XVIIIe siècle qu'un édit de Marie-Thérèse mit quelque frein au phénomène de la chasse aux sorcières. Encore de nos jours, en 1964, Gemma Volli, spécialiste de ces questions, demandait la révision des « procès de Trente » et l'annulation du culte de Simon de Trente. Le climat du concile Vatican II permettait d'espérer qu'un tel résultat n'allait plus se faire longtemps attendre.

La psychose de l'homicide rituel se propagea donc dans tous les territoires de la Sérénissime, suscitant même des réactions de la part du doge Pier Mocenigo qui intervint personnellement pour tenter de mettre un terme à ces problèmes. Peu avant 1480, un événement analogue à celui du Trentino s'était produit à Portobuffole, en Vénétie, et avait provoqué l'anéantissement de la petite communauté juive de la ville. On retrouve également à Marostica une légende d'homicide rituel, celui du bienheureux Lorenzino. L'affaire remonte à la fin du XVe siècle c'est-à-dire au moment des prédications de Bernardino da Feltre. Lorenzino fut béatifié en 1867 par le pape Pie IX, et la célébration de son jour fixée au deuxième dimanche après Pâques. A Bassano, on distribua, jusque dans les années 50, en l'église Sainte-Marie, un feuillet dont la première édition, portant l'*imprimatur*, remontait à 1885. On pouvait encore y lire les habituelles accusations contre les Juifs.

Vers la fin du XVe siècle, Bernardino da Feltre intensifia sa campagne anti juive, au point de porter l'inquiétude jusque dans les milieux gouvernementaux vénitiens.

Les autorités de la Sérénissime durent intervenir

à plusieurs reprises à cette époque pour ordonner qu'aucun tort ne soit fait aux Juifs et somma les prédicateurs de cesser de semer la discorde sous peine d'avoir à en supporter les conséquences. Le podestà lança à Bernardino un avertissement des plus solennel, mais celui-ci, rompu au combat, n'était pas homme à abandonner si facilement. Tout comme il l'avait fait à Rome quelques années auparavant, il parvint à tirer parti de sa défaite au point de la tourner en victoire : vers la fin de l'année 1491, la commune de Ravenne, où il avait été particulièrement actif, demanda en effet que soit institué un mont-de-piété et envoya à Venise deux ambassadeurs. En mars 1492 était prise la décision suivante : les Juifs ne seraient pas expulsés de Ravenne, mais le prêt leur serait désormais interdit. De même il ne serait plus question de bâtir une synagogue sur la plus belle place de la ville, comme l'avaient craint les autorités de Ravenne.

En 1491, un nouveau mont-de-piété était créé à Padoue par l'évêque de la ville, Pietro Barazzi, en accord avec Bernardino. Ce projet, comme les autres, fut combattu et par les Juifs et par les dominicains, représentés principalement par le frère Domenico da Gargagnano, pour les motifs opposés auxquels il a déjà été fait allusion.

En 1492 — année d'importance capitale pour les Juifs qui furent chassés non seulement d'Espagne mais aussi de Sicile et de Sardaigne alors sous domination espagnole —, Venise mettait en garde la ville de Brescia contre « Bernardino da Feltre, qui ayant prêché à Padoue et ailleurs, avait soulevé le peuple contre les Juifs, provoquant scandales, tumultes et perturbations » afin que tout cela ne se reproduise plus. Toujours la même année, l'infatigable prédicateur tenait ses discours incendiaires à Camposampiero, Castelfranco, Asolo, Feltre, Serravalle, Bassano. Invariablement il semait sur son passage désordre et persécutions : les Juifs étaient expulsés et le mont-de-piété local mis en place. Souvent l'expulsion était définitive, mais parfois les Juifs réussissaient à revenir si bien que, dans plus d'une ville, des monts-de-piété fonctionnèrent de pair avec les banques juives.

Les franciscains ne parvinrent donc pas, par leur prédication, à atteindre tous les buts qu'ils s'étaient fixés. Si la plupart des grandes villes de Vénétie étaient à présent dotées d'un mont-de-piété, dans les villes plus modestes on ne trouvait toujours que les banques juives. C'est à Venise que celles-ci étaient, de loin, les plus actives : les Juifs en effet ne posaient pas de question, n'exigeaient pas de déclaration de pauvreté, estimaient les gages avec largesse ; parfois même il prêtaient sans gages, sur une simple reconnaissance de dette, et dans les campagnes ils allaient jusqu'à accepter, comme garantie, les profits des récoltes à venir. Par contre, l'État vénitien pouvait, à tout moment, et surtout en cas de crise, imposer aux Juifs des prélèvements extraordinaires. De plus, la guerre de la ligue de Cambrai poussait toujours davantage les Juifs vers Venise, si bien qu'ils finirent par abandonner aux franciscains une grande partie de la Vénétie, et concentrèrent leurs activités à Venise même.

Et la papauté ? Quelle fut son attitude face à tous ces événements qui, certes, dénotaient une exigence de pureté, mais qui aussi, à certains égards, relevaient du fanatisme religieux le plus absolu ? La société italienne connaissait un véritable bouleversement avec la montée en puissance des banques juives et la réaction des franciscains, dont l'Église fut bien contrainte de subir les initiatives, tout en ne s'identifiant pas à leur lutte. En faisant preuve de « tolérance », la papauté souhaitait en effet garder, sur les activités liées au prêt, un certain contrôle : les princes, lorsqu'ils délibéraient sur l'octroi de nouvelles licences aux banquiers juifs, mêlaient volontiers à leurs débats les autorités religieuses. Ils se déchargeaient ainsi de tout problème d'ordre théologique ou religieux et se mettaient à l'abri d'éventuelles sanctions, qui pouvaient aller, rappelons-le, jusqu'à l'excommunication.

La fin du XVe siècle fut ainsi marquée par une profonde modification des conditions qui avaient permis aux Juifs d'accéder à une situation de monopole. Les monts-de-piété se diffusaient, de plus en plus nombreux, tandis que l'intolérance religieuse ne faisait que croître. A Venise, le Sénat décida, en 1496, de rendre obligatoire — hiver comme été — le port d'un béret jaune car l'autre signe distinctif, le disque jaune, était en effet trop souvent dissimulé. La peine encourue en cas de non-respect du décret était de cinquante ducats d'or et d'un mois de prison ferme.

A la même époque, les Juifs se virent octroyer le droit de vendre des vieux vêtements. Gallicciolli, à ce sujet, rapporte : « Les Juifs ne furent pas longs, grâce à leur ingéniosité, à contourner la loi qui leur faisait obligation de ne vendre que des vêtements usagés. En réalité, ils vendaient des vêtements neufs, fabriqués par eux, et dans lesquels ils glissaient un défaut, que plus tard ils dissimuleraient : une petite tache, par exemple. Puis, une fois l'habit vendu pour neuf, ils informaient l'acheteur de l'existence de la tache, ce qui leur permettait d'affirmer, en cas d'ennui avec les magistrats, qu'il s'agissait bien de vêtements usagés. » Une minuscule tache ! Il n'en fallait parfois pas davantage pour assurer sa survie.

3

La naissance du Ghetto
La Natione Todesca, 1516

*La guerre de la Ligue de Cambrai. — Asher
Meshullam et Zacharie Dolfin. — L'institution du
Ghetto. — Le débat sur les monts-de-piété et sur
les banques. — Les Juifs, les étrangers, les prosti-
tués.*

Expulsés de Venise, c'est à Mestre que se réfugièrent les Juifs : ils y poursuivirent, sous la tutelle du
podestà local, leurs activités de prêteurs. Ils n'étaient
plus autorisés à revenir dans leur ancienne ville que
pour des périodes maximales de quinze jours.

Cette exclusion officielle se prolongea durant tout
le XVe siècle, mais tous les stratagèmes furent bons
pour en contourner les effets : les Juifs voyageaient
continuellement entre Venise et Mestre, ou se prétendaient chrétiens, lorsqu'ils ne détenaient pas,
abusivement, des dérogations réservées aux médecins. Cette présence qui, pour être masquée, n'en
était pas moins réelle, est aujourd'hui attestée par
de nombreux témoignages : un document de mars
1408 affirme qu'au mépris de la foi chrétienne, les
Juifs louent aux Vénitiens des maisons et s'en

servent comme synagogues pour y prier « en Juifs ». D'autres plaintes, remontant à l'année 1483, signalent certaines irrégularités commises par les Juifs, qui n'enregistraient pas leurs gages à Mestre, où le taux d'intérêt était de 15 p. 100, mais dans d'autres villes de l'intérieur, plus lointaines, et où ce taux était bien plus élevé.

A la veille du XVIᵉ siècle, en 1493, l'on retrouve encore une recommandation du Sénat demandant à redoubler de vigilance : il apparaissait en effet que les banques juives réalisaient des bénéfices par trop considérables.

Le retournement de situation qui devait se produire à peine quelques années plus tard, tout au début du XVIᵉ siècle, n'en apparaît que plus spectaculaire. Pompeo Molmenti, auteur d'une monumentale « Histoire de Venise à travers la vie privée » écrit : « La fin du XVᵉ siècle marque le point culminant non de la puissance de Venise, mais de cette splendeur factice qui renferme en soi les germes de la corruption et de la décadence, et dont les signes apparents se reconnaissent dans une certaine fureur de vivre, un mélange complexe de volupté et de théâtralité, un souci permanent d'éblouir, un déploiement ostentatoire de magnificence. Puissante, Venise l'était par ses immenses galères qui sillonnaient les mers ; elle était fastueuse par ses fêtes et ses réceptions, ses cérémonies nuptiales et ses enterrements ; vraie demeure de Giorgione, de Tiziano, de Palma, de Pordenone et de Véronèse, centre d'illustres esprits tels que Bembo, l'Aretin, Bernardo Tasso, Sansovino, Jacopo Zane, les Manuzio, c'était aussi la ville des banquets et des bals, des ornements et des costumes, une ville où plus de six cents dames quittaient leurs appartements toutes parées d'or et d'argent, de joyaux et de soieries ; somptueux, majestueux spectacle, s'il en fut. » Derrière les coulisses, cependant, la réalité n'était plus exactement la même : la crise financière se dessinait, de plus en plus nettement, et déjà en 1499 plusieurs banques prestigieuses parmi lesquelles celles des Garzoni, des Pisani, des Lippomano, avaient été contraintes à la faillite.

Or l'échéance de la concession arrivait à son terme, ce qui impliquait une renégociation des accords en vue de son renouvellement éventuel. Les dirigeants juifs comprirent que, cette fois-ci, ils avaient l'avantage, et que l'heure était venue pour eux d'imposer leurs conditions ; d'autant que le gouvernement de Venise subissait par ailleurs les pressions de certains nobles qui avaient englouti d'énormes fortunes dans la guerre contre Ferrare, et donc avaient toutes les raisons de veiller à ce que les chances d'obtenir des prêts ne soient pas compromises. De fait l'accord, signé en 1503, ramena les Juifs de Mestre à Venise pour dix ans.

Mais les termes de cet accord étaient sans commune mesure avec les précédents, suivant en cela l'évolution spectaculaire de l'attitude des autorités vénitiennes à l'égard des Juifs : ils pouvaient désormais se loger à Venise, avec leurs familles et les employés de leurs banques ; ils étaient même autorisés à laisser leurs gages en dépôt en ville ; d'une façon générale ils jouissaient d'une totale liberté de circulation et pouvaient, pour protéger leurs personnes et leurs biens, circuler en armes ; ils étaient dispensés, dans des situations potentiellement dangereuses, du port du béret jaune. En cas de menace, il leur était possible de transférer tous leurs biens à Venise, ce qui constituait une garantie pour eux, mais aussi, bien sûr, pour tous ceux qui leur remettaient des gages.

En 1508, lors de la guerre contre la Ligue de Cambrai — coalition du pape Jules II, de l'empereur Maximilien et de Ferdinand d'Espagne — Venise perdit une à une toutes ses villes de l'intérieur jusqu'à trouver les troupes ennemies devant ses portes. Leur approche avait déclenché partout désordre et violences, et nombreux étaient ceux qui s'étaient réfugiés derrière ses murs, lorsqu'ils y étaient parvenus. Ainsi pour épargner à un banquier juif, « homme de bien » répondant au nom de Calimano, la fureur de la foule, les Trévisans avaient dû lui procurer une escorte jusqu'à Venise. D'autres banquiers juifs, de Mestre, avaient, eux aussi, cherché refuge à Venise : ils y furent favorablement accueillis, ainsi que leurs capitaux, en un moment où la situation devenait critique : la population augmentait rapidement, ainsi que le nombre des pauvres à nourrir et les risques d'épidémie.

Toujours en 1508, l'on assista au Sénat à un débat concernant les Juifs de l'intérieur. Poussés par la nécessité économique, les législateurs augmentaient les impôts de ces communautés. Ils proposaient en échange un nouvel accord, d'une durée de cinq ans, et dans lequel étaient revues certaines modalités du prêt : les banquiers pourraient désormais accepter tout gage, exception faite des armes et des objets sacrés, comme les croix, les calices et autres parements, « sous peine d'avoir à les restituer sans dédommagement aucun ». Ils étaient, en cas d'accident, de vol, d'incendie ou de saccage, exonérés de toute responsabilité. Ils pouvaient louer des maisons, mais il leur était, par contre, toujours interdit d'en acheter ; ils disposeraient d'un cimetière, d'une synagogue et d'une auberge pour y accueillir « selon leurs traditions » les Juifs de passage. Entre le Jeudi saint et le dimanche de Pâques, ils étaient astreints à s'enfermer chez eux, à la fois par respect envers les chrétiens et pour leur propre sauvegarde. Ils étaient, en échange, protégés contre toute agression, et les autorités locales se portaient garantes de leur sécurité ; ils étaient dispensés de port du béret jaune pendant les voyages.

En mai 1509, avec la défaite d'Agnadello, la situation de tous les territoires de l'intérieur se détériora dramatiquement. Le nombre des réfugiés avait atteint des proportions alarmantes et désormais les troupes de la Ligue menaçaient Venise.

Il n'est pas surprenant que l'on ait parlé, dans ces conditions, de colère divine. Girolamo Priuli, dans ses *Diarii*, dénonce la corruption morale qui avait attiré sur Venise le châtiment de Dieu et provoqué la défaite d'Agnadello. Le noble vénitien cite des exemples de violations de serments, d'immoralité dans les couvents, de simonie. Mais de nombreux prédicateurs ne l'entendaient pas ainsi et voyaient, de leur côté, la cause de tous leurs malheurs dans la présence des Juifs, ainsi que dans l'accueil qui leur était réservé, maudissant les infidèles et tous ces médecins juifs qui fraternisaient dangereusement avec les malades chrétiens. Sous le coup des nouvelles désastreuses qui lui parvenaient, la population de Venise réagit avec une grande émotion et un profond sentiment religieux, traversant des moments de crise intérieure encore exacerbés par les paroles enflammées des prédicateurs, dans les différentes églises de la ville. Aussi bien Sanudo que Priuli témoignent dans leurs *Diarii* de l'effervescence qui régnait à ce moment-là à Venise. Selon Sanudo, le

62

nombre des Juifs, hommes et femmes, résidant en ville, s'élevait à cinq cents personnes, concentrées, semble-t-il, dans les paroisses de San Cassiano, Sant'Agostino et San Geremia. L'hostilité à leur égard croissait à mesure que la situation se détériorait.

Pendant les deux années qui suivirent, en 1513 et 1514, bien que Venise eût surmonté la période la plus critique du point de vue militaire et politique, la tension ne décrut guère à l'intérieur de la ville : la peste s'était déclarée et de nombreux incidents survenaient tous les jours, et certains d'une extrême violence. En ville, nobles, gens du peuple, paysans et Juifs vivaient entassés les uns sur les autres. Et pourtant, nous dit Priuli, parmi d'autres chroniqueurs, il régnait malgré tout un fiévreux appétit de jouissance : on adoptait des modes françaises, on baignait dans la violence, la sodomie ; tout cela dans la confusion la plus totale. Les Juifs, pour leur part, avaient réussi, dans une telle situation, à préserver une certaine liberté d'action : éparpillés dans toute la ville, ils prêtaient aux pauvres et à ceux qui étaient en difficulté économique ; ils ne manquaient pas de clients.

Le pouvoir politique ne pouvait que les tolérer, compte tenu du rouage essentiel qu'était devenu le prêt pour l'économie de Venise. Ce n'était pourtant pas là l'unique raison de son attitude bienveillante : au cas où éclaterait une révolte populaire, cas qu'il n'était guère prudent d'exclure en ces années noires, les Juifs constitueraient une sorte de paravent naturel, derrière lequel le pouvoir politique pourrait toujours efficacement s'abriter. Cette cohabitation forcée ne pouvait d'ailleurs demeurer longtemps chaleureuse et en 1512, déjà, certaines négociations entre le pouvoir politique vénitien et les chefs de la communauté juive avaient dégénéré en une confrontation d'une dureté extrême ; le Sénat exigeait dix mille ducats que les dirigeants juifs, parmi lesquels le banquier Asher Meshullam, se refusaient à payer. Comme ils menaçaient de fermer les banques et de se retirer, ils furent tous jetés en prison pour qu'ils aient le loisir de réfléchir. Ce ne fut qu'un an plus tard que le conseil des Dix et les dirigeants juifs parvinrent à un accord moyennant un impôt annuel de six mille cinq cents ducats.

Peu de temps après, le Sénat, pressé par le besoin de trouver des finances, autorisa, en échange de cinq mille ducats, l'ouverture au Rialto de neuf magasins de vêtements usagés. Cela apparaissait en quelque sorte comme une acceptation officielle et non plus seulement comme une tolérance de la présence des Juifs en ville, puisqu'on les autorisait à étendre leur champ d'action en dehors de leur spécialité traditionnelle. Or ce fut précisément à ce moment que se produisit, de façon totalement imprévisible, un phénomène de rejet, et que la majeure partie des nobles vénitiens se rangea du côté des prédicateurs. En mars 1515 parvenait au conseil des Pregadi *(Consiglio dei Pregadi)* la proposition d'Emo Zorzi, demandant que tous les Juifs soient confinés à la Giudecca. Les dirigeants Juifs tentèrent par tous leurs moyens de s'opposer à ce choix, considérant l'île de la Giudecca comme peu sûre, et proposèrent plutôt Murano. Les débats furent vifs, mais aucune décision ne fut arrêtée — cette fois-là.

L'année suivante, le 20 mars 1516, c'était au tour de Zaccaria Dolfin de revenir à la charge et de prendre violemment les Juifs à partie au conseil : il les accusait de construire illégalement des syna-

64

gogues, de corrompre l'État et de bien d'autres méfaits plus graves encore ; pour finir il demanda qu'ils soient tous enfermés dans le Ghetto Novo, ancienne fonderie désaffectée, située dans la paroisse de San Girolamo et dont l'aspect extérieur était celui d'une forteresse. Le doge, ainsi qu'un certain nombre de patriciens, qui ne voyaient pas d'un mauvais œil que l'on rectifiât quelque peu l'état des choses, marquèrent une très nette approbation. Anselmo et les autres représentants juifs, qui prévoyaient les dangers qu'une telle décision comportait, s'y opposèrent comme ils le purent, faisant valoir notamment qu'ils venaient d'effectuer de lourds investissements dans les magasins du Rialto. Cherchant désespérément à gagner du temps, ils suggérèrent de suspendre toute décision en attendant que Venise ait reconquis les territoires de l'intérieur où les Juifs n'auraient été que trop contents de retourner. Rien n'y fit : après le conseil des Pregadi, ce fut le Sénat qui approuva à son tour la proposition — à une majorité écrasante : cent trente oui, quarante-quatre non, huit votes blancs.

On assista donc, le 29 mars 1516, à la publication par le conseil des Pregadi du décret suivant :

« Les Juifs habiteront tous regroupés dans l'ensemble de maisons situé au Ghetto, près de San Girolamo ; et, afin qu'ils ne circulent pas toute la nuit, nous décrétons que du côté du Vieux Ghetto où se trouve un petit pont, et pareillement de l'autre côté du pont, seront mises en place deux portes, lesquelles seront ouvertes à l'aube et fermées à minuit par quatre gardiens engagés à cet effet et appointés par les Juifs eux-mêmes au prix que notre collège estimera convenable... »

L'enceinte allait être complétée par deux grands

murs, toutes les sorties seraient obstruées et les portes et les fenêtres murées. Les gardiens veilleraient nuit et jour et exécuteraient tous les ordres des Pregadi. Les canaux autour de la zone seraient eux aussi surveillés par deux barques, et, bien entendu, aux frais des intéressés.

Des peines croissantes avaient été prévues pour quiconque serait surpris, la nuit, hors de l'enceinte du Ghetto : les deux premières infractions étaient punies d'amende ; la troisième était assortie d'une peine de prison. Étaient chargés de l'exécution de ces mesures les *cattaveri*, officiers du gouvernement, responsables des biens publics, des problèmes liés au prêt, et qui, plus généralement, veillaient à « la manière dont les Juifs résidaient à Venise... ». Ces officiers étaient autorisés à présenter au conseil leurs suggestions. Ces mesures étaient, pour finir, rendues quasiment irrévocables, puisque l'accord des cinq sixièmes du Sénat était requis pour toute modification.

On libéra immédiatement les maisons du Ghetto de leurs anciens locataires et pour les dédommager on autorisa les propriétaires à augmenter leurs loyers d'un tiers. Cette augmentation était exonérée d'impôt.

Les Juifs voyaient ainsi se réaliser soudain leur vieux projet du XIIIᵉ siècle, de posséder leur quartier. Quelle dérision ! Que s'était-il donc passé, pour que cette mesure, rejetée — de justesse, il est vrai — l'année précédente, recueille une si large approbation en 1516 ?

Certains ont cru voir, dans cette décision, les effets sur la population de la situation extérieure de Venise. Il régnait, en 1515, un certain optimisme nourri par la conviction que Venise n'aurait pas trop

66

de mal, avec l'aide des troupes françaises, à récupérer Vérone et une bonne partie de la Vénétie. Au printemps de l'année suivante, l'horizon n'avait pourtant fait que s'obscurcir. L'empereur Maximilien avait franchi les Alpes à la tête de l'armée autrichienne et les Français, évitant soigneusement le combat, s'étaient réfugiés à Milan. Ils semblaient s'orienter vers un compromis avec l'Autriche et Venise avait été tenue à l'écart des rencontres entre le roi et le pape. D'inquiétantes nouvelles arrivaient en outre du front oriental et nombreux étaient ceux qui craignaient une nouvelle invasion turque. Un tel concours d'événements contraires pouvait difficilement ne pas laisser de traces dans l'âme des citadins et des nobles vénitiens. Un sombre pessimisme l'emportait, les prédicateurs franciscains répétaient depuis des mois aux Vénitiens qu'il leur fallait racheter leurs péchés et mériter à nouveau la grâce divine s'ils voulaient que la République puisse survivre. Et, de tous les péchés, le plus grave était bien sûr celui d'avoir fait venir les Juifs à Venise et de leur avoir accordé une totale liberté. Le Ghetto remplissait ainsi pour les Vénitiens une fonction expiatoire ; on pourrait en quelque sorte affirmer qu'il s'agissait là d'une requête d'indulgence...

Avant la fin du mois de juillet, Asher Meshullam (Anselmo del Banco) et son frère, Chaïm Meshullam (qui avait loué à Venise le palais Ca'Bernardo à San Polo où, faisant grand étalage de sa richesse, il n'avait pas manqué de susciter envie et indignation), furent tous deux contraints de rejoindre le Ghetto. C'étaient là les chefs de la famille de banquiers la plus importante et la plus riche de Vénétie.

En décembre 1516, le traité de Noyon avait ramené à Venise une certaine sérénité, les pressions autour du Ghetto se relâchèrent (on ramena à deux le nombre des gardiens et les portes furent laissées ouvertes plus longtemps). Mais on remit aussi en question, au même moment, le droit de cité des Juifs à Venise. Certains pensaient, entre 1518 et 1519, qu'il était préférable d'ouvrir des monts-de-piété ; d'autres se montraient plus hésitants ; au moment des fêtes de Pâques, les prédicateurs franciscains, voyant l'occasion trop belle, se lancèrent dans une attaque en règle aussi bien contre les Juifs que contre les autorités de Venise, à qui ils reprochaient leur mollesse. La concession venait à échéance et on entrait dans l'habituelle période d'instabilité et de négociations. On reparla longuement, pendant l'été 1519, d'expulsion.

Marin Sanudo, dans les *Diarii*, réaffirme bien cependant que, si les débats étaient vifs sur l'opportunité de garder ou non les Juifs à Venise ou à Mestre, ainsi que sur les détails de la concession, l'on se gardait soigneusement, en revanche, de s'en prendre directement à eux (et surtout pas en avançant des arguments de type religieux) ; en tout cas cela n'avait guère de sens, du moment que le pape leur permettait de séjourner à Rome.

Ce chroniqueur nous donne, du débat qui eut lieu en cette période, une interprétation pertinente : personne dans le conseil ne s'exprimait avec sincérité. On s'opposait les uns aux autres avec plus ou moins de clarté, mais tous faisaient corps contre les Juifs, du moins en paroles, car il ne fallait pas être soupçonné de corruption. Bien sûr il se trouvait sans doute quelques « âmes pieuses » qui ne pouvaient véritablement tolérer la présence des Juifs, mais la plupart d'entre eux ne cherchaient qu'à les évincer ; ils entendaient bien prendre leur place et pratiquer, non plus le taux réglementaire de 20 p. 100, mais des taux allant jusqu'à 50 p. 100 ou plus comme cela s'était déjà vu au Rialto. Sanudo ne peut s'empêcher, pour conclure, de manifester quelque émotion : « Et si moi-même, Marino Sanudo, avais fait partie l'année dernière du conseil des Pregadi, j'aurais pris la parole non pour médire des fils d'Israël et des prétendues escroqueries qu'ils commettent en prêtant de l'argent à intérêt, mais pour parler de la nouvelle concession qu'on leur aurait accordée, et pour démontrer que les Juifs sont aussi nécessaires à un pays que ses boulangers, et au nôtre tout particulièrement ; j'aurais cité les lois et les règlements appliqués par nos prédécesseurs qui nous ont toujours incités à garder les Juifs et à leur permettre de prêter à intérêt ; voilà ce dont j'aurais parlé. Cet État ne peut se conduire de façon aussi imbécile et chasser les Juifs alors que nous ne disposons même pas d'un mont-de-piété. »

Et pourtant, nous l'avons déjà vu, les monts-de-piété et les banques ne pouvaient remplir la même fonction économique. Les premiers impliquaient des apports à fonds perdus, sans l'avantage des impôts très lourds payés bon gré mal gré par les banquiers juifs. Ceux-ci jouaient ainsi un rôle particulièrement fructueux, d'autant qu'ils prêtaient aux pauvres à des taux raisonnables tout en dispensant les importants investissements nécessaires à la création d'un mont-de-piété. Ils pouvaient en outre, en cas de besoin, être contraints de consentir de très gros prêts.

Par ailleurs les monts-de-piété avaient beaucoup souffert de l'influence de certains patriciens qui, les détournant des « pieuses intentions » des origines, en avaient fait des instruments de leur pouvoir personnel : ainsi, dans les territoires de l'intérieur, ils avaient totalement cessé de proposer des prêts à intérêt modeste. Pendant la deuxième moitié du XVIe siècle, ils se transformèrent lentement en banques privées, dont certaines se rendirent coupables d'irrégularités diverses et firent l'objet de scandales financiers retentissants. De tels exemples n'étaient certes pas de nature à encourager les donations spontanées et les sommes versés aux monts-de-piété constituaient plutôt des placements. Très vite, il apparut qu'au fond, les capitaux juifs étaient bien plus aisés à surveiller ; ils ne pouvaient en aucun cas servir une opposition politique et constituaient un excellent moyen de lutte contre la misère, dont les autorités de Venise, attachées à un contrôle social très minutieux, ne tenaient, en aucune façon, à se priver de façon définitive.

Les hésitations et les chamailleries des nobles ne faisaient cependant qu'aggraver les difficultés économiques, déjà suffisamment sérieuses, de la Sérénissime. Il devenait urgent de remettre l'Arsenal en état, ce qui, en bonne logique, devait impliquer la levée d'un impôt extraordinaire, payable par tous les citoyens de Venise. Or il existait pour ces derniers une autre solution, bien plus avantageuse : transférer ce fardeau sur d'autres épaules que les leurs, en mettant, par exemple, une nouvelle fois à contribution les membres de la communauté juive. On leur proposa donc un permis de séjour de dix ans contre un impôt de dix mille ducats, le taux d'intérêt sur les prêts étant fixé à 15 p. 100. Les dispositions générales de cet accord ne différaient guère des précédents. Le seul changement — de taille — résidait dans le montant de l'imposition. Asher Meshullam demanda à réfléchir et prit le temps de consulter également les communautés de l'intérieur, puis, bien malgré lui, il finit par céder. On lui attribue un aphorisme qu'il aurait énoncé à cette occasion : « Le vouloir est peu de chose mesuré au pouvoir. » Et en effet, la politique de Venise était désormais dictée par la toute-puissante raison d'État, imprégnée d'un pragmatisme certain auquel venait s'ajouter une part non négligeable de cynisme.

Les partisans des monts-de-piété se manifestèrent à nouveau en 1523, mais ils se contentaient à présent de leur simple mise en place, renonçant à demander l'expulsion des Juifs. Le conseil des Dix fit, cette fois, preuve d'autorité absolue, en interdisant formellement aux membres du Sénat de prendre cette requête en considération, sous peine de mort. Ce fut là un moment important dans l'histoire des Juifs de Venise, puisque cette interdiction allait conserver toute sa validité pendant plus de deux siècles, jusqu'en 1734, non sans quelques brèves suspensions, il est vrai.

Ainsi, par exemple, au printemps 1526, Asher Meshullam ayant refusé d'acquitter un nouvel impôt spécial, et ayant, une fois de plus, menacé de se retirer, avec la communauté tout entière, plutôt que de céder, certaines voix, parmi lesquelles celle de Gabriele Moro, dont les positions antijuives étaient notoires, s'élevèrent pour exiger l'expulsion des Juifs, et l'instauration d'une longue série de mesures visant à leur interdire définitivement tout retour éventuel. Il demandait également, de façon tout aussi véhémente, sinon paradoxale, pour quelqu'un qui entendait chasser les Juifs de Venise, que soit remis en vigueur le port du béret jaune. Les Juifs eurent beau trouver, en Zaccaria Trevisan et Giacomo Loredan, des défenseurs pour soutenir leur cause et souligner que, trois ans avant l'échéance de la concession, des mesures aussi précipitées ne pouvaient que réduire, par la suite, la marge de manœuvre du Sénat et semblaient donc tout à fait inappropriées, d'autant plus que les Juifs avaient eux-mêmes annoncé leur intention de se retirer, la motion de Moro n'en fut pas moins votée, bien que de justesse. Elle ne fut pourtant jamais mise en application : les dirigeants de Venise avaient, en ces temps de famine, bien d'autres sujets de préoccupation ; aussi, de leur côté, les Juifs se montrèrent plus conciliants et revinrent sur leur position initiale.

En effet, le conseil des Dix avait tout de même fini par prendre, en septembre 1528, une décision d'expulsion et les responsables juifs n'avaient eu, à ce moment-là, d'autre recours que de lui adresser une pétition émue, soulignant leur longue tradition d'obéissance ainsi que l'importance de leur contribution aux finances publiques. Ils expliquaient que seuls le désespoir où ils étaient plongés et l'impossibilité d'acquitter des impôts toujours plus lourds leur avaient fait déclarer qu'ils étaient prêts à quitter la ville, mais qu'ils ne pouvaient, sans un profond déchirement, se résoudre à une telle extrémité. Ils demandaient donc, avec toutes les précautions d'usage dans une situation aussi délicate, le droit de rester à Venise, se déclarant prêts à signer un accord de cinq ans semblable à celui que Venise avait passé avec les communautés juives de l'intérieur et prévoyant, notamment, le droit de vendre des vêtements usagés, comme de fabriquer et vendre des voilages, outre, naturellement, l'habituel prêt sur gages. En contrepartie, ils proposaient un prêt de sept mille ducats et le paiement d'un impôt annuel de cinq mille ducats, à l'exclusion de toute autre

taxe ordinaire ou extraordinaire. L'accord était taci-
tement reconductible pour cinq ans, sauf dénoncia-
tion expresse par l'une ou l'autre des parties : en cas
de rupture, les Juifs disposaient, pour régler leurs
affaires courantes, d'un délai d'un an. Le conseil
accepta la proposition avec un tel empressement
qu'on peut se demander si les Juifs ne furent pas
victimes, en cette occurrence, d'une manœuvre politique dûment concertée. Le montant du prêt fut
simplement porté à dix mille ducats, et le taux
d'intérêt maintenu à 15 p. 100. L'accord devait rester
en vigueur jusqu'en 1533.

Un nouveau bras de fer entre les chefs de la
communauté juive et le conseil eut lieu, comme de
coutume, en mars 1532, au moment du renouvellement de la concession. Celle-ci fut reconduite jusqu'en 1538, non sans une augmentation préalable de
l'impôt annuel.

En février 1537, les débats furent en revanche
plus houleux et ce fut une véritable mise en demeure
qu'adressa le conseil des Dix à la communauté juive :
faute de faire don à la République, sous quinzaine,
d'une somme de cinq mille ducats, de lui prêter,
avant le mois d'avril, six mille sept cent cinquante
ducats et d'acquitter un droit annuel de sept mille
ducats, elle était contrainte, à l'échéance de la
concession, l'année suivante, de quitter Venise et
tous ses territoires. Les Juifs firent, à leur tour, une
contreproposition, acceptant les nouvelles conditions
mais pour une durée de dix ans et non de cinq. Le
conseil des Dix y consentit, mais sous réserve de
porter le don immédiat de cinq mille à six mille
ducats et d'ajouter sans délai un complément de six
mille sept cent cinquante ducats, déductibles, sur
cinq ans, de la taxe annuelle de sept mille ducats.

La somme ainsi réunie fut consacrée au renforcement de l'artillerie et de la flotte basée à Corfou.

C'était un moment unique dans l'histoire des Juifs de Venise : même enfermés entre les murs du Ghetto, ils voyaient, pour la première fois, leur résidence juridiquement reconnue. Il s'agissait là, bien sûr, d'une stabilité toute relative, mais en définitive, et malgré les tensions, leur situation n'était pas des plus mauvaises, et notamment par rapport à celle des Juifs d'autres villes italiennes ou européennes. La réputation du Ghetto de Venise ne cessait du reste de croître, atteignant même les communautés diasporiques les plus éloignées.

Les restrictions dont les Juifs faisaient l'objet doivent d'ailleurs être replacées dans le contexte de l'époque. D'autres catégories de personnes et d'autres étrangers partageaient le même sort. On tenta ainsi à plusieurs reprises d'enfermer les prostituées dans un quartier qui leur serait propre. Les lois se succédèrent en ce sens, démontrant, par leur prolifération, leur totale inefficacité. Il est sûr que les personnes concernées disposaient, pour se faire entendre auprès des puissants, d'excellents moyens de persuasion. Pour particulier qu'il fût, même le commerce des prostituées ne pouvait pourtant commencer avant le son de la Marangona, la plus grande cloche de Saint-Marc.

Les marchands allemands, pour leur part, subissaient, déjà depuis l'année 1314, des restrictions semblables à celles des Juifs. Une disposition de 1478 prévoyait que les grilles de leur quartier ne seraient ouvertes, elles aussi, qu'au son de la Marangona. La coutume d'enfermer les étrangers à clé n'était d'ailleurs pas le seul fait des Vénitiens : à Alexandrie, c'étaient justement eux qui se voyaient interdits de sortie pendant les heures de prière des musulmans, ainsi que le vendredi, et la nuit ils étaient enfermés à clé. Il est vrai que ces restrictions étaient subies de bon gré pour préserver les rapports commerciaux avec les Égyptiens.

Les Turcs faisaient, quant à eux, l'objet d'un statut particulier, qui évoluait en fonction des rapports plus que mouvants entretenus par Venise avec son puissant ennemi. A la suite des événements de 1570, ils avaient insisté pour disposer, comme les Juifs, de leur propre quartier. Ils n'avaient cependant obtenu que quelques immeubles sur le Grand Canal, dont les portes, fermées la nuit, étaient gardées par des soldats en armes. On ne permit jamais aux Turcs de se répandre librement dans la ville de peur d'en faire un véritable cheval de Troie en cas de conflit avec l'Empire ottoman ; en fait, ils suscitaient bien plus de méfiance que les Juifs.

Les Grecs, en revanche, n'inspiraient réellement de craintes que sur le plan religieux, en raison de leurs pratiques schismatiques. Ce ne fut que vers le milieu du XVe siècle qu'ils furent autorisés à bâtir une église, et on ne leur permit d'ouvrir une « école » pour la nation grecque qu'à la fin du siècle, alors qu'il en existait déjà bien avant pour les Slaves et pour les Albanais. Ils se différenciaient des Juifs en bien des points et d'abord par le fait qu'ils s'étaient rassemblés spontanément, et avec des motivations essentiellement religieuses, élisant leur domicile autour de l'église San Giorgio de' Greci.

C'était là une homogénéité qu'on était loin de retrouver à l'intérieur du Ghetto, principalement constitué de Juifs d'origine allemande, dont les différences avec les Juifs italiens étaient criantes. De tout temps habitués à un environnement hostile, les premiers étaient devenus plutôt rigides et méfiants, reprochant aux seconds leur connaissance insuffisante des textes rabbiniques autant que leur indolence méditerranéenne. Ils n'en formaient pas moins ensemble ce que l'on appela la *Natione Todesca*.

Que sait-on au juste, sur leur mode de vie à l'intérieur du Ghetto ? Peu de chose, hélas : les seuls documents parvenus jusqu'à nous concernent essentiellement les activités liées au prêt. Il est probable que les mêmes banquiers ont été à la fois commerçants. Nous avons pu retrouver les preuves du passage de certains rabbins, d'érudits, d'écrivains, de correcteurs d'épreuves, d'imprimeurs. Quant aux autres, tous ces hommes attelés à des tâches humbles, néanmoins indispensables au bon fonctionnement d'une communauté, il ne nous reste plus rien.

Les médecins ont pourtant joué, dans cette société des plus réduites, un rôle bien singulier. Les mesures imposées aux Juifs s'étendaient bien évidemment à eux aussi. Et pourtant ils pouvaient difficilement, sans les transgresser, répondre aux appels nocturnes de leurs patients. Ainsi, à peine quelques mois après l'édit, ils se voyaient déjà autorisés à sortir la nuit. Une sortie tout de même surveillée, puisqu'ils devaient rendre compte aux gardiens de leurs déplacements et décliner l'identité des patients auprès desquels ils se rendaient. Ils s'exposaient, en cas de fausses déclarations, à de lourdes amendes qui pouvaient être assorties de peines de prison.

Il est en tout cas établi que ces médecins jouissaient d'une excellente réputation, que ce soit en raison de leur formation intellectuelle et religieuse ou de leur attitude face à la vie, la santé, la maladie, ou encore de la modernité de leurs idées, sensibles aux influences internationales et enrichies par de continuels voyages, souvent d'ailleurs, entrepris contre leur gré. De son côté, l'Église soutenait que, s'ils soignaient peut-être le corps, ces médecins juifs n'en contaminaient pas moins l'âme des chrétiens, et que le contact avec leurs patients n'était que trop souvent l'occasion pour eux d'instaurer un dangereux lien de gratitude, chose qu'il fallait combattre avec la plus ferme détermination. Il en résultait une attitude souvent ambiguë à leur égard, tantôt généreuse, tantôt méfiante ; accueillis par les papes et les évêques qui ne voulaient pas se priver de leurs services, ils étaient en revanche insultés du haut des chaires, car il fallait bien que le peuple soit instruit dans la crainte de « leur longue main perfide ». En 1517 ils furent contraints, eux aussi, de porter le béret jaune. Pas plus tard qu'en 1529, Jacob Mantino, médecin juif, était pourtant autorisé à porter une coiffure noire « dans notre bonne ville de Venise, dont il habite, en toute liberté, le Ghetto, parmi les autres Juifs ». Ce privilège, accordé à l'origine pour un mois, fut ensuite renouvelé. L'expression « habite en toute liberté » mérite notre attention. Nous voyons là en effet une volonté de normaliser une situation qui s'était envenimée, au point de conduire au décret de ségrégation que l'on sait.

C'est le début d'un rapport nouveau, ponctué de mouvements d'humeur et de rancunes, de vagues ambitions et d'espoirs véritables, moment exeptionnel dans l'histoire des Juifs de toute la Diaspora.

4

La « nation levantine ».
Le Vieux Ghetto, 1541

Isaac Abrabanel. — Arrivée des marchands dans le Vieux Ghetto. — L'autodafé sur la place Saint-Marc. — L'expulsion des marranes. — Cum nimis absurdum : *la bulle de Paul IV.*

Le XVIe siècle, dans l'histoire des Juifs de la Méditerranée, est essentiellement caractérisé par les migrations continuelles d'hommes à l'identité fragile, voire incertaine, et dont le principal souci n'est autre que de s'adapter à leur terre d'accueil, Rome ou Livourne, Venise ou la Turquie ; des hommes déchirés, contraints d'arborer une foi qui n'est pas la leur, mais préservant au fond d'eux-mêmes une religiosité intense, source de peurs et d'angoisses extrêmes. Au début du siècle, en effet, les communautés juives de la péninsule Ibérique, démembrées quelques années auparavant, sont désormais éparpillées, lorsqu'elles n'ont pas été converties de force, sur tout le pourtour du bassin méditerranéen.

En 1474 déjà, au moment de l'ascension au trône de Ferdinand et d'Isabelle, l'Espagne s'était engagée sur la voie de la *limpieza de sangre* (la purification du sang), à l'instigation d'un moine dominicain, Thomas de Torquemada, confesseur de la reine, et qui fut en réalité le principal artisan de la persécution et de l'expulsion des Juifs espagnols. D'une intransigeance absolue, cet homme dont on soupçonnait les origines juives remit en route l'effroyable machine répressive qu'avait été, pendant des siècles, le tribunal de l'Inquisition, institué en 1212 pour combattre l'hérésie albigeoise et qui devait à présent sévir contre les nouveaux chrétiens et les judaïsants.

Le 31 mars 1492, après une longue campagne d'intolérance religieuse, fut proclamé un édit enjoignant à tous les Juifs non baptisés de quitter, avant quatre mois, les territoires sous domination espagnole (comprenant alors également la Sardaigne et la Sicile). Quatre ans plus tard, en décembre 1496, la même mesure était prise au Portugal ; don Manuel, qui avait demandé en mariage la fille du roi d'Espagne, décrétait à son tour l'expulsion des Juifs et leur accordait dix mois pour quitter le pays et toutes ses dépendances. Ceux qui ne purent partir à temps furent baptisés de force et reçurent la dénomination de « marranes ». Les autres, tous ceux qui, par dizaines de milliers, si l'on en croit certaines sources, se refusèrent à une telle « conversion », quittèrent la péninsule Ibérique, en quête de terres nouvelles, plus hospitalières.

Presque tous les historiens se sont accordés pour interpréter ces événements comme un signe d'intolérance religieuse : seul Fernand Braudel a, de son côté, écarté les aspects plus proprement idéologiques, et mis l'accent sur des éléments plutôt apparentés à l'anthropologie physique : les expulsions fréquentes de Juifs à la fin du XVe siècle, ainsi que toutes celles qui s'en suivirent, n'ont été, selon lui, qu'un effet de la surpopulation de l'Europe méditerranéenne, et donc une forme de redistribution de ressources devenues insuffisantes pour satisfaire les besoins de tous.

Par une curieuse coïncidence, les années de transition entre le XVe et le XVIe siècle furent des années noires non seulement pour les Juifs espagnols, mais également, à des titres divers, pour la République Sérénissime : le voyage de Vasco de Gama, en ouvrant de nouvelles voies commerciales vers l'Orient, menaçait en effet, tel l'éclair dans une ciel bleu, de compromettre sérieusement la position commerciale de Venise sur l'échiquier international. Un tel bouleversement des perspectives ne pouvait qu'ajouter à l'incertitude et multiplier les sources de conflit dans les bassin méditerranéen. Les modalités des échanges évoluaient rapidement, et de nouvelles routes océaniques, à l'écart des centres commerciaux de la Méditerranée, venaient s'ajouter aux routes habituelles. Les premiers à s'adapter à ces évolutions, plus par nécessité sans doute que par intuition véritable, furent justement ces fugitifs de la péninsule Ibérique, chassés par vagues successives et engagés désormais dans la plus ardue de toutes les quêtes : celle d'une patrie et d'une identité véritables, fût-ce dans le recoin le plus isolé de la Méditerranée.

Les Abrabanel, à travers leurs aventures politiques et personnelles, leurs nombreuses pérégrinations par terre et par mer, mais aussi leur cheminement intellectuel, sont un véritable symbole de ces Juifs errants ; ils illustrent à merveille les caractéristiques des deux siècles d'histoire que furent le XVe et le XVIe siècle. De tous les Abrabanel, c'est sans doute Isaac qui représente le mieux son illustre famille.

Né à Lisbonne en 1417, ministre et trésorier d'Alphonse V, il fut l'un des hommes les plus influents de son époque, avant d'être injustement accusé, à la mort de celui-ci, d'avoir participé à un complot. Il dut alors se réfugier en Espagne où, en raison de sa grande compétence en matière de finances publiques, on lui confia la tâche délicate de rééquilibrer les comptes de l'État, mis à mal par les âpres luttes menées contre les Maures. Il n'échappa pourtant pas, en dépit de ses hautes fonctions et des services rendus, au sort qu'allaient connaître, en 1492, ses coreligionnaires. On le retrouve en 1493 à la cour de Ferdinand Ier, puis en 1494 aux côtés du fils de celui-ci, Alphone II, en fuite devant les troupes de Charles VIII. Il arrive en 1495 à Corfou et en 1496 à Monopoli. C'est en 1503 qu'on le voit finalement à Venise, après dix années d'errance.

Couvert de gloire et d'expérience, le vieil homme d'État cherche aussitôt à organiser une médiation entre sa nouvelle patrie et le Portugal, où les choses ont entre-temps évolué et où il est à présent réhabilité. Il défend avec grande conviction, devant le conseil des Dix, un projet que le Sénat approuvera à son tour et qui lui permettra d'envoyer l'un des membres de sa famille, Joseph Abrabanel, en mission au Portugal. Ce sera là sa dernière intervention diplomatique, vouée du reste à l'échec, malgré la bienveillance des autorités vénitiennes. Fidèle, Isaac Abrabanel ne le fut pas moins à l'égard de son engagement intellectuel. Il acheva, avant sa mort, survenue en 1508, à l'âge de soixante et onze ans, un certain nombre d'ouvrages tout à fait respectables parmi lesquels *L'Eterna Giustizia*, *La Visione di Dio*, ainsi qu'un commentaire au *Guide des Égarés*, de Maïmonide.

Nous le disions, Abrabanel représente, bien au-delà de lui-même, une certaine façon d'être des Juifs de son temps : au milieu des pires ouragans que l'histoire ait connus, il s'adonna à la spéculation philosophique abstraite, ce qui, lui évitant peut-être de se révolter ouvertement contre la réalité qui l'environnait, lui permit vraisemblablement de survivre. Confronté au choix entre la conversion et l'exil, il préféra ce dernier, se nourrissant, au cours de ses voyages, d'un messianisme métaphysique profondément ancré en lui. Jamais, pendant sa longue errance sur la Méditerranée, il n'en vint à douter de sa foi, persuadé qu'il était de la venue imminente du Messie. Sa pensée est une rencontre entre la conception messianique de l'histoire et l'espérance dans le rôle futur d'Israël :

« Il a été enseigné dans les maisons d'Eliahu que la durée du monde est de six mille ans, dont deux mille de confusion, deux mille de Torah et deux mille de temps messianiques. » Abrabanel avait fait ses calculs et fixé la date de cette venue — comme il l'écrit dans *Le Fonti della salvezza*, à l'année 1503. Ses déductions influencèrent la plupart des exégètes et des chercheurs juifs de la première moitié du XVIe siècle. Elles contiennent bon nombre de contradictions caractéristiques du Moyen Age, mais elles participent aussi, à bien des égards, de l'esprit de la Renaissance.

Ses rapports avec Venise, sont, eux aussi, très emblématiques. Il est en effet le premier penseur juif à élaborer, dans son « Commentaire à la Bible » rédigé en hébreu, le mythe de Venise, et à discuter du contenu de la constitution vénitienne à la lumière de sa réflexion biblique, soutenant la supériorité du gouvernement républicain sur la monarchie. Ayant connu de près l'organisation politique vénitienne, il la rapprocha de celle imposée au peuple d'Israël par Moïse sur les conseils de Jethro. C'est ainsi qu'Abrabanel compare les « chefs de milliers » dont parle la Bible au conseil suprême, les « chefs de centaines » au conseil des Pregadi, les « chefs de dizaines » au conseil des Dix. Le philosophe espagnol est pourtant contraint de forcer quelque peu le texte biblique : dans la constitution mosaïque, en effet, ce sont les « chefs de milliers » qui se trouvent au sommet de la pyramide, alors qu'Abrabanel place comme instance suprême les « chefs de dizaines », de manière à établir le parallèle avec le conseil des Dix. Sa constitution idéale est en outre bien plus républicaine que ne l'est la constitution de Venise. Malgré cette réinterprétation de la Bible en fonction des réalités contingentes, nous ne pouvons manquer de relever l'importance d'un tel document, qui constitue, au seuil de la Renaissance, la première contribution juive au mythe de la Sérénissime.

S'il est vrai que les effets des événements d'Espagne se manifestèrent surtout jusqu'en 1550, l'ensemble du XVIᵉ siècle fut toutefois marqué par de profondes mutations, sur le plan commercial et social, mais aussi sur le plan psychologique, culturel et religieux. Les premières migrations massives des communautés expulsées dans les ports de la Méditerranée, de Constantinople à Salonique, de Venise à Raguse, et d'Ancône à Livourne avaient en effet été suivies de mouvements plus diffus, mais néanmoins constants, de familles entières de marranes en fuite, ou de simples individus isolés, à l'histoire tourmentée. Ces fugitifs, apatrides, psychologiquement instables, et que la misère rendait audacieux, n'allaient pas tarder à devenir les principaux animateurs de commerce en Méditerrannée et à porter la masse des échanges à des niveaux rarement atteints.

La fortune commerciale des Portugais était déjà, vers les années 1540, sur le déclin, vraisemblablement en raison de leur politique d'exportation à bas prix (équivalente au dumping moderne), qui ne tenait pas compte des coûts de transports très élevés et rendait ainsi impossible tout réinvestissement éventuel.

Pour autant, les inquiétudes des Vénitiens ne s'étaient pas réellement atténuées. De nouvelles routes maritimes avaient été ouvertes, indépendantes du traditionnel itinéraire nord-sud, reliant l'Égypte et Constantinople à la lagune vénitienne. C'était à présent entre Ancône, Raguse et Constantinople que se déployait une grande partie du trafic maritime, de façon entièrement autonome par rapport à Venise : les navires faisaient route vers l'est chargés de blé et d'huile, et rapportaient vers les États italiens viande, laine et cuirs. L'axe Ancône-Raguse constituait, par la sûreté et la brièveté de son parcours, une excellente solution de remplacement aux routes de Venise, infestées de corsaires. La reprise du commerce international poussa la Sérénissime à la recherche de nouvelles solutions : il était impératif de préserver les liens privilégiés qu'elle entretenait encore avec l'Égypte, si Venise entendait demeurer le principal pôle d'attraction pour les marchands et les aventuriers, le pont entre les grandes puissances chrétiennes et l'Empire ottoman. C'était une nouvelle fois aux Juifs qu'allaient faire appel les autorités de la République, dans l'espoir de redresser une situation qui, pour n'être pas désespérée, n'en apparaissait pas moins comme largement compromise.

Parmi tous les gens qui débarquaient à Venise, véritable bazar où se croisaient hommes et femmes des origines, des nations et des civilisations les plus diverses, on trouvait nombre de Juifs levantins : il s'agissait de marchands ambulants, portugais ou espagnols, de marranes de la première heure, en fait de gens à la foi douteuse qu'on appelait ainsi parce qu'avant d'aboutir à Venise ils s'étaient arrêtés, plus ou moins longuement, dans quelque port de l'Orient, le plus souvent Salonique ou Constantinople. Ils venaient principalement pour le Ghetto, incontestable point de référence pour les déracinés qu'ils étaient, en quête de la moindre parcelle d'identité culturelle et psychologique, fût-elle larvée. Ils arrivaient par vagues successives et tentaient de se rapprocher progressivement des Juifs de la première communauté du Ghetto, la Natione Todesca, et dont ils étaient séparés par d'énormes fossés : la langue, l'histoire, les rituels religieux étaient autant d'éléments de leur différence et jusqu'aux métiers, les premiers étant des prêteurs, depuis toujours habitués à la ville, les seconds des marchands, des gens de la mer.

Il ne semble pas qu'il y ait jamais eu, entre les deux « Nations » un grand courant de sympathie. Dans *Paries und Wien*, transcription d'un roman populaire italien en rimes, Elia Levita écrit : « Il ne viendrait à l'idée de personne, dans le Ghetto de Venise, d'adresser la parole à un étranger ; celui-ci doit errer longuement par le Ghetto avant que quelqu'un ne s'approche de lui, et encore, lorsque cela arrive ce n'est jamais sans quelque profit à la clé. »

La République Sérénissime qui avait su tirer grand parti de ses premières communautés juives et de leurs banques, ne fut pas longue à mesurer tout le potentiel que représentaient les Juifs levantins, susceptibles de lui apporter un soutien décisif dans la lutte acharnée que se livraient les puissances maritimes de l'Adriatique pour la suprématie commerciale. Lorsque ceux-ci se plaignirent, en effet, de leurs conditions de vie dans le Ghetto, du manque d'espace et de la difficulté d'ouvrir des magasins ou même de trouver un logement, le gouvernement vénitien prit, avec une célérité tout à fait inhabituelle, la décision d'« accorder toute latitude au magistrat qui le souhaitera de loger les marchands juifs levantins errants par le Ghetto, et si, par manque d'espace cela se révélait impossible, il serait alors autorisé à les loger dans le Vieux Ghetto... dans les mêmes conditions, bien entendu que les Juifs du Nouveau Ghetto... En outre ils ne pourraient ni prêter, ni vendre de vêtements usagés, ni se livrer à aucune activité autre que l'échange des marchandises. »

Ces hommes habitués à parcourir le monde mettaient ainsi leurs précieux réseaux de relations humaines et familiales au service de la Sérénissime et ce dans les zones d'influence essentielles à sa survie, notamment la Roumanie, la péninsule balkanique et le vaste Empire ottoman.

Même si le phénomène fut limité, on vit à ce moment-là le commerce vénitien passer des mains des nobles à celles des nouveaux marchands étrangers. Venise avait du reste été la dernière des villes de l'Adriatique à consentir de telles concessions aux marchands juifs ambulants. En 1526 Ancône avait accordé, en plus de l'exemption des droits de douane, ce que la Sérénissime n'avait concédé qu'en 1541 : un droit de séjour permanent. Ercole II à Ferrare avait lui aussi, en 1538, tenté d'attirer les marchands levantins en leur offrant un sauf-conduit qui leur permettait de séjourner en ville et d'exercer une activité commerciale sans limite de temps.

Tous les Juifs vivant désormais dans le Nouveau Ghetto, l'extension de leur quartier au Vieux Ghetto, loin de représenter une nouvelle restriction, constituait plutôt la reconnaissance tardive — et à contrecœur — de leur rôle économique, capital pour la cité lagunaire. Pragmatique comme à son habitude, Venise s'adaptait à son époque, reconnaissant enfin aux marchands juifs levantins, qui pour la plupart n'étaient pas ses propres citoyens mais des ressortissants de l'Empire ottoman, un statut juridique spécifique : ils ne pouvaient séjourner à Venise plus de quatre mois — sans leurs familles ; ils étaient uniquement autorisés à pratiquer l'échange des marchandises. Par rapport aux premiers prêteurs juifs, ils jouissaient de quelques privilèges commerciaux supplémentaires et, citoyens étrangers, d'un certain nombre de droits en moins. Ces restrictions allaient pourtant bientôt s'estomper, puis tomber définitivement en désuétude. Tel historien ou tel autre n'a pas manqué de souligner l'ironie de cette situation, qui présentait un double avantage : Venise conservait ses précieuses routes commerciales, et les Vénitiens, leur foi.

La Natione Todesca et la Natione Levantina, bien qu'habitant des zones contiguës, le Vieux Ghetto et le Nouveau Ghetto, et bien qu'exerçant des fonctions différentes, vivaient de façon séparée. Cependant et malgré une très forte méfiance initiale, on ne tarda pas à voir s'amorcer un lent processus d'osmose concrétisé par des échanges de maisons, des mariages « mixtes », des disputes religieuses et culturelles, des relations d'affaires, des dettes : autant d'éléments marquant une intégration progressive des Levantins au sein de la communauté juive vénitienne. La supériorité économique de cette dernière n'allait du reste pas tarder à décliner, alors que croissaient, parallèlement, les fortunes marchandes des Levantins.

Ceux-ci jouissaient du reste d'une excellente réputation commerciale dans la plupart des ports de la Méditerranée. A Ancône, aussi bien Juifs que marranes portugais venaient mouiller en toute tranquillité, même après que la ville fut passée sous la domination de la papauté, en 1532. Paul III comme Jules III (malgré son offensive contre les livres juifs) avaient continué de garantir une certaine tolérance : « Aucun signe ne devait marquer la différence d'avec les chrétiens ! »

Cela se prolongea jusque vers les années 1550 : on assista alors à un brusque revirement de situation, concernant aussi bien les Levantins soupçonnés de marranisme que les Juifs. En 1553, Venise et la papauté — ce fut là un de leurs rares moments d'entente — tombèrent d'accord pour combattre l'hérésie et la culture juive : cela donna lieu aux célèbres autodafés de Rome et de Venise. On brûla les Talmud sur la place Saint-Marc et le cardinal Varallo, représentant de l'Inquisition romaine, définit, dans une lettre adressée à l'ambassadeur de Venise, les livres juifs comme étant « des livres pestiférés... contre la religion chrétienne. »

Venise avait même précédé Rome, en 1550, dans son attaque contre les marranes résidant en ville. En juin, le Sénat, après avoir rappelé que déjà en

1497 « les marranes, gens infidèles, sans religion, ennemis du Seigneur Dieu, avaient été chassés de l'État », observa qu'il était aisé de constater leur prolifération continue, et qu'il apparaissait opportun de renouveler une « mesure si sainte et si utile ». Le décret d'expulsion fut confirmé : il contenait la menace d'une confiscation des biens et d'une peine de deux ans à purger sous les chaînes des galères vénitiennes. De nombreux citoyens et des marchands du Rialto de toutes les nations, craignant d'être, à leur insu, impliqués dans des transactions avec des marranes, demandèrent à être, par avance, lavés de tout soupçon : ils achetaient aux Espagnols, ils faisaient du commerce avec les Pouilles et avec Rome, avec Naples et la Sicile et leurs affaires, expliquèrent-ils, les conduisaient à traiter avec des hommes inconnus, venant des pays les plus divers ; ils voulaient exercer leur métier, « l'âme sereine » et sans courir de risques. Le Sénat, conscient des problèmes posés par une telle décision, précisa qu'il n'était pas dans ses intentions de s'opposer aux échanges avec les marranes ressortissants d'autres pays, et que son objectif se limitait à faire en sorte qu'il leur soit impossible de venir s'installer à Venise.

A Rome comme à Venise, les Juifs vivaient dans des quartiers séparés et devaient porter de façon bien visible des rouelles distinctives ; il leur était interdit de posséder des biens immobiliers. Contraints d'écouter des prédications, ils le faisaient souvent les oreilles remplies de cire : les prédecesseurs de Paul IV avaient en effet accentué les pressions pour les inciter à la conversion, instituant, entre autres, la *Domus Conversorum* ou maison des Catéchumènes, privilégiant le régime patrimonial des néophytes et frappant la culture juive et détruisant les Talmud.

Quelques années plus tard, en 1555, ce fut l'élection à la papauté de Giovanni Pietro Carafa, chef de file des ultras, qui prit le nom de Paul IV. L'une de ses premières dispositions fut l'envoi à Ancône d'émissaires chargés d'enquêter sur l'orthodoxie des Juifs portugais. Sa bulle *Cum nimis absurdum*, dans laquelle était soulignée l'erreur des Juifs — et la nécessité de les garder en esclavage jusqu'à ce qu'ils en comprennent la gravité — marqua un tournant décisif dans les rapports entre les Juifs et l'Église : on ne se contentait désormais plus des conversions spontanées ; à nouveau il fut question de forcer les Juifs à se convertir ; tous ceux qui, après avoir séjourné au Portugal ou en Espagne, étaient venus en Italie en se déclarant Juifs, allaient être considérés comme apostats, quand bien même ils nieraient sous la torture avoir jamais été baptisés ou avoir vécu en chrétiens. L'explication officielle était que, puisque, depuis une soixantaine d'années, les Juifs ne pouvaient plus exister officiellement dans ces territoires, tous ceux qui en venaient, devaient nécessairement avoir été baptisés ou avoir vécu de façon chrétienne.

Les événements d'Ancône en 1555 troublèrent le paysage italien encore davantage. Sans faire le moindre cas des engagements pris par ses prédécesseurs, Paul IV ordonna à l'inquisition de jeter en prison les marranes d'Ancône. Certains cherchèrent leur salut dans les villes voisines de Pesaro ou de Ferrare. On en captura tout de même une centaine, dont quarante d'origine turque. En mars 1556, Soliman le Magnifique, opportunément informé, intima au pape l'ordre de libérer ses sujets, déclarant entre autres choses : « Vous nous donnerez ainsi raison de traiter amicalement vos propres ressortissants qui viennent faire du commerce dans nos contrées. » La prise de position du sultan, d'une extrême dureté, contribua à une libération rapide des citoyens turcs. D'autres prisonniers sauvèrent leur vie en abjurant, et furent expulsés vers Malte. Ils s'évadèrent pendant le voyage et, parvenus en Turquie, se déclarèrent Juifs. Restèrent à Ancône vingt-quatre prisonniers qui, refusant de renier leur foi, payèrent leur droiture sur le bûcher. La nouvelle de cette tragique exécution en masse voulue par Paul IV se propagea comme la foudre à travers tout le bassin méditerranéen, suscitant de très vives réactions. Les Juifs levantins, et en particulier le puissant don Joseph Nasi, alias Giovanni Miguez, ou Michez, organisèrent contre Ancône un véritable boycott économique. L'adhésion ne fut pas unanime, mais d'importantes communautés, parmi lesquelles celles de Salonique et de Constantinople, se joignirent à la protestation. Les gouverneurs d'Ancône se tournèrent vers le pape ainsi que vers la communauté juive locale, très embarrassée, pour tenter de faire suspendre les représailles contre la ville. Entre les Juifs d'Ancône eux-mêmes il y eut de violentes polémiques : beaucoup ne souhaitaient pas être mêlés à des histoires de marranes. Le blocus se prolongea durant deux ans avant de s'affaiblir graduellement ; les événements eurent cependant pour Ancône de graves conséquences et marquèrent le début d'une longue période d'éclipse, alors que Venise, de son côté, tirait le plus grand parti des déboires de ses adversaires traditionnels.

Les choses allaient cependant moins bien pour la communauté juive de Venise et au moment du renouvellement de la concession, en 1563, des tensions, jusque-là demeurées latentes, éclatèrent au grand jour. Pendant deux longues années, il fut même question de ne pas renouveler la concession et en septembre 1565 une loi annonçait aux Juifs qu'ils ne seraient admis à résider dans le Ghetto que jusqu'à l'année suivante, le temps de régler leurs affaires, et qu'ils n'étaient désormais plus autorisés à consentir de prêt ni à se livrer au commerce de vêtements usagés.

Tout au long de l'année 1565, la situation ne fit qu'empirer, alors que se rapprochait dangereusement le moment fatidique du départ. Les Juifs adressèrent à ce moment-là une nouvelle pétition, dans laquelle ils indiquaient explicitement leurs difficultés : beaucoup d'entre eux étaient partis, d'autres contribuables aux impôts de la communauté avaient fait faillite, irrémédiablement lésés par deux années d'incertitude continuelle. Ils étaient à présent à bout de ressources. Cette pétition qui, peut-être, avait été rédigée de concert avec le conseil, conduisit celui-ci à se soucier à nouveau des pauvres de la ville et à faire introduire au Sénat une proposition de loi tenant compte de cette préoccupation. De manière assez inattendue, cependant, le Sénat repoussa la proposition de reconduction de la concession pour deux années supplémentaires. La nouvelle fit l'effet d'un véritable coup de tonnerre dans les milieux juifs du Ghetto désormais accoutumés à la surenchère du gouvernement vénitien qui se résolvait pourtant invariablement par le renouvellement de leur permis de séjour.

Ils présentèrent une nouvelle et implorante pétition : leurs ancêtres résidaient à Venise depuis plusieurs générations et il leur était impensable de devoir s'en aller. Ils étaient au désespoir, non seulement parce que l'heure de l'expulsion approchait, mais aussi parce que le peu de temps qu'il leur restait était tout à fait insuffisant pour régler honorablement leurs affaires et organiser un tel déplacement en masse. Ils en appelaient une nouvelle fois à la bienveillance du gouvernement qui — ils en étaient convaincus — n'entendait pas réellement jeter à la rue des femmes, des enfants et des vieillards, alors que l'hiver était proche. Il était impossible de faire partir tout le monde. De nombreuses personnes allaient périr pendant le voyage. Autant se jeter tous dans les canaux de la ville : au moins ils mourraient tous d'une seule mort. En conclusion d'un tel appel, les Juifs ne demandaient que la reconduction pour un an de leur concession ; parallèlement, ils demandèrent à ce que tous ceux d'entre eux qui souhaitaient se rendre en Palestine puissent effectuer le voyage dans des galères vénitiennes sûres. Le Sénat suspendit l'expulsion et accorda, après un long débat, la prolongation demandée, à une large majorité.

Pas plus tard qu'en février 1566, le conseil des Dix envoyait au Sénat une proposition de loi constituant une nouvelle volte-face, aussi subite qu'imprévue, par rapport à la politique jusqu'alors suivie : on allait à nouveau se soucier des pauvres de la ville ; il était urgent de reprendre les activités de prêt qui avaient été suspendues à la suite des événements que nous venons de rapporter. Les Juifs étaient de nouveau autorisés à résider dans le Ghetto, mais sous de nouvelles conditions : au renouvellement de plein droit, en cas de non-intervention du gouvernement un an avant l'échéance, se substituait l'expulsion automatique. Les conditions du prêt furent également modifiées : les banquiers étaient obligés de constituer un fonds de garantie en cas de faillite. Ils étaient tenus, même si cela ne leur convenait guère, de prêter jusqu'à des sommes de cinq ducats. Ils n'étaient plus habilités à recevoir de fonds chrétiens. On interrompait ainsi, une nouvelle fois, toute possibilité de courants financiers croisés. Le clivage entre Juifs et chrétiens, qui, dans la vie quotidienne tendait à s'estomper, redevint l'une des idées maîtresses de la politique conduite par le gouvernement vénitien. De très anciens problèmes restaient toutefois sans solution : le vieil antagonisme entre monts-de-piété et banques se raviva ; Pie V avec sa bulle *Hebraeorum Gens*, accentuait la discrimination : il définissait les Juifs comme inutiles, poursuivant à leur égard une politique de répression tant économique que religieuse.

Entre-temps, les tensions entre l'Occident chrétien et l'Empire ottoman s'étaient sensiblement accrues ; les visées des Turcs sur Chypre devenaient de jour en jour plus manifestes, créant ainsi les inévitables prémices d'un nouvel affrontement. En 1570, des citoyens vénitiens furent arrêtés à Constantinople et des navires saisis. En représailles, Venise bloqua tous les biens des Turcs résidant en ville ainsi que ceux des Juifs levantins, considérés eux aussi comme des ressortissants turcs.

C'était le début d'une escalade qui allait conduire à une bataille restée célèbre dans toute les mémoires : la bataille de Lépante.

5

Le marranisme

L'absence de définition du terme « marrane ». —
Les rapports des marranes avec les Juifs et avec
les chrétiens. — Les événements d'Ancône. —
L'Inquisition à Venise.

Le mot *marrano*, en castillan et en portugais, veut
dire, à peu de chose près, « porc », et équivaut donc
à une insulte ; sa signification n'est guère différente
dans la langue italienne.

Qui donc étaient ces personnes pour qui on allait
user de tels qualificatifs ? L'édit d'expulsion de 1550
ayant suscité un véritable tollé parmi les marchands
du Rialto, le gouvernement de la Sérénissime fut
bien contraint de mettre cette embarrassante question à l'ordre du jour. La réponse était difficile, alors
même que ces personnages indéfinis, à l'identité
floue, vivaient en ville sous le regard de tous. On
imagine sans peine qu'elle ne soit pas plus aisée
aujourd'hui, même si l'on est libéré de toute considération pragmatique et des distinguos intéressés
invoqués par la Sérénissime.

Les événements d'Espagne, en 1492, et du Portugal, en 1496, l'expulsion des Juifs, les conversions forcées, les autodafés, les persécutions : tous ces phénomènes furent directement à l'origine du phénomène qu'on appela marranisme. En un mot étaient marranes tous ceux qui, convertis de force au christianisme, restaient en eux-mêmes profondément juifs et continuaient, entre les murs de leurs maisons, de pratiquer les rites que leur imposait leur religion.

Toutefois, le marranisme suivit, avec le temps, un cours propre et devint si protéiforme qu'il est impossible de l'enfermer en une seule image, si suggestive fût-elle : expérience religieuse décisive, éternelle hérésie... Ces définitions, fascinantes, il est vrai, ne font en effet que présenter une vision décidément statique d'un phénomène au contraire tout à fait dynamique.

La répression violente, qui, tel un coup de massue s'abattit sur les groupes sociaux juifs, parvint à les briser, à miner leur unité et à réduire à néant un judaïsme ibérique dans sa phase la plus féconde (qu'il suffise de songer à Ibn Gabirol et à Maïmonide). Elle échoua pourtant dans son intention d'annihiler les petits microcosmes familiaux, imperméables à la réalité extérieure, et qui, tenacement, résistèrent, comme autant de gouttelettes d'huile à la surface de l'eau. Familles et individus finirent par se protéger de la seule façon possible : ils se cachèrent, comme certains cours d'eau, invisibles à la surface, prêts pourtant à resurgir en terrains plus propices. Voilà l'essentiel de ce qui constitue la grande, l'insaisissable expérience marrane : le destin d'un groupe fut supplanté par les mille destinées particulières de familles isolées ou de simples individus, et qui, au fil des ans, se multiplièrent avec leurs caractéristiques propres, parfois très particulières. Il en résulte que chaque marrane est une expression originale du phénomène plus complexe du marranisme, avec son lot de souffrances et de tourments, de rites et de croyances religieuses. Le judaïsme, nié aux yeux du monde, devient objet de débat intérieur, de conflit personnel, de pensées secrètes : il devient, en un mot, une maladie incurable.

Le marranisme se développa au cours des quarante années allant de 1497 à 1537, lorsque le roi du Portugal, conformément aux vœux de la papauté, instaura à son tour l'Inquisition sur ses territoires. A partir de ce moment, chaque génération de marranes ne représenta plus qu'elle-même et sa propre expérience particulière. Cette fragmentation, déjà bien amorcée, ne pouvait que s'intensifier au contact du bassin méditerranéen et de ses zones politico-géographiques si variées : Salonique et le monde turc, Venise, éternelle ville frontière, Rome et l'influence papale. Comment vraiment s'étonner, du reste, que le marrane, habitué à être pourchassé comme une bête, ait eu quelque propension au mimétisme et ait cherché à devenir l'Autre ?

On peut bien sûr esquisser l'un ou l'autre des traits, largement répandus, du marrane type ; de nombreux historiens en tout cas s'y sont essayés : son attitude négative, hostile, envers un christianisme persécuteur, à laquelle il oppose un attachement indéfectible à un judaïsme monothéiste ainsi qu'une invincible espérance dans la venue du Messie. Mais cela peut-il réellement suffire ? Cette simplification schématique s'applique sans doute à de nombreux cas, mais elle ne saurait rendre compte de tous. Le fait marrane se situe, de par sa nature, en dehors de toute considération simplificatrice. Le marrane est souvent un homme isolé qui ne trouve plus de réconfort dans le groupe, qui supporte en solitaire les tensions que le monde extérieur fait peser sur lui. Ses itinéraires religieux et moraux aussi sont essentiellement individuels. Sa lecture de la Bible n'est inspirée par aucun maître et, si elle est plus originale, elle n'en est pas moins exposée au danger d'hérésie. Au XVIIᵉ siècle, le milieu culturel qui se développa dans les communautés marranes du Nord (à Amsterdam, par exemple) engendra toute une cohorte de sceptiques, d'hérétiques, et autres averroïstes : qu'on se souvienne des tourments d'Uriel da Costa ou de la solitude de Spinoza.

Tout groupe minoritaire est tributaire d'une double éventualité : ou bien il aime sa condition, et dans ce cas il précise les limites de sa propre identité et cherche les moyens de la perpétuer, ou bien il la hait et alors il tend à se mimétiser, à s'effacer. Il n'en va pas autrement de l'individu marrane : s'il ne se fait pas le plus impitoyable persécuteur des autres nouveaux-chrétiens, il tendra à se rapprocher de son propre groupe d'origine, envers lequel il ne cessera cependant de manifester des sentiments ambigus. Dans tous les cas il lui faudra affronter, avec gravité, sa propre mémoire, collective, mais aussi familiale et individuelle : ce ne peut être pour lui qu'une épreuve : les fantasmes de l'Inquisition sont loin, en effet, de s'être évanouis.

Inquisition : un mot dont le son suffit à évoquer d'anciens tourments, prolongés durant des siècles. Au Portugal, le problème marrane fut une constante de la vie politique et civile : le premier autodafé remonte au 20 septembre 1540, le dernier datant du 27 octobre 1765. En perpétuelle évolution, le marranisme prit donc des visages divers : judaïsme secret, souvent réduit à l'essentiel, il ne fut plus bientôt qu'un lointain souvenir, un souvenir intime, perpétué en fait par l'Inquisition, dont les persécutions n'étaient souvent que prétextes. Le marranisme, après le traumatisme initial qui lui donna naissance, devint, de manière toujours plus évidente, non pas, répétons-le, un événement collectif mais la somme de choix individuels, continuellement revus, faits par des hommes tourmentés, à la recherche d'un équilibre introuvable. Cette situation d'incertitude du marrane, mi-Juif, mi-chrétien, en perpétuelle évolution, hésitant entre deux religions, pouvait difficilement ne pas soulever soupçons et accusations. La famille, qui à l'origine du phénomène avait été l'écrin sûr des secrets de ses membres, fut à son tour agitée par des luttes intestines : les fils, les filles, les femmes, les maris, pour des motifs qui leur étaient propres, l'impatience juvénile, le dépit conjugal, faisaient parfois des choix de vie qui se transformaient en sources de dissensions, tournaient au conflit et finissaient par entraîner tout le monde devant les tribunaux de l'Inquisition. C'était à l'occasion de telles controverses et de telles hésitations que ceux-ci intervenaient pour réaffirmer un concept de l'ordre qui, s'il était en Espagne lié à la pureté du sang (avec des accents résolument racistes), à Venise était plutôt associé à une tradition de clarification des rôles dans la société.

Étant donné la difficulté de définir le marranisme en tant que catégorie indiscutable de l'esprit humain, il nous paraît plus opportun de nous pencher sur l'individu marrane, singulier mélange d'éléments personnels, psychologiques, culturels et religieux. Les marranes se répandent au XVe siècle dans toute l'Europe, d'Amsterdam à Salonique, en passant par

Hambourg, Venise, Florence, Rome, Ferrare ou Ancône. On les retrouve partout, même là où le judaïsme officiel est interdit : Charles Quint les accueille entre 1537 et 1542 ; en France, Henri II leur accorde certains privilèges par rapport à la majorité des Français. D'autres marranes sont même protégés par le pape, et d'autres encore, jouissant de la bienveillance de l'Empire ottoman, se rendront jusqu'à Constantinople. Dans toutes les villes, ils se rapprochent des Juifs, s'assimilant à eux au cours d'une évolution parfois très lente, et donnent naissance à cette veine sépharade qui dans le cadre du judaïsme va être opposée à l'autre courant, ashkénaze, originaire de l'Est.

L'histoire interne des communautés d'origine marrane révèle l'existence de persistantes tendances hétérodoxes : les « garde-fous » traditionnels posés par les rabbins autour de la Loi, de la Torah, étaient considérées comme superflus ; la Loi orale, c'est-à-dire la Mishnah et le Talmud, source permanente du débat religieux, était perçue comme un levier du pouvoir rabbinique et par conséquent âprement remise en question ; la Bible, dans les esprits le plus ouvertement hérétiques, n'était autre chose qu'un livre écrit par les hommes. Au cours du XVIIe siècle, ce large éventail d'opinions, plus ou moins hétérodoxes lorsqu'elles n'étaient pas franchement subversives ou hérétiques, après avoir couvé sous la cendre pendant près de cent ans, allait ouvertement inspirer le débat au sein du monde juif, et provoquer une profonde déchirure entre cabalistes et anticabalistes.

Détestés par les chrétiens, les marranes n'étaient pas pour autant mieux aimés des Juifs, qui supportaient difficilement leurs incertitudes, leurs transformations continuelles, et voyaient en eux des êtres peu sincères, opportunistes. Toutefois, même parmi les Juifs, les positions vis-à-vis des marranes ne furent pas toujours unanimes. Compréhensif et bienveillant dans un premier temps, le jugement des rabbins se fit à leur égard de plus en plus sévère, en raison de la persistance chez eux d'attitudes troubles. Lors des événements d'Ancône, en 1555, le rabbin des Italiens de Constantinople, Yehoshua Soncino, estima que le boycottage ne s'imposait pas, car « cela ne valait guère la peine de prendre le parti d'hommes qui avaient abjuré leur foi et avaient vécu comme des chrétiens ».

A Venise ce fut une attitude de méfiance instinctive qui prévalut : le rôle social, très précisément défini, relevait ici de critères rigides d'ordre et de séparation. Dès 1497 les marranes avaient été expulsés de la cité lagunaire et des villes des Pouilles sous sa domination. Le renouvellement de l'expulsion de 1550, qui traduisait une politique plus dure encore que celle de la papauté même, montrait cependant bien à quel point il était difficile de préciser ce qu'était un marrane. Venise, lieu de transit par excellence, était aussi un lieu de métamorphoses et il est hautement probable que les marranes qui y cherchaient refuge jouissaient en ville de bien des complicités. Ils arrivaient pour repartir aussitôt vers les routes de l'Orient. Ils revenaient, nouaient des liens commerciaux, ramenaient des marchandises. Certains parmi eux se découvraient une âme juive, d'autres se maintenaient à la frontière des deux mondes se rapprochant tantôt de l'un, tantôt de l'autre. Le flottement de ces hommes sans foi troublait profondément les gouvernements de Venise, tolérants envers les étrangers, mais à condition de savoir à qui ils avaient affaire. Si les marranes voulaient se déclarer Juifs, ils avaient toute latitude de le faire et ils pouvaient alors gagner le Ghetto et mener une vie des plus paisibles ; mais on exigeait d'eux qu'ils définissent clairement leur identité. Les Juifs nés à Venise étaient rarement inquiétés par l'Inquisition ; quant aux Juifs levantins, ressortissants turcs, ils jouissaient, quelle qu'ait pu être leur histoire personnelle, de la protection de l'Empire ottoman.

La ville allait en fait progressivement ouvrir ses portes à de nombreux marranes riches, utiles et influents, auxquels vint s'ajouter une masse de pauvres et de mendiants, sans talent et sans métier. Les estimations opérées par les nonces papaux n'étaient peut-être pas des plus fiables, car entachées de partialité : le chiffre de dix mille individus avancé par eux semble exagéré. Peut-être était-ce là un moyen de faire pression sur Venise qui, officiellement hostile aux marranes, ne tenait en réalité aucunement à rompre les ponts avec eux.

Vers la fin des années 1560, le cadre des échanges commerciaux en Méditerranée subit un certain nombre de mutations qui eurent sur les marranes, excellents commerçants, recherchés ou rejetés uniquement en fonction des stratégies commerciales des pays qui les accueillaient, des conséquences immédiates. Venise ne disposait que d'une flotte de navires réduite, naviguant principalement dans l'Adriatique et ne s'aventurant que rarement dans des mers plus lointaines, et Ancône et Raguse, situées sur un axe reliant l'Empire ottoman à la France, dont Venise était bien éloignée, étaient devenues de dangereuses rivales. Le péril allait encore s'accentuer au cours des années soixante-dix, avec la perte de Chypre qui allait entraîner un retrait partiel de Venise dans le commerce du sel et réduire d'autant sa fonction médiatrice. Raguse, ville florissante et qui avait gardé une position de neutralité, présentait en revanche de nombreux avantages pour les marchands.

Dans ce décor mouvant, les marchands marranes, dont la fonction essentielle était de servir de lien, de raccommoder, en quelque sorte un tissu déchiré, risquaient fort d'être brisés et de voir leur position d'intermédiaires étouffée. Si Venise et la papauté s'étaient coalisées contre les marranes-Juifs levantins, ceux-ci auraient sans doute été mis à rude épreuve. Mais il n'en fut rien. Alliés contre les Turcs, les pays chrétiens étaient entre eux profondément divisés et en situation de concurrence, comme le montre l'initiative retentissante prise, vers les années 70, par Emmanuel Philibert, duc de Savoie. Le duc semblait en effet décidé à développer le port de Nice-Villefranche et tentait de réunir autour de ce projet un certain nombre d'appuis économiques et sociaux. Il offrit un sauf-conduit et une ample protection à tous ceux qui étaient pourchassés par l'Inquisition, s'attirant ainsi les foudres des Espagnols et de la papauté mais aussi, pour des motifs différents, celles de Venise. Les pressions internationales convergentes finirent par étouffer le projet, contraignant le duc de Savoie à revenir partiellement sur ses mesures et à expulser dans les six mois les marranes baptisés et revenus au judaïsme.

L'événement ne fut cependant pas tout à fait négatif pour le vaste univers marrane décidément bien fragmenté. Au bord de l'anéantissement, si le monde chrétien avait été compact, les marranes réussirent, une fois de plus, à sauver leur situation. Six mois après l'expulsion de Nice, Venise accorda un sauf-conduit aux Juifs marranes apostats. Cette concession, semblable en substance à celle du duc de Savoie, était cependant différente dans sa forme, puisque, selon les critères de l'ordre vénitien, tous ceux qui arrivaient en tant que Juifs devaient habiter le Ghetto, porter la rouelle distinctive et se soumettre aux mêmes normes que les Juifs. C'était là le signe d'un changement qui allait encore s'accentuer au cours des années 1580.

Dans la cité lagunaire, comme partout ailleurs, on tenta à différentes époques, ainsi qu'en témoignent les actes des nombreux procès de l'Inquisition, de définir clairement la condition du marrane ainsi que les caractéristiques éventuelles de son identité.

Les marranes étaient-ils des gens qui en d'autres lieux avaient été nouveaux chrétiens, tout en s'étant déclarés juifs à Venise ? Ou bien qui, Juifs en d'autres contrées, se conduisaient à Venise comme des chrétiens ? Ou s'agissait-il encore de Juifs levantins, citoyens turcs, à l'origine plus qu'incertaine ? Il ne fait nul doute que même l'Inquisiteur le plus chevronné a risqué par moment d'y perdre son latin : les histoires de ces personnages étaient fragmentées, incertaines, avec des enchevêtrements familiaux très complexes. L'identité marrane était confuse jusque dans une même famille, prenant des formes distinctes chez le mari et chez l'épouse, chez le père et chez les fils, et — même — entre frères. L'Inquisition vénitienne eut à s'occuper d'un grand nombre de ces cas et sans doute, les juges déployèrent-ils des efforts considérables pour tenter d'établir une certaine clarté. Du reste, l'Inquisition à Venise eut des caractéristiques différentes de celle de tribunaux analogues dans d'autres pays, à la même époque : elle s'occupait surtout des vagabonds et autres aventuriers qui, à travers leurs mœurs ou leur langage, pouvaient être soupçonnés de troubler un ordre social extrêmement rigide, articulé autour de corporations dont les droits et les devoirs étaient très précisément définis. Les Juifs, bien qu'en situation d'infériorité par rapport aux patriciens, aux citoyens et aux marchands, jouissaient d'une certaine protection, s'ils ne sortaient pas du rôle social qui leur était dévolu. Le gouvernement de la Sérénissime traitait d'égal à égal avec l'« Université des Juifs », organe qui réunissait et représentait les différentes communautés juives, déterminées en fonction de leur origine et de leur provenance, et, sauf rare exception, les accords conclus après de longues et exténuantes tractations étaient rigoureusement respectés. Tout cela, les Juifs de la Natione Todesca, groupe autour duquel s'était constitué le Ghetto, l'avaient parfaitement compris : de fait ils ne furent pratiquement jamais inquiétés par les tribunaux de l'Inquisition. Ce ne fut pas le cas, en revanche, des groupes plus récemment immigrés, dont l'identité n'était pas aussi certaine et qui, arrivés à Venise, s'étaient convaincus — à tort — qu'ils pouvaient mener leur vie à leur guise, sans avoir de comptes à rendre à personne.

A Venise — ceci a été maintes fois souligné par les historiens —, la religion était un phénomène complexe, dont la compréhension est rendue encore plus ardue par son interaction fréquente avec la politique. Ainsi, par exemple, la conviction était largement répandue, dans toutes les couches sociales, que la ville avait été fondée avec l'aide de Dieu et qu'elle ne pouvait survivre que grâce à son soutien continuel. L'église du Rédempteur et l'église du Salut sont deux témoignages d'un vœu fait par le

Sénat à l'occasion de deux moments particulièrement tragiques, la peste de 1575 et celle de 1630. Les défaites militaires aussi étaient vues à travers le prisme religieux : elles étaient interprétées comme un geste d'abandon divin. En ces périodes, aussi bien le Sénat que le conseil des Dix approuvaient, avec une rapiditié stupéfiante, toute loi, tout décret visant à renforcer l'ordre moral, à combattre la corruption, le blasphème, la prostitution, la déviation du clergé, et ce dans l'espoir de retrouver une bienveillance perdue. Lorsqu'en 1537 fut instituée une magistrature spécifique, les « Exécuteurs contre le blasphème », on parla explicitement de la « crainte de Dieu », dont dépend le « salut public et particulier » de la République. La compétence de cette nouvelle magistrature s'étendit peu à peu à de nombreux autres domaines : les jeux de hasard, la censure de la presse.

La dévotion religieuse à Venise ne tourna cependant jamais à l'allégeance politique vis-à-vis de la papauté. Venise et Rome, puissances mues par des intérêts divergents, eurent souvent à s'affronter. Une partie des nobles vénitiens, qui avait des parents à la Curie romaine, mit en avant, à diverses reprises, la nécessité d'entretenir avec Rome des liens privilégiés ; toutefois, le désir d'indépendance animant la majorité des nobles vénitiens incitait le Sénat et le conseil des Dix à s'interroger sur l'utilité et l'opportunité de permettre à ceux parmi ces nobles qui entretenaient de tels liens, d'avoir accès aux charges publiques les plus sensibles. De substantiels avantages économiques accordés par l'Église à ceux qui lui étaient dévoués venaient encore ajouter à la complexité du conflit purement politique.

La Contre-Réforme vénitienne ne peut donc être

interprétée comme une simple transposition des décisions romaines. En juillet 1542, Paul III institua l'Inquisition à Rome : dès lors la papauté n'eut de cesse que le gouvernement vénitien se décide à combattre l'hérésie protestante, exerçant, à travers ses nonces, une pression sans relâche. En ville les tendances opposées s'équilibrèrent et le débat déboucha sur une impasse sans vainqueurs ni vaincus. Le tournant dans la politique intérieure ne fut qu'une conséquence de l'évolution de la situation internationale : certaines défaites subies par les forces protestantes incitèrent Venise à ne choisir son camp que tardivement. Le 22 avril 1547, l'Inquisition s'installa dans la cité lagunaire, sur un décret du doge Francesco Donà ; il ne s'agissait pas là d'un fait nouveau : on restaurait simplement une institution déjà connue à Venise de longue date. Trois nobles vénitiens furent associés au légat du pape, au patriarche de Venise et à l'inquisiteur franciscain, lesquels, aussitôt nommés prirent le nom des « Trois Sages contre l'hérésie » : ils représentaient auprès du Saint-Office l'autorité du conseil des Dix, assistaient aux procès, exprimaient leur opinion et servaient en quelque sorte de filtre contre les pressions romaines. Les juges ecclésiastiques étaient les seuls à avoir le droit de vote lors du prononcé des sentences. Jusqu'en 1560 l'inquisiteur de Venise fut un franciscain, nommé par le Saint-Siège, mais qui n'en prêtait pas moins serment d'obéissance aux lois de la Sérénissime. Les dominicains présidèrent par la suite à son fonctionnement, de 1560 jusqu'au XVIIIe siècle. A la lecture des documents rédigés par les nonces pontificaux à Venise, il apparaît que le rôle des Trois Sages consista essentiellement à freiner les élans des religieux ; en réalité ils étaient plutôt en accord avec eux pour ce qui était de l'essentiel, mais ils étaient partisans d'une action discrète : aux exécutions publiques, ils préféraient de loin les noyades en mer des coupables — ou, en tout cas, de ceux que l'on avait jugés comme tels.

L'analyse de l'immense masse des comptes rendus de procès a permis à de nombreux historiens de se forger la conviction qu'à Venise, le Saint-Office, peut-être aussi en raison de l'attitude modératrice des Trois Sages, a été un tribunal équitable dans ses jugements (pour son époque bien sûr), attentif aux enquêtes et scrupuleux quant à l'évaluation des preuves. Voici certaines données : sur les mille cinq cent soixante procès instruits à Venise par les tribunaux de l'Inquisition au cours du XVIᵉ siècle, il y eut quatorze condamnations à mort par noyade, et quatre extraditions vers Rome, suivies de condamnations à mort. On s'aperçoit que, par rapport aux tribunaux civils, l'Inquisition a fait, et ce dans toute l'Italie, preuve de modération : le conseil des Dix a par exemple, toujours au cours du XVIᵉ siècle, prononcé cent soixante-huit condamnations à mort pour vol, assassinat, trahison, ou sodomie. Et l'on peut considérer que les tribunaux civils vénitiens firent preuve de clémence par rapport à ceux de bien des villes italiennes parmi lesquelles Mantoue ou Ferrare.

A Venise, le Saint-Office accordait en outre des remises de peine en échange de confessions ou de pénitences, et certaines peines légères étaient même parfois prescrites. Presque tous les procès eurent lieu pour hérésie (luthérienne, anabaptiste), pour commerce ou lecture de livres interdits, ou encore furent intentés contre des marranes judaïsants. Ces derniers s'élèvent, selon certains historiens, à soixante-six, et représentent donc 5 p. 100 de l'ensemble. La grande majorité des charges retenues le fut pour outrage à la religion. Peu de Juifs du Ghetto furent directement concernés ; s'ils subirent des procès, ce fut pour avoir proféré des menaces ou pour corruption. Plutôt que sur les individus, ce fut sur la culture juive que se porta l'action des inquisiteurs qui l'estimaient proche, à plusieurs égards, de l'hérésie anabaptiste, jugée perfide et subversive. Fusèrent également des critiques contre le Talmud, livre dangereux, qui incitait au parjure et dans lequel on prétendait déceler de nombreuses offenses à la religion chrétienne. Des accusations d'apostasie et d'hérésie allaient même être lancées contre les Juifs dans les années 1580, même si on ne voyait pas en eux de véritables hérétiques, mais plutôt des exemples de perfidie. L'origine commune que constituait l'Ancien Testament rendait les choses bien plus compliquées. Saint Thomas avait situé les Juifs entre l'hérésie et le paganisme. L'hérétique était par contre celui qui, en raison de ses nombreuses oscillations, s'abreuvait en fait à plusieurs sources. Boniface VIII allait établir pour sa part des restrictions encore accrues : devait être considérée comme hérétique toute personne baptisée d'origine juive qui aspirait à revenir au judaïsme, sauf lorsque le baptême avait été imposé non sous la menace, mais en état d'*absoluta coatio*, c'est-à-dire sous la contrainte physique pure et simple.

L'Inquisition vénitienne présenta des caractéristiques tout à fait spécifiques car elle était le reflet d'exigences divergentes, dictées par les volontés distinctes de Rome et de Venise. Elle n'intentait pas de poursuites qui, selon ses propres critères, n'étaient pas motivées, évitait, autant que possible, de se faire l'instrument de vengeances familiales, et ne tenait pas non plus, au fond, à juger les Juifs baptisés qui voulaient retrouver leur religion, car d'une certaine manière cela pouvait aussi ressembler à un échec du christianisme. Les actes de ces procès qui bien sûr ne font qu'illustrer partiellement l'action de l'Inquisition, ne nous révèlent rien de tout ce qui a pu se produire dans les coulisses : ils présentent néanmoins un intérêt très vif dans la mesure où ils nous permettent de retracer, ne serait-ce qu'en partie, les mentalités de ceux qui étaient de part et d'autre du banc des accusés.

Si le rapport entre l'Inquisition et les hérétiques ou les marranes, était, pour des raisons intrinsèques, douteux ou ambigu, celui entre le Saint-Office et les Juifs baptisés qui souhaitaient retrouver leur religion était quant à lui parfaitement clair : dans l'échelle des valeurs chrétiennes, le judaïsme était placé à un échelon inférieur et il ne pouvait être question d'admettre ce qui était perçu comme une régression. La conversion répétée était de même considérée comme un abus du sacrement, qui perdait ainsi son caractère indélébile. Si Rome avait, par tous les moyens, cherché à favoriser les conversions, on ne peut en dire autant de Venise. Le Ghetto avait été institué pour protéger les chrétiens, mais jamais il ne fut tenté de convertir les Juifs. Il est vrai qu'au moment de sa conversion, le fils d'Asher Meshullam, fondateur du Ghetto, avait été accueilli en grande pompe et traité avec les honneurs ; mais c'était là une conversion tout à fait particulière : celle du fils du chef du Ghetto. La conversion à Venise, si elle était favorablement accueillie, n'était pas, encore une fois, ouvertement sollicitée et moins encore provoquée par des méthodes telles que la présence forcée au sermon, comme c'était le cas à Rome. La Maison des catéchumènes de Venise, fondée en 1557, ne fut officiellement reconnue qu'en 1571, au moment du renouvellement, fort controversé, de la concession. Cette nouvelle institution était censée offrir des garanties aux convertis et éliminer toute possibilité de fraude : elle devint un facteur d'ordre par lequel devaient transiter tous ceux qui voulaient passer du judaïsme au christianisme ; ce passage ne pouvait du reste être immédiat : il fallait attendre au moins quarante jours avant que la conversion puisse avoir lieu ; ce délai pouvait être réduit si l'aspirant au baptême faisait preuve d'une ferveur particulière. Ces conversions n'étaient cependant pas très fréquentes et le flux des Juifs arrivant des divers pays d'Europe et des pays méditerranéens suffisait largement à combler les vides causés dans la communauté. Les convertis, qui souvent adoptaient le nom de leur parrain, Pisani, Morosini, etc., ou bien le nom du saint du jour, bénéficiaient, pour s'insérer dans leur nouvelle vie, de l'aide des catéchumènes. Le rapport entre l'Inquisition et la Maison des catéchumènes se fit plus étroit et devint, dirait-on de nos jours, opératoire, vers les années 1580, lorsque toutes deux se firent les instruments d'une même stratégie.

L'Inquisition ne s'est cependant maintenue à Venise que grâce à un compromis, l'Église et l'État s'inspirant tous deux d'idées d'ordre, même s'il existait parfois des interprétations divergentes : la façon de traiter le cas des Juifs montre bien cette dualité des composantes d'un même courant. Vivre libre à Venise, cela impliquait que l'on laissât son passé en dehors des murs de la ville et que l'on s'adaptât à l'ordre social existant sans créer de scandale. L'Inquisition ne s'occupa guère des Juifs, d'une part parce que les offenses à la religion relevaient d'autres magistratures, d'autre part parce qu'elle estima préférable d'éviter tout conflit d'ordre institutionnel avec l'État vénitien : en s'en prenant trop souvent au Ghetto elle n'aurait pas manqué d'embarrasser le gouvernement, dont la réaction ne se serait pas fait attendre.

Les procès de l'Inquisition nous offrent donc des témoignages frappants d'individus anonymes, pris dans la foule. S'ils ne peuvent donner une vue globale de ce que fut cet univers ô combien particulier, ils conservent cependant le mérite de tracer un portrait authentique d'êtres marginaux, d'hommes et de femmes dont les comportements furent jugés déviants et qui entrèrent dans l'histoire souvent en raison de leur non-conformisme, lorsque ce ne fut pas pour un simple outrage à l'idée qu'à leur époque on se faisait de la pudeur, ou plus simplement encore parce que leur comportement était tenu pour ambigu, voire anormal.

6

Juifs, marranes, judaïsants devant le tribunal de l'Inquisition : Histoires d'individus marginaux

Giuseppe Francoso, 1548. — Francisco Oliviero, 1549. — Elena de Freschi Olivi, 1555. — Licentiato Costa, 1555. — Aaron et Asser, 1563. — Marc'Antonio degli Eletti, 1569.

GIUSEPPE FRANCOSO, 1548

Giuseppe Francoso, jeune homme de vingt ans, de taille moyenne, à la barbe blonde, doit répondre de l'accusation d'avoir été baptisé plusieurs fois. Il avoue sur-le-champ, ajoutant même quatre fois : « La première, comme je l'ai dit, à San Heremia... je me prénommais Aaron... on m'appela Jacomo... la seconde à Modena, où je me fis appeler Paulo, la troisième à Ravenne, mon prénom fut alors Baptiste, la quatrième à l'abbaye de Mgr Loredan où l'on me donna le prénom de Francisco. » Il avoue avoir reçu le baptême à Venise « le jour de la Sensa, après avoir déjeuné », ses parrains avaient été « *ser* Jacopo et Paternostri et le marchand de primeurs qui se trouve après le pont de Cannareggio », à quelques

113

mètres à peine des portes du Ghetto. Les minutes du procès témoignent bien de l'ingénuité avec laquelle le jeune homme relate ses rencontres et ses expériences à Modène, à Padoue, à Ravenne, qui l'avaient incité à répéter son geste comme si, ce faisant, sa foi s'en trouvait raffermie.

Le tribunal de l'Inquisition veut savoir s'il a reçu des dons ou de l'argent. Le jeune homme répond : « A Venise je n'ai reçu d'autre aumône que quatorze sous... à Modène je n'ai rien accepté... à mon départ de Ravenne, Monseigneur le Saint-Esprit me donna deux écus d'or... à l'abbaye où je fus baptisé le dimanche des Rameaux par le vicaire de l'endroit, on m'habilla et je reçus six ducats d'aumône, et puis j'arrivai ici. »

Le jeune homme semble résigné : « Je me suis fait baptiser, car mes habits étaient en haillons et ainsi, pour recevoir un peu d'aide, je m'ai fait *[sic]* baptiser. » Ses mots, fatalistes, ne reflètent pas la moindre inspiration chrétienne : « Je savais bien que c'était mal et que c'était contraire à la foi chrétienne et que c'était un péché, mais je le faisais car je n'avais aucun autre moyen de vivre. » Il raconte encore qu'il a tenté de délivrer sa conscience en allant à confesse, ce qui lui a valu de « grosses remontrances » de la part des prêtres qui, après les premiers baptêmes, avaient refusé de l'absoudre. Malgré ces avertissements, et n'ayant pas d'autres moyens d'assurer sa subsistance, le jeune homme avait continué de se convertir, mû par une impulsion irrésistible, qui lui faisait répéter la même expérience. Il ajoute, à la fin de sa déposition, qu'il demande pardon. « *Et ulterius non fuit interrogatus.* »

L'Inquisition, « afin que de tels erreurs et man-

114

quements contre la foi chrétienne ne demeurent pas sans châtiment », condamne Jacomo, alias Aaron, à vingt années de galère et au bannissement perpétuel. « S'il tentait de s'enfuir et qu'il soit repris, qu'on le pende par le cou jusqu'à ce que mort s'ensuive... » Le tribunal ajoute en note une information devant faciliter l'identification du condamné : « Le sus-mentionné Jacomo porte à l'oreille gauche un signe particulier, une excroissance en forme de verrue. » Des empreintes digitales en quelque sorte — insolites — il est vrai.

FRANCISCO OLIVIERO, 1549

L'histoire commence par la blessure d'Oliviero dans la maison d'une courtisane, Laura Romana, demeurant rue du Pestrin à Santo Stefano et « chez laquelle il s'était rendu habillé et chrétien, portant le béret noir, l'épée et le poignard ».

Rien que de très banal si un incident n'était survenu, après deux jours passés dans la maison de l'un de ses amis, Zuan Paolo ; Francisco Oliviero fut blessé et son ami « le transporta hors de chez lui, jusqu'à l'hôtel des Juifs pour le faire soigner ». Un tel comportement crée des doutes quant à l'identité de l'homme : est-il juif ou chrétien ? L'Inquisition se met à enquêter, convoque des témoins. Parmi ceux-ci, Antonio de Bernardi, sous-diacre de l'église de Sant'Angelo, qui raconte ce qu'il a vécu : « Une nuit, vers 4 heures, on m'appela pour confesser quelqu'un qui venait d'être blessé dans la rue du Pestrin, dans les nouvelles maisons avoisinant le pont ; je ne sais plus si je suis entré dans la première ou dans la deuxième porte, et j'ignore aussi à qui appartenait la maison en question. » Il ajoute que l'homme lui a semblé étranger, peut-être espagnol ; il le confessa et lui donna l'absolution « selon l'ordre de notre sainte Mère ».

On convoque un autre témoin, Zuan Francesco Brandi, à qui l'Inquisition pose un certain nombre de questions dans le but d'établir avec certitude l'identité d'Oliviero. Brandi répond qu'il a connu l'homme à la maison de l'ambassadeur d'Espagne, et qu'il a entendu certains de ses amis se déclarer plutôt perplexes quant à la véritable foi de l'accusé. On disait de lui qu'il avait un frère juif et qu'il avait été vu portant un béret jaune.

On demande au témoin suivant, tenancier d'une auberge, « s'il connaît Francisco Oliviero, jeune grand, brun, à la barbe clairsemée... si celui-ci est juif ou chrétien, si ses membres de sa familles sont juifs et si on l'a vu porter l'habit juif ». Le témoin rapporte qu'on était venu l'informer de l'arrivée d'un homme blessé répondant au nom de Joseph, et que, comme cela apparaît dans le registre des étrangers juifs, il lui a fait donner une chambre ; celui-ci avait signé « Joseph, Juif » et il l'avait donc tenu pour juif, lui servant des repas « selon le rite des Juifs ».

Emprisonné dans les cachots des « Magnifiques Seigneurs de la nuit », le jeune Francisco Oliviero, grand, brun, à la barbe clairsemée, est convoqué devant l'Inquisition. Il déclare ne pas connaître le motif pour lequel on le retient en prison, « sinon pour la simple raison qu'il a été blessé ». Sa déposition prend des accents dramatiques. Il a échappé à un complot dans la maison de Pestrin : « Une vieille est soudainement venue éteindre ma chandelle et m'a laissé dans l'obscurité, puis est apparu un individu qui m'a frappé de sept coups de poignard et m'a laissé pour mort. » Alors que sa vie était en danger, son premier souci avait été de faire appel à un prêtre pour se confesser. Les juges demandent enfin à l'intéressé s'il est juif ou bien chrétien. Celui-ci répond : « Je suis chrétien. Il est vrai que je suis circoncis, mais c'est à mon père que je dois cela. » Il affirme ne pas se rappeler ni sa circoncision, ni son baptême : « J'ai toujours vécu en bon chrétien. »

L'objection des juges est immédiate. Pourquoi, s'il est aussi bon chrétien qu'il le prétend, a-t-il vécu selon les usages juifs et porté le béret jaune ? « Je n'avais pas d'argent et je n'avais plus de quoi vivre ; mes pas me conduisirent ainsi vers le Ghetto où j'ai de la famille qui peut m'aider. » Tous les membres de cette famille sont cependant pour le moment introuvables. Oliviero déclare solennellement que, si on lui prouve qu'il a porté le béret jaune ou bien qu'il s'est nourri selon les rites juifs, il se soumettra alors à tous les châtiments (on voit difficilement comment il aurait pu s'y soustraire), en ajoutant toutefois aussitôt : « Il est bien vrai que je me suis assis à la même table que certains Juifs, membres de ma famille, mais jamais je n'ai obéi à leurs rites. »

Quels étaient ses rapports avec la propriétaire de la maison où il avait été blessé ? « Il s'agissait d'une petite amie qu'il voyait occasionnellement, rien de plus banal pour un homme de son âge. » Était-il juif ou chrétien ? L'accusé proteste vigoureusement : « Je suis chrétien et c'est en chrétien que je veux mourir, j'ai toujours vécu en chrétien et n'ai jamais endossé l'habit juif ; si vous disposez de témoins affirmant le contraire, à quoi bon alors me poser la question ? » Il ajoute qu'il n'a eu des rapports avec les Juifs qu'après sa blessure. Pourquoi percevait-il, en prison, de l'argent des Juifs ? « Je ne le sais pas, s'ils

117

sont juifs, ils sont aussi mes compatriotes, et c'est pour cela qu'ils m'aident. »

Tu n'as jamais changé de nom ? « Jamais. »

Sentence : Francisco Oliviero, « Juif et circoncis », a avoué « avoir eu commerce avec une femme chrétienne » ; puis, ayant été blessé, il a demandé à être confessé par un prêtre « en tant que chrétien » en « dérision » de la foi catholique ; il s'est ensuite fait transporter dans le Ghetto, où il s'est fait appeler Joseph, a été nourri « suivant la coutume juive » ; une fois guéri il a porté le « béret jaune », « causant une grande indignation chez les fidèles ». Il est donc condamné à quatre ans de travaux forcés et au bannissement perpétuel de Venise et de ses territoires.

ELENA DE FRESCHI OLIVI, 1555

L'histoire de cette vieille dame, Elena de Freschi Olivi, commence un jour de fête.

Voici la déposition de l'un des témoins : « Dimanche dernier... le prêtre m'a confié ce que lui avait rapporté la très noble dame Paula Marcelo... qui se trouvait en compagnie des épouses du très noble sire Andrea Diedo résidant à San Foscha, et du sire Bernardin Grappina... La mère de messire Zuan Battista, médecin juif devenu chrétien, alors que le prêtre récitait le credo : *Et incarnatus est de Spiritu Sancto ex Maria virgine et homo factus est*", proféra les mots suivants : "Tu mens comme tu respires, espèce de bâtard, enfant de putain..." »

D'autres témoignages confirmeront le fait qu'Elena de Freschi Olivi, mère de Zuan Battista, Juif converti, connu pour ses positions intransigeantes contre les livres juifs, s'est laissée aller à prononcer, pendant la messe, des phrases inconvenantes. « Elle était agenouillée juste derrière moi », déclare un témoin. « Elle disait : " Regarde un peu ces animaux, ces bâtards, ce qu'ils sont en train de raconter " », confirme le témoin suivant, dame Lucretia, ajoutant que la vieille Olivi se rend dans le Ghetto assez fréquemment et que dame Paula Marcella l'a entendue affirmer à voix haute que « cette foi n'est pas la bonne et qu'elle ne souhaite pas la conserver ».

Dame Paula Marcello, appelée à déposer, confirme l'avoir vu indignée contre le prêtre : « Elle faisait de nombreuses grimaces et proférait de gros mots parmi lesquels je l'ai entendu dire : " Tu mens comme tu respires... " et j'ai vu qu'elle faisait de vilains gestes en direction de l'autel. » Dame Paula rapporte une conversation avec Salomon — Juif allemand, professeur de musique — à qui elle demandait pourquoi il ne se convertissait pas au christianisme : « Madame, il serait bien difficile à un mauvais Juif d'être un bon chrétien et nombreux sont ceux parmi les convertis qui voudraient bien revenir à leur ancienne religion. Il me cita en exemple, ajoute-t-elle, la mère du sire Zuan Battista, me confiant qu'elle " se rend chez les Juifs pour pleurer et qu'elle ne souhaite qu'une chose, quitter cette foi maudite et retrouver la sienne ". »

Dame Margherita, qui a habité dans la maison de Zuan Battista pendant trois ans et s'est occupée de ses filles, dit, elle aussi, ce qu'elle sait des Freschi Olivi, une famille récemment convertie au christianisme et donc fortement suspecte, malgré le zèle antijuif déployé par messire Zuan Battista. Pendant le sermon, à l'église des Saints-Apôtres, alors que le prêtre parlait de la Vierge, expliquant qu'elle avait été vierge avant, pendant et après avoir enfanté, « ladite dame Elena mit ses mains en forme de couronne, comme si elle voulait jeter un sort au prêtre et dit : " Tu mens comme tu respires, bâtard... " ». Le témoin n'hésita pas à incriminer l'accusée en concluant : « Et ses petites-filles elles aussi m'ont confié que, lorsque la vieille tue les poules chez elle, elle les égorge comme le font les Juifs. »

Salomon, Juif, vient à son tour déposer en prêtant serment sur la pointe de la plume du greffier, selon la coutume juive ; il ne confirme rien de ce qui vient d'être révélé par Paula Marcello. Il nie avoir aperçu dans le Ghetto, après sa conversion, la vieille Elena ; s'il l'avait vue, il n'hésiterait pas à le dire, car il avoue éprouver une forte rancœur envers messire Zuan Battista « qui a de ses propres mains brûlé des livres juifs ». Il ajoute : « Il se peut bien que j'ai dit : " Il serait bien difficile à un mauvais Juif d'être un bon chrétien. " Je ne saurais vous en dire plus. »

Puis c'est au tour de Giovanni Battista de Freschi Olivi, fils de l'accusée, médecin juif converti, de venir déposer devant les juges. On retrouve dans ses mots les échos de la médecine de l'époque. « Mes Révérends et Très Illuminés Seigneurs... je vous dis en vérité que la pauvre femme est atteinte, déjà depuis de nombreuses années, d'une grave infirmité cérébrale, provoquée par des humeurs mélancoliques, et que son discours est troublé par certaines imaginations corrompues et fausses, représentées dans son cerveau par les nombreuses vapeurs malignes provenant de diverses humeurs qui s'évaporent... ainsi que l'expliquent les médecins, ou bien encore, comme le disent les théologues, quelque esprit malin, qui fait que cette pauvre femme est hantée par des chimères et parle toute seule tantôt à voix basse, tantôt haut et fort, devant les gens sans la moindre retenue... et ne se rend pas non plus compte si elle se trouve à l'église ou sur la place Saint-Marc ou encore sur la voie publique. » Impliqué, contre toute attente, dans un procès en hérésie, lui, Zuan Battista, se défend et défend sa mère avec éloquence. Il confie aux juges que la pauvre femme, dans ses moments d'inconscience, a l'habitude de hurler, de s'en prendre à tout le monde et de prononcer des phrases incohérentes. Si on l'empêchait de vivre parmi les siens, au contact de ses petits-fils, il ne fait aucun doute que son état démentiel ne ferait qu'empirer, ce qui irait à l'encontre de toute charité chrétienne.

Sa vieille mère, Elena, a reçu le baptême de son propre gré et, lorsque son esprit est clair, c'est une très bonne chrétienne, même si « étant femme et faible d'esprit elle n'est guère apte à discuter de la foi, car elle pourrait prononcer bien des paroles ineptes ». Encore : « Ma pauvre mère est lunatique et " énergumène ", vocable grec utilisé par les canonistes sacrés dans le Décret et qui, selon leurs termes, signifie qu'elle souffre d'aliénation et de faiblesse cérébrale liées aux rythmes lunaires et qu'elle est possédée par les esprits malins. »

Finalement comparait devant le tribunal Elena de Freschi Olivi. « Je n'ai pas menti, je n'ai pas tué, je n'ai pas volé. Envoyez-moi à la maison, chez mon fils... J'étais en train de parler dans l'église Saint-Martial avant que le prêtre ne commence la messe, et je marmonnais : " Vierge Marie, aidez-moi à me délivrer de ces tourments, car je vais mourir et mon nom va être sali par mon bâtard de mari... délivrez-moi de la souffrance d'être sa femme, j'aimerais bien mieux être veuve, car il n'arrête pas de me traiter de putain. " » L'accusée nie résolument avoir jamais prononcé de blasphème, elle admet être passée avec sa belle-fille par le Ghetto, s'être rendue chez certains amis et même dans des banques juives pour y porter des gages et puis pour les retirer. Elle nie s'être jamais repentie de sa conversion et répond avec émotion : « Pourquoi voulez-vous que je me repente ? Pourquoi voulez-vous que j'aille redevenir juive ? Je n'ai certainement pas abandonné Dieu, au contraire je le retrouve chaque fois que je dis *"in nomine Patris et Filii et Spiritus Sancti "* ; je suis bonne chrétienne et c'est sous l'inspiration du Saint-Esprit que je le suis devenue. » Elle nie avoir jamais déclaré qu'elle voulait quitter « cette maudite foi ». Elle nie avoir jamais prononcé les phrases rapportées par les nombreux témoins et ajoute : « Ne me demandez pas si je crois que Marie a été vierge avant, pendant et après ses couches, pourquoi voulez-vous que je mette en doute de telles choses... Il me suffit de savoir que le Christ est né du Saint-Esprit ; qu'est-ce que cela peut me faire, à moi, si elle est vierge ou pas ? »

On cite à la barre donna Agnese ; celle-ci témoigne des affres qui ont assailli la vieille femme au moment du baptême de ses fils Zuan et Jacomo et de ses petits-enfants, et de son incertitude sur ce qu'elle allait faire. D'après elle, Elena de Freschi Olivi aurait accepté de se convertir pour suivre ses enfants, mais dans son âme elle serait restée juive : « Elle égorgeait toutes les poules, tous les chapons et les coquelets qu'elle préparait pour la cuisine et, lorsqu'elle les avait égorgés, elle leur coupait la tête et la jetait. »

Le tribunal, au moment de prononcer son jugement, reconnaît « que la vieille dame divague parfois

122

et qu'elle perd ses facultés mentales, bien que bénéficiant d'intervalles de lucidité » ; cependant, afin qu'à l'avenir de tels scandales ne se reproduisent plus, il la condamne à l'emprisonnement perpétuel « au grand hôpital de la ville » et pour que la sentence devienne exécutoire et ne rencontre aucune objection auprès des dirigeants de l'hôpital, le tribunal se porte garant, sur le plan financier comme sur le plan moral, de cette femme désormais âgée de soixante-dix ans.

LICENTIATO COSTA, 1555

L'histoire de Licentiato Costa, qui comparaît devant l'Inquisition en 1555, est l'une des histoires de marranes parmi les plus typiques. Thomas Zornozo, homme de confiance de Brianda de Luna, parle de ce personnage en ces termes : « Pour ma part je le tiens pour hérétique ; lorsque je l'ai vu, au moment où il arrivait d'Espagne, il se disait chrétien, puis il est allé à Salonique et s'est déclaré Juif. J'ai entendu dire qu'il s'est fait circoncire à Ferrare... »

Un homme à l'habit étranger, à la longue barbe grise, paraissant une soixantaine d'années, fait son entrée devant le tribunal. Il déclare s'appeler Tristano da Costa de Viana, au Portugal, et être fils d'Isaac Odoardo Costa. Il prétend ignorer le nom de sa mère : elle décida de rester juive lorsque son père se convertit, au moment où le roi du Portugal obligea tous les Juifs à le faire. Il ne se souvient évidemment pas de ces événements : il était trop jeune ; le peu de chose qu'il sait lui a été raconté par son père et par ses frères, jetés en prison et baptisés de force. Les juges demandent à en savoir davantage ; Licentiato Costa ne fait pourtant que se répéter : « Mon père et mes frères m'ont dit que j'ai été arraché du lit de ma mère et baptisé. » Il a donc vécu en chrétien ? La réponse est nuancée. « Je vivais selon ce qu'ils me disaient et j'allais parfois à la messe en compagnie de chrétiens, de peur qu'ils ne me fassent jeter en prison, et je me confessais de temps en temps auprès de quelque moine, mais je n'ai jamais communié... Au fond de moi je vivais en tant que Juif... Plus tard je suis parti pour Lisbonne. J'y suis resté huit mois avant de m'embarquer et n'avais aucun besoin de me prétendre chrétien puisque je passais chez moi le plus clair de mon temps, à m'occuper selon mon bon plaisir. Je me rendis ensuite en Flandre et à Anvers ; puis je vins à Venise. » Il continue de décrire ses pérégrinations : avant de se rendre à Lisbonne il était passé par Salamanque et de là il était allé à Viana où il avait épousé « une femme de notre nation » dont il avait eu cinq enfants qu'il avait fait baptiser, mais uniquement par crainte de l'Inquisition.

« Mais alors, Licentiato Costa, es-tu juif ou bien chrétien ? » L'accusé raconte que donna Brianda di Luna, s'étant querellée avec sa sœur, l'avait fait venir à Venise. Elle détenait un sauf-conduit délivré par le conseil des Dix, pour elle-même et pour une trentaine de personnes de sa suite, serviteurs et agents divers, tous nouveaux chrétiens. Il ne serait jamais venu à Venise s'il avait pu imaginer que l'Inquisition lui demanderait des comptes, car il l'avoue ouvertement : « Intérieurement je vis en juif et ce n'est que pour les autres que je porte le nom de Tristano de Costa. »

L'Inquisition ne s'estime pas satisfaite pour autant : « Mais ton nom, au moins, est-il juif ou bien chrétien ? » Les juges semblent s'acharner à vouloir traquer chez l'accusé la moindre parcelle d'identité. D'après le compte rendu du procès, celui-ci ne fait rien pour leur simplifier la tâche : « En me nommant ainsi mon père a déclaré lui-même qu'il ne se servirait jamais de ce nom-là. »

« Alors, es-tu juif ou bien chrétien ? As-tu jamais prié à Venise selon la manière juive ? » Costa répond ne pas s'être conduit en chrétien et ne pas avoir non plus prié avec les Juifs. Et la circoncision ? « Je ne me souviens pas d'avoir été circoncis. Cela a dû se faire lorsque j'étais très jeune. »

« Tu circules cependant à Venise avec un nom chrétien ? » — « Je n'ai jamais déclaré qu'il était chrétien ou juif et personne ne m'a demandé de le faire. — Mais alors pourquoi quelqu'un qui se déclare juif au fond de lui-même porte-t-il un habit chrétien justement à Venise, où tout le monde sait que les Juifs ont un habit différent ? » L'accusé pensait que cela allait être toléré, étant donné les prérogatives attachées à son sauf-conduit.

Dans la dernière partie de sa déposition, Licentiato Costa nous donne un nouvel aperçu de sa manière de vivre en tant que marrane ; il souligne devant le tribunal son double visage extérieur et intérieur, comme il le définit lui-même ; il parle avec désinvolture de sa façon de vivre en tant que Juif tout en portant un béret noir, protégé qu'il se croit par son sauf-conduit. Il répète que tout son comportement de chrétien a été motivé par la crainte de l'Inquisition.

Le débat devant le tribunal ne peut se conclure que d'une façon réaliste : Licentiato Costa protégé par le sauf-conduit du conseil des Dix est immédiatement remis en liberté.

Aaron et Asser sont deux jeunes Juifs arrivés depuis quelque temps à la Maison des catéchumènes pour se convertir. Aaron vient du Ghetto, Asser, lui, est d'origine polonaise.

Un jour, alors qu'ils se trouvaient sous le porche donnant sur les champs, vient à passer Monne, un porteur qui ne sortait du Ghetto qu'en de rares occasions. Ils entament une discussion qui va considérablement refroidir les jeunes gens : dès lors, ils commencent à manifester leur volonté de rester juifs. Asser se met à proférer des blasphèmes, il déclare que « la Vierge Marie a passé deux nuits avec un homme en chair et en os et qu'elle en est restée enceinte du Christ », il va même jusqu'à lancer une balle contre son image. En outre, au moment de la prière, les deux jeunes gens s'abstiennent, ils se moquent ouvertement des saints. Un samedi matin, Asser revêt la « chemise de soie propre du dimanche ». A ses camarades qui lui demandent pourquoi il n'attend pas la fête dominicale chrétienne, il répond : « Parce que je ne suis pas chrétien, je suis un bon Juif, tous les chrétiens finissent en enfer. » Le catéchumène Samuel, Juif du Caire, fils d'Isaac de Sidat, lui enjoint de se taire : « C'est honteux ce que tu fais là, enlève cette chemise. » Il commence alors à dire que « Notre-Seigneur est un bâtard fils d'une putain » et il ajoute même, en hébreu, qu'il a été engendré pendant la période où, selon la religion juive, la Madone était impure, le traitant de *manzer barhanid*, « qui veut dire précisément ce que je vous ai indiqué ». Asser répétait sans cesse : « Lorsque je serai devenu chrétien et qu'on me donnera un bel habit neuf je m'enfuirai d'ici. »

Giovanni Gabriel, Juif à présent catéchumène, raconte : « Nous marchions en procession, chantant les litanies de la Madone... Asser est arrivé à ce moment-là et a lancé une balle en direction de l'image sainte et il riait et il se moquait... Je lui dis : "Si tu n'es pas bon chrétien, cela te mènera droit en prison." Il me répondit : "Tais-toi donc, crétin, c'est un bon Juif que je veux être et non un bon chrétien." »

Chaim de Salonique, fils de Salomon, à présent catéchumène, rapporte, lorsqu'il est convoqué à la barre des témoins, qu'il a rencontré le porteur qui avait influencé Aaron en lui disant : « Viens donc au Ghetto. Qu'es-tu venu chercher ici ? Ce n'est pas l'argent qui te manquera. » Asser, lui, avait revêtu une chemise de soie le samedi en disant : je veux être juif, « et il proférait des centaines de jurons qu'on ne saurait répéter, tant ils sont infâmes et chargés d'opprobre envers Dieu et la Madone et tous les saints. »

C'est au tour de l'un des accusés d'être convoqué devant le tribunal : « Je m'appelle Aaron et je suis tudesque, de Bohême, de Prague ; je n'ai aucun métier, j'étais au Ghetto en tant que juif et je vivais comme un pauvre homme, sans aucun métier. » On lui demande : « Comment faisais-tu, alors pour subvenir à tes besoins ? » — « Entre Juifs, il est d'usage que celui qui n'a pas d'argent aille en demander à celui qui en a et celui-ci lui en donne. »

Aaron raconte au tribunal que son intention était toujours de recevoir le baptême, mais en d'autres occasions et en d'autres lieux, il dément avoir jamais médit de Jésus, de la Madone et de tous les saints.

Il nie avoir vu Asser en train de lancer une balle au visage de la Madone. Il nie lui avoir entendu raconter que la Vierge Marie avait dormi deux nuits avec un homme de chair et d'os. Si Asser avait tenu de tels propos, il lui aurait craché à la figure. Il confirme avoir rencontré le porteur Monne qui avait insisté pour qu'il retourne au Ghetto, il ne saurait dire si Monne mangeait de la viande le vendredi ou le samedi, même s'il est vrai que nombreux sont les serviteurs des Levantins qui « mangent comme eux et on ne sait trop s'ils sont juifs, chrétiens ou bien turcs, ni à quelle loi ils obéissent. »

L'Inquisiteur demande à Aaron : « Et toi, quelle âme as-tu ? » et Aaron de confirmer qu'il souhaite devenir un bon chrétien et d'insister sur la version qu'il vient de donner : il allait se faire baptiser, peut-être pas tout de suite, mais dans le premier endroit où Dieu l'aurait inspiré.

Asser est à son tour convoqué devant le tribunal, il subira l'interrogatoire à travers un interprète. Il dit qu'il vient d'un petit village à l'est de Lublin, en Pologne, appelé Chelm. Oui, il est vrai qu'un indi-vidu du nom de Salomon l'avait persuadé de différer son baptême et que lui, Asser, avait tenté de convaincre Aaron d'en faire autant. Il est vrai également qu'il s'était querellé avec le prieur qui n'avait pas voulu lui donner à manger sous prétexte qu'il avait quitté la Maison des catéchumènes sans son autorisation. Il s'y était en effet soudainement senti mal à l'aise et avait songé à s'en aller pour recevoir le baptême ailleurs, de préférence après avoir gagné quelque argent avec l'aide de Salomon. Que faisait Asser avant d'aller vivre dans le Ghetto ? Il portait de l'eau et du bois, ainsi qu'un enfant, pour une veuve, sœur d'un beau-frère qui habitait à

Cervo del Banco. Pourquoi Asser a-t-il changé de chemise, ce fameux samedi ? Parce que la sienne était sale et il en avait tout simplement mis une autre. Pourquoi ces querelles avec le prieur ? Parce qu'il ne lui donnait pas suffisamment à manger et tous les Allemands sont ainsi de mauvaise humeur lorsqu'ils sont mal nourris. L'accusé a-t-il véritablement déclaré que la Vierge Marie serait un « personnage triste » ? Asser : « Quel péché ai-je commis ? J'ai posé beaucoup de questions à mon arrivée à la Maison des catéchumènes, afin de connaître la vérité. »

Le tribunal intime à Asser, à travers son interprète, l'ordre de dire ce qu'est pour lui cette vérité. Il répond : « La Vierge était une sainte. L'ange avait dit que le Christ allait naître d'elle et qu'il était le véritable Messie. » Et la balle dans le visage de la Madone ? Et les jurons contre les saints ? L'accusé nie, il assure qu'il était en train de jouer. Il prétend s'être comporté comme les Juifs lorsqu'ils disent leurs prières : certains prient, d'autres s'amusent ; et lui, n'étant pas encore baptisé, s'est conduit comme un Juif, et la chose ne lui semblait pas très importante.

Le tribunal lui fait savoir, toujours par l'intermédiaire de l'interprète, qu'il le tient pour un imposteur et un opportuniste : très probablement il n'avait voulu se convertir au christianisme que dans le seul but d'éviter les lourdes tâches auxquelles il était astreint dans le Ghetto.

129

Isaac, fils de Mandolin Pugliese, baptisé en 1569, avait-il été déjà précédemment baptisé à Alessandria della Paglia ? Le cas est examiné par les tribunaux de l'Inquisition qui font une enquête. Selon certaines sources il apparaîtrait que quinze ans auparavant, un certain Isaac, fils de Mandolin Pugliese, avait effectivement été baptisé en l'église San Girolamo des frères de la Calzetta, à Alessandria. Aussitôt le suspect est conduit devant le tribunal.

« Je m'appelle Marc'Antonio degli Eletti et j'étais auparavant juif ; je portais alors le nom d'Isaac, fils de Menachem Thodesco. Ma mère s'appelait Mir. Je suis né à Virginiva près de Milan et je suis présentement verrier ordinaire ici. Je travaillais chez un patron de Murano avec qui je me suis querellé voici un an... J'ai des frères aînés, Simon, Moïse et deux autres frères cadets que je n'avais jamais vus et qui, me sachant à Venise, sont, eux, venus me rendre visite. »

Qui est le Juif Mandolin Pugliese ? « Le nom de notre famille est Pugliese, et mon père se nomme en hébreu Menachem Mandel ; en Italien il s'appelle Michiel, et je ne puis vous dire s'il s'appelait en réalité Mandolin, mais ce nom n'est pas distinct de celui de Mandel : on appelle Mandel les adultes et Mandolin les enfants. »

Marc'Antonio degli Eletti parle de ses voyages, de ses pérégrinations : il est allé d'abord à Salonique, puis à Belgrade où il s'est marié, a vécu deux ans, abandonnant dans cette ville une femme et des enfants. Il vit présentement à Venise où il s'est de nouveau marié.

Lorsqu'on lui demande s'il a réellement été baptisé

avant de recevoir le baptême en l'église Santa Maria Mocenigo, il répond : « En vérité je vous dirai, messeigneurs, qu'étant alors un enfant entre douze et treize ans au visage gracieux, un bandit d'Alessandria qui avait élu domicile dans une église, et dont je ne saurais vous dire le nom, entreprit de m'enseigner la cithare ; il était en compagnie d'un autre banni qui habitait dans une chambre du monastère et me gardait auprès de lui, sous ses ordres ; il me disait : " Je veux que tu deviennes chrétien et que tu sois baptisé " » L'accusé ne se souvient pas très bien comment, mais il avait été baptisé très soudainement, et pour éviter les blâmes de ses proches il était allé vivre avec ces deux chrétiens. Peu de temps après, il avait quitté Alessandria et était parti en voyage, il était d'abord venu à Venise, puis avait poursuivi vers l'Orient. « Mon baptême, se souvient-il, s'est déroulé sans cérémonie, ils se gaussaient de moi, riaient et me jetaient de l'eau sur la tête. » Le tribunal lui demande : « Puisque tu es resté juif et que tu as épousé une femme juive avec laquelle tu as eu des enfants, qui donc t'a incité à recevoir le baptême une seconde fois ? » — « Comme je vous l'ai déjà dit, je travaillais avec des chrétiens, exerçant mon métier à Murano, et j'avais la permission de messieurs les cattaveri de passer la nuit hors du Ghetto en vertu du privilège accordé par Son Illustrissime Seigneurie, messire Antonio Baldù, aux gens qui ont pour métier de travailler le verre, et j'ai ainsi eu l'occasion, pendant trois à quatre mois, de discuter avec eux des choses de la foi. » Il était même allé à l'église Saint-Jean-et-Saint-Paul écouter les sermons d'un prédicateur de Ferrare très versé dans la langue hébraïque, et petit à petit, confesse l'accusé, il avait compris l'importance de la venue du Messie. Grand avait été son tourment : « Et ainsi, à force de raisonner, de débattre, de réfléchir sans cesse pendant plus d'un an, et de prier Dieu, en usant des moyens les plus divers, prières, jeûnes, afin qu'il daigne m'éclairer et qu'il m'accorde la grâce de vaincre les difficultés recelées par les Saintes Écritures, la Sagesse Divine m'a finalement inspiré et m'a appelé à la sainte foi catholique à travers le saint baptême. »

« Pourquoi, toi qui es un homme instruit et responsable, as-tu accepté d'être baptisé deux fois ? » L'accusé répond qu'il n'avait pas conscience de commettre une erreur et qu'il n'avait d'ailleurs jamais considéré comme un véritable baptême la parodie qui s'était déroulée à Alessandria lorsqu'il était enfant. Marco Antonio confirme avoir reçu le baptême « non pour tromper autrui ou moi-même ou pour en retirer quelque bien ou quelque avantage matériel », mais parce qu'il a compris que la véritable foi ne pouvait être que celle en Jésus-Christ et que la foi des Juifs n'était que brouillard et fantasmagorie ; « je n'aurais cependant jamais cru devoir tant souffrir dans cette prison si cruelle, au grand désespoir de ma famille et de ma femme qui se trouve à présent enceinte et privée de toute ressource. »

Quelques jours plus tard, parvient au tribunal une lettre de l'avocat Francesco Diario, confirmant l'état de prostration psychique et physique de son client, emprisonné dans les baraquements de San Zuane à la Bragora et affirmant que, faute d'être transféré au plus vite hors de ces lieux, ses jours sont comptés. Il demande par conséquent à ce qu'on l'assigne à résidence, par exemple auprès de son beau-père qui entend se porter garant pour lui et faire en sorte qu'il se présente devant le tribunal à chaque convocation. Parviennent également d'Alessandria, avec quelque retard en raison de la difficulté de trouver des témoins, certaines informations sur Marc'Antonio degli Eletti, alias Isaac, fils de Menachem Pugliese. Elles confirment, malgré leur caractère vague, la version des faits donnée par l'accusé.

N'en demeurent cependant pas moins un certain nombre de questions et de contradictions. Après le baptême, le jeune garçon s'est-il confessé? A-t-il communié? A-t-il reçu de l'argent? L'accusé nie résolument. Pendant les premiers jours de mai 1570 il envoie au tribunal une lettre où il écrit, entre autres choses : « J'avoue avoir participé à Alessandria della Plagia, voici plus de vingt ans, à une comédie que je n'ai jamais tenue pour un baptême ; à tous ceux qui ont la charge d'en examiner les causes et les conséquences, je dis que mon âge, mon inexpérience des choses du monde, ma totale ignorance des Saintes Écritures, mon éducation parmi les Juifs qui m'ont entraîné dans de lointaines contrées ainsi que tous les autres accidents qu'il convient de retenir dans le cas qui me concerne, appellent la miséricorde plutôt que le châtiment que l'on m'inflige. » De nouveau il proclame son innocence et rédige un acte d'abjuration du judaïsme.

Sentence : ayant abjuré à genoux, Marc'Antonio degli Eletti est absous de l'excommunication dont il était frappé pour avoir été baptisé deux fois, mais, afin qu'il ne demeure point impuni, il « devra se rendre au monastère de San Secondo gardé par les révérends pères de San Domenico dans la petite île au large de Venise... qui sera son lieu de détention... dans lequel il devra vivre et qu'il ne pourra quitter sans permission expresse de ce tribunal sacré, aussi longtemps que cela paraîtra utile, selon notre conscience et notre bon vouloir. Tant qu'il demeurera dans ce monastère, il sera astreint, chaque mercredi et chaque vendredi, à se nourrir de pain sec et d'eau uniquement et à réciter devant l'autel du Très Saint Sacrement les sept psaumes pénitentiels ainsi que les litanies et les prières, en rémission de ses péchés. »

Quelque temps après, le tribunal reçoit une lettre : « Mes très révérends et illustres seigneurs, voici plus de huit mois que j'ai été jugé par votre très saint tribunal et condamné à la réclusion dans cette prison, où j'ai grandement souffert, dans ma chair et dans mon bien, m'étant trouvé aux portes de la mort, après avoir dépensé toutes mes économies, durement réalisées grâce à mon industrie et qui devaient être mon soutien et celui de ma famille. » C'est le début d'une longue supplique qui implore miséricorde. Le tribunal accorde à Marc'Antonio degli Eletti d'être consigné à son domicile. Par la suite, il l'autorisera à quitter sa maison et à retourner en ville, ainsi qu'à Murano pour vaquer à ses affaires sans que quiconque ne puisse plus l'inquiéter au nom du Saint-Office.

7

L'industrie du livre à Venise au XVIᵉ siècle

Les premiers imprimeurs : Daniel Bomberg. — La querelle Bragadin-Giustiniani. — La destruction des Talmud ; la censure. — Le De medico hebreo. *— Le* Discours sur les accidents de l'enfantement monstrueux.

Place Saint-Marc, campo Sant'Angelo, Rialto et campo Santa Maria Formosa : c'est dans ce quadrilatère irrégulier qu'étaient concentrées toutes les librairies, principalement le long des *mercerie* et à campo San Bartolomeo.

Au cours du XVᵉ siècle Venise eut en effet avec le livre un rapport privilégié, et dont la portée allait être considérable. Des estimations relativement prudentes chiffrent à quinze mille le nombre des titres publiés, le tirage moyen étant de mille exemplaires par édition. Une fois de plus, la cité lagunaire, en favorisant, à travers l'industrie du livre, la formation d'un substrat intellectuel raffiné, allait se révéler comme un pôle capital de la culture en Europe et au-delà. Singulièrement, le rapport entre Venise et les Juifs fut même enrichi par la naissance, laborieuse, il est vrai, d'un important centre d'édition d'œuvres en langue hébraïque, remarquable non seulement par la quantité des titres publiés mais aussi et surtout par le niveau très élevé de sa production. Attirés par un climat aussi favorable, de nombreux intellectuels juifs d'Italie et d'Europe, qui voulaient travailler dans le secteur de l'imprimerie ou qui espéraient publier leurs ouvrages, se mirent à converger vers Venise. Le débat culturel au sein du Ghetto, extrêmement fécond, contribua à la diffusion du livre en langue hébraïque dans tous les pays méditerranéens, et fut à l'origine de quantité d'œuvres philosophiques, littéraires et religieuses, permettant de fixer dans des livres finement imprimés et richement enluminés les principaux courants de la pensée rabbinique de l'époque et de celle des siècles précédents.

Bénéficiant ainsi de la réputation mondiale dont jouissait déjà l'édition vénitienne, des personnalités de premier plan réunies à Venise pour les raisons, que nous venons de mentionner, d'une conjoncture économique, culturelle et religieuse favorable (il existait une énorme réserve d'œuvres majeures qui n'avaient pas encore été imprimées), la typographie hébraïque, qui disposait ainsi de capitaux en abondance, d'une bonne compétence technique et de papier d'excellente qualité, ne fut pas longue à être à son tour reconnue sur le plan international.

L'impression des premiers volumes à caractères hébraïques coïncida vraisemblablement avec la naissance du Ghetto ; il paraît en effet improbable, contrairement à certains avis, que des livres en langue hébraïque puissent avoir été imprimés avant 1516, puis détruits par l'Inquisition. En tout état de cause, les Juifs ne pouvaient être ni imprimeurs ni éditeurs pour leur propre compte, et, mis à part quelques rares exceptions, ils durent se contenter de leur rôle d'indispensables collaborateurs auprès des principales maisons d'édition de l'époque. Ils pouvaient circuler en ville durant la journée mais, le soir venu, il leur fallait rentrer au Ghetto. Daniel Bomberg, chrétien au nom à consonance juive, fut le premier à imprimer, avec l'aide d'un moine, Felice da Prato, et de nombreux collaborateurs et correcteurs d'épreuves juifs, des textes en hébreu. Il commença par le Pentateuque, puis publia une sélection des Prophètes et trois éditions de la grande bible rabbinique (en 1516-1517, en 1524-1525, et en 1548) qui contenait non seulement l'original hébraïque, mais aussi la traduction araméenne et les commentaires de célèbres exégètes médiévaux. Ce fut frère Felice qui coordonna les travaux autour de ces premières éditions, et qui se chargea de rassembler les documents, autant que les collaborateurs, allant jusqu'à s'adresser au conseil des Dix, en 1515, pour obtenir certains assistants : « quatre Juifs, très doctes, étrangers au besoin, qui bénéficieraient du privilège de porter le béret noir ». La première édition de la Bible fut dédiée à Léon X, ce qui nous laisse supposer que les lecteurs d'écrits en langue hébraïque n'étaient pas exclusivement juifs, et qu'au contraire l'intérêt pour la culture juive était très répandu dans les milieux humanistes ou religieux. Dans un premier temps ces ouvrages furent très favorablement accueillis, même si parfois, en raison peut-être de leur caractère mystérieux, ils suscitaient crainte et méfiance. Bomberg permit ainsi, inlassablement, une large diffusion de commentaires jusqu'alors forcément réservés à une production manuscrite très limitée. En quelques années, cet éditeur vénitien audacieux donna le jour, avec l'aval du Sénat, à un projet fort ambitieux : la publication du Talmud de Babylone en douze volumes (1510-1523) et du Talmud de Palestine (1522-1523), en plus de celle de livres de prières, commandés par les nombreuses communautés de la Diaspora de l'époque : celles de Rome, d'Espagne, d'Allemagne, de Grèce et jusqu'à la communatué d'Alep, en Syrie.

Entre les années 1533 et 1537, l'imprimerie Bomberg, dont la réputation n'avait pourtant pas faibli, resta inactive, pour des raisons que l'on ignore et ce ne fut qu'en 1538 que sortit un véritable classique de la culture juive, *Massoreth ha-Massoreth*, d'Elia Levita. A peine une année plus tard, parut cependant, de manière assez surprenante, chez le même éditeur un volume de polémique antijuive, *I Sentieri del deserto* (Les sentiers du désert), de Gérard Veltuyck. Johannes Treves et Meir Parenzo travaillèrent eux aussi chez Bomberg au cours des années suivantes, alors que l'étoile du célèbre imprimeur avait commencé à pâlir, même s'il produisit, jusqu'à la fin, des œuvres de qualité, telles qu'*I Doveri dei cuori* (Les devoirs du cœur), d'Ibn Pakuda, et certains poèmes de l'auteur espagnol Ibn Gabirol.

Le destin de Bomberg, sur le déclin, croise celui ascendant de Marco Antonio Giustiniani. Ce dernier publia en effet, dans un laps de temps très réduit, dix-huit livres en hébreu, parmi lesquels, *Commentari al Pentateuco* (Commentaires de Pentateuque), de Moïse Nachmanide. En 1548-1549, Bomberg se retira définitivement. Son principal collaborateur, Cornelius Adelkind (qui avant sa conversion se nommait Israël ben Baruch), et son fils Daniel, poursuivirent sur ses traces, sans toutefois parvenir aux mêmes résultats. Ils n'étaient pas en effet parvenus à conserver les célèbres caractères hébraïques de Bomberg, de nombreux imprimeurs, qui en appréciaient la qualité, les ayant déjà acquis.

Marco Antonio Giustiniani commença à travailler en 1545 dans une imprimerie du Rialto, rue dei Cinque. Entre 1546 et 1551, il publia le Talmud de Babylone et étant le seul éditeur de son envergure, il se retrouva en situation de monopole. Cette même année, une nouvelle imprimerie ouvrait ses portes à Venise, la Bragadina, dont la première publication fut la *Mishné Torah* ou *Iad ha-Chazakà* (La Répétion de la Loi ou La Main forte) de Moïse Maïmonide, avec le commentaire de Meir Katzellenbogen, de Padoue. Presque au même moment, Giustiniani éditait le même ouvrage, sans les commentaires du rabbin Meir. Une lettre ouverte allait bientôt faire rage entre les deux imprimeurs, qui ne tarda pas à dégénérer et à nuire non seulement aux deux antagonistes, mais aussi à la diffusion du livre hébraïque en général. Meir Katzellenbogen demanda l'appui d'une des plus hautes autorités dans le domaine de l'interprétation des lois rabbiniques, le rabbin Moïses Isserle de Cracovie. Celui-ci, après avoir rassemblé tous les éléments lui permettant de porter un jugement, menaça d'excommunication quiconque aurait acheté la *Mishné Torah* de Maïmonide imprimé par Giustiniani. Bragadin remportait ainsi la première manche, mais Giustiniani n'allait pas en rester là : probablement sans prévoir toutes les conséquences de son geste, il fit appel à la papauté pour tenter d'obtenir la condamnation de l'ouvrage et écarter ainsi son concurrent. Chacun des deux imprimeurs finit par soutenir qu'il se trouvait, dans les publications de l'autre des éléments blasphématoires et contraires aux principes de la religion chrétienne.

De telles accusations créèrent une atmosphère de suspicion qui causa de graves dommages à une activité jusque-là florissante.

Certains apostats, Joseph Moro Zarfati (qui après sa conversion s'appela Andrea del Monte) et Shlomo Romano, neveu du célèbre grammairien Elia Levita, contribuèrent avec un acharnement tout particulier, à dénigrer les textes hébraïques. A la fin de l'été 1553, Jules III promulgua une bulle interdisant de lire ou de posséder le Talmud et ordonnant que soient brûlés tous les exemplaires en circulation. A Rome le bûcher fut organisé à Campo dei Fiori. Un chroniqueur juif de l'époque, Joseph Ha-Cohen, auteur de *Emek ha-Bahka* (« La vallée des pleurs »), nous apporte le témoignage suivant : « Ils calomnièrent, aux yeux du pape Jules III, le Talmud, soutenant que ce livre, diffusé parmi les Juifs, était à l'origine des différences entre leurs coutumes et celles des autres peuples. Ils affirmèrent en outre que le Talmud contenait des propos diffamatoires à l'encontre du Messie des chrétiens et que le Souverain Pontife ne devait pas tolérer sa diffusion. Jules III eut beaucoup de peine à contenir sa colère et ordonna immédiatement que soient jetés aux flammes tous les exemplaires de cette œuvre. L'ordre fut mis à exécution sans délai : on fouilla les maisons juives de fond en comble et on confisqua les livres qui s'y trouvaient pour les jeter dans les rues et les ruelles de Rome. Le Talmud et tous les autres livres en hébreu furent brûlés publiquement, le jour de l'an juif 5314, correspondant à leur année 1553, à Campo dei Fiori. »

A Venise, après avoir entendu l'avis des Exécuteurs contre le blasphème (selon lesquels le livre était blasphématoire contre Dieu, Christ et la

Madone), le conseil des Dix ordonna, en octobre 1553, que toutes les dispositions soient prises pour qu'on puisse assister, sur la place Saint-Marc, à un « joli feu » dans lequel seraient jetés tous les ouvrages incriminés. Le nonce apostolique à l'époque nous apporte un témoignage direct, du joli feu en question : « Ils avaient déjà confisqué tous les Talmud qui restaient dans l'imprimerie du gentilhomme, et les avaient publiquement détruits au Rialto ; il en a été de même pour ceux des Juifs, dont on a fait un joli feu ce matin (21 octobre) sur la place Saint-Marc. Son Illustrissime Seigneurie a chargé l'un de ses secrétaires de m'en informer, afin que la nouvelle soit communiquée à Rome. » L'exécution de la bulle papale avait été menée à Venise avec encore plus de zèle que dans l'État pontifical ; d'autres feux n'allaient pas tarder à s'allumer par la suite à travers toute l'Italie.

Bragadin et Giustiniani avaient joué aux apprentis sorciers, et le mécanisme pervers qu'ils avaient enclenché était à présent bien au-delà de leur portée.

Giustiniani, qui en sept ans d'activité avait publié quatre-vingt-cinq titres, outre le Talmud, fut contraint à la fermeture dès 1552. Bragadin subit le même sort l'année suivante. La vague de destruction aveugle, continua, elle, de déferler jusqu'en 1554, année où le pape signa deux décrets autorisant à nouveau la possession de textes hébraïques, à l'exception du Talmud. Tous les manuscrits étaient cependant censurés, par l'intermédiaire de Juifs apostats ou nouvellement convertis, très zélés, qui les révisaient ; ils grattaient, découpaient ou encore recouvraient d'encre les mots interdits. Au fil des années, l'encre s'est parfois éclaircie, restituant aux lecteurs ces éléments de leur patrimoine culturel. Graduellement les persécutions s'atténuèrent, mais les imprimeries vénitiennes n'en furent pas moins contraintes, les unes après les autres, de fermer leurs portes et ce fut dans de petits centres comme Sabbioneta, Riva di Trento, mais aussi à Ferrare et à Mantoue qu'on en vit refleurir de nouvelles.

Du reste, on assista à Venise, au cours des années 1560, à l'institution d'une censure généralisée, frappant tous les livres en circulation, et non plus seulement ceux en langue hébraïque. Sur la base de considérations religieuses et politiques, le gouvernement imposa un contrôle extrêmement rigide, visant à filtrer leur importation, et délégua un représentant permanent de l'Inquisition à la douane. Le Saint-Office ordonna des perquisitions méthodiques dans toutes les librairies et les ouvrages incriminés furent systématiquement détruits. C'était le début de la Contre-Réforme ; la lutte contre l'hérésie reprenait de plus belle ; elle fut confiée à un collège spécifique : les Trois Sages contre l'hérésie, déjà mentionné.

En 1565, Pie IV autorisa à nouveau la lecture du Talmud et de ses commentaires : le mot « Talmud » ne pouvait cependant plus figurer sur les frontispices des volumes et le texte devait préalablement passer par les censeurs. En 1564 et 1565, Alvise Bragadin, aidé de Meir Parenzo, personnage jouissant d'une réputation certaine et qui, selon certaines sources, avait lui-même édité plusieurs titres vers la fin des années 1540, refit lentement surface. D'autres artisans courageux s'attelèrent une nouvelle fois à la tâche, parmi lesquels Cavalli, Giovanni Griffio, la famille Zanetti, ou encore Giovanni di Gara.

Vers la fin des années 1560, l'édition en langue hébraïque allait à son tour subir les effets des tensions politiques internationales. On découvrit en

1567 certaines lettres jugées compromettantes, rédigées en hébreu, et qui faisaient allusion à un complot ourdi par les Juifs de Constantinople et de Venise contre la Sérénissime. Leur authenticité ne fut cependant jamais établie. L'année suivante, c'était la vie de l'ambassadeur vénitien qui était mise en danger au cours d'un incendie : on accusa une nouvelle fois les Juifs. En septembre 1568, les Exécuteurs contre le blasphème ordonnèrent la destruction de milliers de copies, encore fraîches, de livres en hébreu, dépourvus de l'autorisation du conseil des Dix et qui donc violaient partiellement le décret de 1449, n'ayant pas été visés par la censure. Les coupables furent frappés de très lourdes amendes. Les Exécuteurs ne s'en tinrent pas là : ils firent aussi examiner toutes les publications des années précédentes. De lourdes amendes furent également infligées aux auteurs de transgressions relativement mineures, telles que l'exportation ou l'importation illégale de livres interdits, ou le simple fait d'en posséder. La colère des magistrats vénitiens s'abattit principalement sur les bailleurs de fonds, les typographes étant généralement considérés comme de simples exécutants. Près de huit mille volumes, estime-t-on, furent détruits pendant cette seule période. Des milliers d'autres furent vendus à l'étranger après avoir été dûment expurgés. A la perte économique il faut bien sûr ajouter les graves dommages causés sur le plan culturel et religieux (d'irremplaçables instruments d'études disparaissaient soudainement) et ceux infligés sur le plan affectif à tous ces hommes et ces femmes qui assistaient, impuissants, à l'écrasement de leur culture.

L'accusation la plus commune était celle de violation de la censure ; il n'est cependant guère pensable qu'il se soit trouvé tant d'audacieux pour transgresser volontairement cette censure. Il est en revanche plus probable qu'en raison de la crise internationale qui frappait désormais aux portes de la ville, et qui semblait devoir la plonger dans des difficultés insurmontables, le climat à Venise se soit fortement détérioré. Les Juifs furent vraisemblablement perçus, à ce moment-là, comme une véritable cinquième colonne, au service des Turcs et de leur diabolique conseiller, le duc de Naxos.

Les petits typographes furent très rapidement contraints de céder les armes : ce fut le cas de Cavalli, de Griffio et bientôt de Zanetti. Di Gara réussit à se maintenir, mais en réduisant considérablement son niveau d'activité.

Les années 1570 à 1573 allaient se révéler particulièrement tumultueuses. Le Sénat commença par rappeler aux Juifs l'interdiction qui leur était faite d'imprimer (il existait un premier décret en ce sens, datant de 1548). C'est aussi à partir de ces années que l'on retrouvera régulièrement, sur la première page de chaque volume imprimé, la mention : « avec l'autorisation des supérieurs », témoignant de l'intervention des Inquisiteurs. On allait également assister, durant cette période, au développement de l'impression et de la diffusion clandestine de textes hébraïques.

1574 marqua la fin des années noires et, avec le rétablissement de la situation, l'imprimerie et l'édition retrouvèrent une partie de leur vigueur. On comptait parmi les survivants Giovanni di Gara, les inévitables Bragadin et les héritiers de la famille Parenzo.

Les Juifs de Venise adoptèrent, vers la fin du XVIe siècle, une sorte d'autocensure : chaque volume imprimé devait auparavant obtenir l'approbation du rabbinat, garant de l'absence de toute offense tant envers le judaïsme qu'envers le christianisme. Cette précaution permettait d'envisager avec sérénité l'étroite surveillance imposée par le conseil des Dix, les Exécuteurs contre le blasphème et les cattaveri, tous préposés au maintien de l'ordre moral.

Le *De medico hebreo* de David de Pomis, et le *Discorso sopra gli accidenti del parto monstruoso nato da una Hebrea in Venetia* (« Discours sur les accidents de l'enfantement monstrueux d'une Juive à Venise »), rédigé par Giovanni Giuseppe Gregorio Cremonese, tous deux publiés au cours de la seconde moitié du XVIe siècle, nous apportent un précieux témoignage sur le milieu, l'atmosphère culturelle et religieuse de leur temps ; il s'agit, dans le premier cas, de l'œuvre d'un des plus célèbres médecins de l'époque, dans l'autre, d'un pamphlet antisémite particulièrement virulent.

Déjà présent chez Isaac Abrabanel, le mythe de Venise s'était manifesté sous des formes diverses chez d'autres penseurs et intellectuels juifs. A son tour, Pomis en subit l'envoûtement : né à Perugia, il quitta l'Ombrie pour se rendre à Venise, en raison des positions antisémites de Pie V qui avait interdit aux Juifs l'exercice de la médecine. Pomis put de la sorte bénéficier de la tolérance de la Sérénissime et se faire une brillante réputation tant à l'intérieur des murs du Ghetto qu'à l'extérieur.

Auteur d'une œuvre consacrée aux origines divines de la Sérénissime, par la suite égarée, il publia à Venise une traduction en italien de l'Ecclésiaste, qu'il dédia au cardinal Grimani, suivie en 1572 du célèbre « Discours sur la misère humaine et sur les

145

façons de la fuir à l'aide de nombreux et très beaux exemples et avertissements », composé comme l'indique le sous-titre par « l'excellent médecin Davi de Pomis, Juif, pour une meilleure intelligence de l'Ecclésiaste de Salomon, traduit par ses soins ». Il recueillit en 1577 de nombreux témoignages d'approbation à la publication de ses « Brefs Discours et Très Efficaces Souvenirs pour libérer toute ville opprimée par le mal contagieux ». En 1588 parut *De medico hebreo — Enarratio apologetica*, de David de Pomis, médecin, imprimée par Giovanni Varisco, et rédigée en défense des médecins juifs dans le but de mettre en lumière les affinités liant Juifs et chrétiens dans l'exercice de la médecine, d'éliminer certains préjugés profondément enracinés et de faire en sorte qu'un médecin juif puisse finalement soigner des patients chrétiens. Pendant la seconde moitié du XVe siècle, tant Paul IV que Pie IV avaient suscité une attitude de défiance à l'égard des médecins juifs, allant jusqu'à interdire aux catholiques d'accepter leurs soins. Pie IV avait institué l'obligation de la profession de foi, préalable à l'obtention de tout diplôme quelle que soit la discipline : puisqu'on ne pouvait contraindre les chrétiens à refuser les soins des médecins juifs, on allait tout simplement interdire à ces derniers l'accès à la profession. Les pressions de la papauté se portèrent plus particulièrement sur l'université de Padoue qui, faisant preuve d'une tolérance discrète, accueillait des étudiants de toute l'Europe.

Venise, de son côté, se montra toujours réfractaire à de telles pressions : en 1593, la République accorda à Pomis, comme gage de sa reconnaissance, l'autorisation d'exercer parmi les chrétiens. En d'autres occasions, il fut accordé à un autre médecin juif très célèbre, Joseph de Dattolis, engagé devant les tribunaux du Saint-Office dans un procès en diffamation contre son beau-frère, des honneurs particuliers et une récompense pour avoir servi la ville avec esprit de sacrifice. Les cattaveri concédèrent aux fils de ce médecin le rare privilège de posséder deux « sansarie » dans le Ghetto.

Pomis, qui était certainement le médecin le plus célèbre de Venise à son époque, se fit l'interprète de cet esprit d'ouverture envers la médecine juive et célébra à son tour, après Abrabanel, le mythe de la République Sérénissime.

Contrairement au philosophe espagnol qui écrivit en hébreu, Pomis s'exprima en latin et en italien. Après la victoire de Lépante, il fit parvenir aux autorités vénitiennes, au doge et au Sénat une note où il soutenait que les événements de Lépante figuraient déjà dans la Bible. La note était suivie d'un traité, *Tractatus de divinitate*, dont nous ne connaissons l'existence que grâce à Pomis lui-même, qui en parle dans son dictionnaire trilingue Zemach David, dédié à Sixte V.

Pomis ne manque pas de souligner les origines divines de Venise dans chacun de ses ouvrages. Dans la préface au *De medico hebreo*, consacré au doge Cicogna, figure une *laudatio* où il s'efforce de montrer les affinités d'ordre politique entre la constitution de Moïse et celle de la Sérénissime. Selon Pomis, l'idée républicaine, seul moyen efficace de combattre la tyrannie, est déjà implicite chez Moïse. Cette interprétation s'inspire largement des thèses soutenues par Abrabanel, quatre-vingts ans plus tôt : Pomis se lance en effet lui aussi dans un audacieux parallèle entre l'ancien gouvernement d'Israël et celui de Venise, dont le point d'orgue est un rapprochement, non moins audacieux, entre le doge et Moïse. De manière encore plus prononcée qu'Abrabanel, Pomis termine sa louange par une exaltation de Venise et de son mythe divin.

Ces mêmes années voyaient la publication de l'œuvre entièrement antithétique par rapport à celle de Pomis : le « Discours sur les accidents de l'enfantement monstrueux... », étude à finalité de propagande « où l'on raisonne avec hauteur de l'avenir des Juifs. »

Au XVIe siècle, les accidents contre nature de quelque type qu'ils fussent, et surtout de naissance d'enfants siamois, étaient interprétés comme des signes de disgrâce divine. La naissance de deux frères siamois de mère juive fut un événement majeur, provoquant l'intervention d'un nombre important de philosophes, médecins, astrologues, aruspices et théologiens ; science, religion et mythe furent ainsi invoqués en même temps pour tenter de fournir une explication cohérente d'un phénomène qui ne devait pourtant guère être exploité que dans le cadre de la polémique antisémite qui se déchaîna, plus virulente que jamais, à l'occasion de cette étrange naissance.

Le monstre fut ainsi décrit : « Deux jumeaux rattachés l'un à l'autre à l'endroit où devrait se trouver le nombril, et dont les têtes respectives se trouvent en face des pieds de l'autre... ils possèdent tous leurs membres : quatre jambes, quatre bras, etc., en dehors des parties honteuses et, au lieu de la partie servant à l'expulsion des excréments, ils disposent, pour remplir cette fonction, d'un orifice commun dans le ventre, dont la forme est celle du nombril. »

Voyons à présent l'interprétation de cette naissance que nous propose le polémiste chrétien Cremonese, après avoir longuement disserté sur la génétique et la philosophie. « De ces accidents on pourrait déduire des conspirations d'infidèles... des délits qui se préparent, ou le viol de nos vierges, la mort de quelque grand personnage ou encore sa réduction à l'esclavage... » Sa prophétie est chargée de menaces : « Si ces jumeaux vivent ce sera le signe de la multiplication de vices infâmes et s'ils quittent cette vie, celui de la vengeance divine qui s'abat sur ces scélérats. Voilà donc ton lot, ô peuple misérable de la perverse et obstinée Synagogue... Alors que tu t'attendais, cette année, en raison de ta fausse interprétation de la prophétie de Daniel, à la venue de ton Messie, voilà que te viennnent ces monstres... »

Ses conclusions ne sont pas très optimistes. S'adressant à la nation juive, l'auteur s'exclame : « Ce sera peut-être un monstre semblable qui naîtra et qui te mènera au précipice... Le diable et les démons réuniront leurs efforts pour s'emparer de toi... As-tu oublié ce que dit Dieu dans le Deutéronome ? Lorsqu'il fera des signes et des prodiges, l'étranger qui vivra chez toi s'élèvera de plus en plus au-dessus de toi et toi tu descendras de plus en plus... C'est lui qui te prêtera, loin que tu puisses lui prêter ; lui il occupera le premier rang, toi le dernier... Celui qui te poursuit te rejoindra... Et toutes ces malédictions doivent se réaliser sur toi, te poursuivre et t'atteindre jusqu'à ta ruine, parce que tu n'as pas obéi à la voix de l'Éternel, ton Dieu, en gardant les préceptes et les lois qu'il t'a imposés. Ne contemple pas ce signe avec mépris. Même Joseph tint compte de la vache qui mit bas au cours du sacrifice... Jérusalem, Jérusalem, convertis-toi à ton

Dieu... Je m'en tiens là, ne souhaitant pour ce peuple que son salut et la grâce divine. »

Les deux jumeaux siamois moururent, probablement au grand soulagement de tous ceux, Juifs et chrétiens, qui souhaitaient un retour à la normalité. A la mort du « monstre », de nouvelles prédictions furent adressées aux Juifs qui n'avaient pu, comme le prescrit leur loi, faire circoncire ces créatures : de terribles malheurs allaient s'abattre sur le Ghetto.

8

Joao Micas, Giovanni Miguez, Joseph Nasi, duc de Naxos : quatre noms et bien des identités différentes pour un même homme

Les aventures et les querelles de la famille Mendes. — L'enlèvement de la jeune Beatrice. — Grazia Nasi à Constantinople. — Les colonies juives à Tibériade.

Le clan des Mendes fut fondé par les frères Francisco et Diego, qui devinrent des marchands d'envergure internationale grâce aux échanges commerciaux qu'ils réalisèrent entre Lisbonne et Anvers, leurs villes respectives. Ensemble, ils bâtirent un véritable empire financier, dominant en particulier le commerce du poivre et des épices, et s'occupèrent sans doute aussi du transport clandestin de capitaux pour le compte des nombreux marranes qui, après d'éprouvants voyages à travers l'Europe, décidaient de faire le grand saut et s'embarquaient pour Salonique ou pour Constantinople.

A la mort de Francisco, en 1536, son épouse, Beatrice de Luna, comme lui d'origine marrane, décida de quitter Lisbonne pour Anvers où vivaient son beau-frère Diego et l'épouse de celui-ci, Brianda de Luna, que beaucoup d'historiens considèrent comme la sœur de Beatrice. Toutes deux avaient une fille : celle de Beatrice se prénommait Brianda, celle de Brianda, Beatrice. Beatrice de Luna, la veuve de Francisco Mendes, qui portait également en secret le nom de Gracia Nasi, arriva donc de Lisbonne accompagnée de son neveu Joao Micas, jeune homme à l'intellect vif et au port noble. Ils furent accueillis à la cour de Charles V à Anvers, où ils vécurent dans le bien-être et la prospérité, sans toutefois jamais parvenir, malgré leurs puissantes relations, à se mettre à l'abri du précaire : on les soupçonnait en effet d'être restés secrètement juifs. Déjà en 1532 Diego Mendes, accusé d'hérésie, avait été mis en prison, et en 1540 de nombreux collaborateurs de l'entreprise Mendes, d'origine marrane, avaient été arrêtés.

En 1544 les deux sœurs Mendes, désormais veuves de Francisco et de Diego, étaient installées à Anvers avec leurs filles Brianda et Breatrice et le jeune Joao Micas, lorsqu'une nouvelle menace pointa à l'horizon : François d'Aragon, favori de Charles Quint, aspirait à épouser la belle Brianda de Luna, fille de Beatrice, alias Gracia Nasi. Considérant ce mariage comme incompatible avec sa propre condition marrane, la veuve de Francisco Mendes décida de quitter la ville avec sa fille, sa sœur et sa nièce, et confia au jeune Joao Micas la gestion des affaires de la puissante entreprise. Celui-ci réduisit habilement ses activités à Anvers et les diversifia, ouvrant de nouvelles filiales à Lyon et à Ratisbonne, en Allemagne, avant de rejoindre ses tantes à Venise, où elles se trouvaient depuis mars 1544. Elles disposaient d'un sauf-conduit délivré par le conseil des Dix, valable non seulement pour les membres de leur famille, mais aussi pour leur suite d'une trentaine de personnes et sur lequel il était expressément mentionné que « ses détenteurs bénéficieraient du même traitement que les autres habitants de la ville de Venise ». Si les Vénitiens avaient pu se douter des tracasseries et ennuis en tout genre qu'allaient leur attirer les sœurs Mendes de Luna, il ne fait nul doute qu'ils se seraient bien gardés de leur accorder le moindre droit d'asile.

C'était Beatrice qui administrait toute la fortune des Mendes et Brianda trouvait cela de moins en moins supportable ; elle s'adressa donc aux autorités de Venise, demandant que lui soit attribuée la moitié du patrimoine familial. L'affaire se prolongea pendant plus de cinq ans. Un premier jugement fut rendu en 1547, puis un second en décembre 1548 : tous deux faisaient obligation à Beatrice de céder à Brianda la moitié de l'héritage des Mendes : la somme était à déposer à la Zecca (l'hôtel de la Monnaie vénitien), jusqu'à ce que la jeune Beatrice, fille de Brianda, ait atteint l'âge de dix-huit ans. Le jugement fut très favorablement accueilli par la noblesse vénitienne : il suffisait que la jeune Beatrice épouse l'un des siens pour que le patrimoine soit acquis à la ville.

Gracia Nasi, alias Beatrice de Luna, tante de la petite Beatrice, ne se sentant plus en sûreté à Venise, décida, par une nuit sans étoiles de l'année 1549, de s'enfuir à Ferrare, à la cour d'Ercole II d'Este, réputée pour sa libéralité. Sa sœur Brianda n'allait pas tarder à la rejoindre. La situation des marranes se détériorait en effet de jour en jour, jusqu'au mois de juillet 1550 où fut promulgué un décret les expulsant de Venise.

A Ferrare, les deux sœurs parvinrent à se réconcilier et prirent la décision de partir, définitivement, pour Constantinople. Il leur fallait pour cela revenir quelque temps à Venise, où leurs divergences se rallumèrent cependant aussitôt. Afin de prévenir tout nouveau départ précipité, le gouvernement vénitien qui ne tenait pas à laisser échapper une fortune aussi considérable, leur interdit de quitter la ville. L'affaire ne tarda pas à se transformer en incident diplomatique international : l'ambassadeur turc demanda à leur rendre visite, ce qui n'était certes pas du goût du Sénat ni du conseil des Dix ; ils durent pourtant s'incliner pour ne pas envenimer encore une affaire déjà fort délicate.

Le conflit ne fut résolu qu'en juin 1552, Beatrice, alias Gracia Nasi, ayant décidé de verser cent mille ducats d'or à l'Uffizio della Zecca en faveur de sa nièce, Beatrice. L'accord entre les deux sœurs fut une véritable affaire d'État au point de le faire ratifier par le Sénat. Beatrice de Luna/Gracia Nasi, put ainsi quitter Venise, accompagnée de sa fille Brianda (également prénommée Reina) en direction de Constantinople.

Se concluait ainsi le premier chapitre des aventures de la famille Mendes, qui ne sont pas pour autant terminées : les anecdotes plus ou moins légendaires sur ses querelles internes semblent en effet inépuisables.

Joao Micas, alias Giovanni Miches, alias Juan Migues, alias Joseph Nasi, personnage aux identités multiples et au caractère résolu, décida d'intervenir dans cette affaire à sa façon. En janvier 1553, il enleva Beatrice, fille de Brianda, qui se trouvait alors à Venise. Cet enlèvement frappa l'imagination populaire à tel point qu'il en existe aujourd'hui d'innombrables versions, toutes différentes, même si elles sont dues, pour une part, à la confusion des noms. Comment d'ailleurs s'en étonner ? Le futur duc de Naxos, exemple type de marrane, ambigu, insaisissable dans sa propre vie, ne pouvait être différent dans la légende.

Les délibérations du conseil des Dix contiennent cependant certains témoignages relativement précis, que ce soit le rapport de l'ambassadeur autrichien, Dominique de Gaztelu, à son gouvernement, ou ceux des nonces apostoliques à Rome. On lit ainsi chez le premier : « Par une nuit de brouillard en janvier 1553, une barque glissa le long du Grand Canal jusqu'au palais de donna Brianda. C'est là qu'avec son consentement, fut enlevée la jeune fille. La barque disparut rapidement dans la lagune. Les deux fugitifs furent arrêtés à Faenza et conduits à Ravenna où Nasi comptait de nombreuses relations. Ils ne furent cependant pas emprisonnés et, même, on les maria. »

Le conseil des Dix ordonna que Nasi se constitue prisonnier et comparaisse devant un tribunal. Au cas où il refuserait de le faire (et il refusa), on donnait entière liberté de manœuvre à un collège de conseillers ducaux pour que soit tirée au clair cette affaire qui avait déjà provoqué trop de remous. Giovanni Miches (à Venise), alias Joao Micas (en Espagne), ou encore Joseph Nasi (à Constantinople), était banni à perpétuité des territoires de la Sérénissime. Arrêté il serait pendu entre les deux colonnes de la place Saint-Marc. Tout pardon ou toute prescription de cette condamnation était impossible à moins d'une intervention conjointe de six conseillers et trois chefs du conseil des Dix, dans une session à laquelle seraient obligatoirement présents trente membres de ce même conseil. Les paradoxes dans cette affaire, que nous rapporte l'ambassadeur

d'Autriche, ne manquent pas : Beatrice fut reconduite à Venise ; Nasi se rendit à Rome, auprès du
pape, afin qu'il intercède auprès du gouvernement
vénitien et que son mariage soit reconnu. Signe de
la puissance des Nasi, un nonce se rendit auprès des
Vénitiens pour tenter d'apaiser leur courroux — en
vain. Ne pouvant capturer l'auteur du méfait, les
autorités de Venise s'acharnèrent sur ses complices,
qu'ils tentèrent par tous les moyens de démasquer
et de punir. On retrouve ainsi des traces des querelles entre donna Beatrice et donna Brianda dans
les archives judiciaires des tribunaux vénitiens de
l'Inquisition : les procès contre Odoardo Gomez et
Augustin Enriquez, serviteurs de Beatrice de Luna,
ou encore Licentiato Costa, homme de confiance de
donna Brianda. Cette dernière, qui en 1556 se
trouvait encore à Venise, avec sa fille, Beatrice,
décida de se réfugier une nouvelle fois à Ferrare.

Quant à donna Beatrice, la voici qui fait son
entrée à Constantinople : son cortège est composé
de quatre magnifiques carrosses escortés en grande
pompe par quarante cavaliers et toute une cohorte
de serviteurs. Une arrivée qui enflammera l'imagination de tous les chroniqueurs de l'époque.

Dans la société turque il n'existait pas de restriction contre les Juifs et Beatrice n'avait donc nul
besoin de dissimuler sa véritable religion. Elle œuvra
sans relâche en faveur des marranes et porta la plus
grande attention à leurs destinées. Beatrice Mendes
de Luna, qui pouvait à présent librement s'appeler
Gracia Nasi, était sans doute la meilleure représen-
tante de cette nouvelle communauté ; l'arrivée de
Joseph Nasi, l'année suivante, allait encore renforcer
l'influence de cette famille auprès de la Sublime-
Porte.

Une arrivée qui n'eut rien à envier, semble-t-il, à celle de Beatrice. En débarquant à Constantinople, Nasi était entouré de deux gardes du corps, de vingt serviteurs en livrée et suivi d'un cortège de cinquante marranes. Peu après son arrivée, il pratiqua ouvertement son judaïsme et se fit circoncire. Il épousa la fille de donna Gracia, qui avait troqué le prénom de Brianda contre celui de Reina. Les deux époux vécurent un temps avec Gracia Nasi puis transférèrent leur domicile au Belvedere, un palais construit à leur intention avec une merveilleuse vue sur le Bosphore, véritable cour avec ses myriades de domestiques et de soldats. Ce fut ainsi que Joseph commença sa carrière politique à Constantinople, grâce non seulement à sa puissance économique, mais aussi au vaste réseau de relations internationales qu'il avait tissé dans les communautés marranes de toute l'Europe. Soliman le Magnifique, qui avait connu Nasi à travers les bons offices de l'ambassadeur de Lansac, eut tôt fait d'en apprécier la personnalité et d'en accepter les services ; grâce à ses informations de première main et à ses interprétations très sûres, Nasi avait une vision nette des événements qui se déroulaient sur la scène européenne.

L'influence déterminante qu'ils exerçaient à la cour permit à Gracia et à Joseph Nasi de modifier le cours de certains événements internationaux, par exemple l'épisode d'Ancône en 1556. La tentative de boycott organisée contre cette ville par la communauté marrane de Constantinople se prolongea en effet pendant deux longues années avant d'échouer.

En 1561 le Sultan fit don à Joseph Nasi et à sa tante Gracia d'une concession, pour l'époque certes fort singulière : il leur offrit la ville de Tibériade ainsi que toute la région environnante, avec l'autorisation d'y implanter une colonie juive. Une entreprise qui suscita la passion de Nasi et dans laquelle il engagea une fortune considérable sans toutefois parvenir au moindre résultat significatif : les industries de la laine et de la soie, qu'il avait créées artificiellement, ne parvenaient pas à se développer. En dépit des appels pressants que Nasi adressait aux Juifs, même à ceux d'Italie, il n'eut que peu de réponses favorables : le voyage de Palestine n'intéressait guère les Juifs de leur vivant : ils préféraient être transportés à Jérusalem après leur mort, pour y être ensevelis. Certains navires qui appareillèrent d'Italie pour la Palestine furent d'ailleurs interceptés par les chevaliers de Malte. Après la mort de Gracia Nasi, en 1569, Joseph décida d'abandonner le projet.

En 1566 Nasi obtint un nouveau succès : Selim II qui avait succédé à son père, avec, entre autres, l'aide de Nasi, lui exprima sa reconnaisance en le nommant duc de Naxos et des Cyclades. Ce fut là son apogée. Doué d'une excellente mémoire, Joseph Nasi entreprit alors de rendre aux grandes puissances les affronts qu'elles lui avaient fait subir alors qu'il n'était qu'un jeune marchand dépourvu d'influence. Ses objectifs prioritaires : la République de Venise et la France.

Le contentieux avec Venise était encore douloureusement ouvert puisque Joseph Nasi était toujours passible de l'exécution capitale, sur la place Saint-Marc. Daniel Barbarigo, ambassadeur à Constantinople, fit parvenir à Venise un rapport où il disait avoir eu un entretien avec Giovanni Miches, qui à présent se nommait don Joseph Nasi ; celui-ci lui avait lu une lettre adressée au doge par le sultan Selim II et demandant un sauf-conduit pour Nasi.

La réponse avait été négative. Joseph Nasi insista pour que sa position soit reconsidérée. Il multiplia les pressions, rappela sa propre dévotion à Venise où il dépêcha un certain nombre de ses agents, avec l'ordre de ne pas quitter la ville avant d'avoir obtenu satisfaction pour leur maître. Ils reçurent la promesse que la question serait portée à l'attention du conseil des Dix. Ils envoyèrent à Constantinople des messages opitimistes, mais leur séjour à Venise se prolongea fort longtemps sans le moindre résultat tangible. Ils revinrent à la charge en précisant que Nasi ne souhaitait pas la prescription de sa condamnation uniquement pour lui-même mais aussi pour tous ceux qui avaient été impliqués dans l'affaire. Des considérations d'ordre purement politiques incitèrent le doge à soutenir la requête, passant ainsi outre aux mesures juridiques qui avaient été prises afin de rendre toute modification de cette peine impossible dans la pratique. Celui qui, à Venise s'était appelé Giovanni Miches, était à présent devenu un homme d'influence, conseiller écouté du sultan Selim II, et portait désormais le titre de duc de Naxos, une île perdue par les Vénitiens. En outre il ne semblait nullement prêt à revenir sur sa décision. Ce fut à l'unanimité que le conseil des Dix annula la sentence prononcée contre Nasi. Cette décision aussi soudaine qu'inhabituelle ne manqua pas de susciter les sarcasmes du nonce apostolique. Le bannissement perpétuel promulgué en 1553 contre Miches-Nasi était ainsi suspendu moins de quinze ans plus tard.

L'année suivante ce fut vers la France que se tourna l'attention obstinée de Joseph Nasi. Henri II lui avait emprunté, en 1540, une somme de cent cinquante mille ducats qu'il refusait de lui rendre, invoquant un certain nombre de prétextes. Appuyé par le sultan, le duc de Naxos fit saisir toutes les marchandises chargées sur les navires battant pavillon français jusqu'à ce que celles-ci atteignent une valeur équivalente à celle de sa créance. La France, à son tour, dut céder : le traité qui mettait fin aux hostilités entre Paris et Constantinople fut même rédigé en hébreu. La France réagit et tenta de faire chuter Nasi en l'accusant de complots divers. Celui-ci riposta en soutenant les calvinistes dans les Flandres, et contribua ainsi à maintenir ces terres en état de soulèvement permanent.

Les différents projets politiques de Joseph Nasi furent en général tous sous-tendus par une ambition constante : s'emparer de Chypre. C'est bien évidemment avec ce projet en tête qu'il songea à exploiter sa vieille amitié avec Emmanuel Philibert de Savoie, mûrie lorsqu'il était encore dans les Flandres. Les Vénitiens occupaient l'île sous prétexte que la reine Catherine Cornaro avait des liens privilégiés avec la République Sérénissime. Cependant son mari, le roi de Chypre, était un Lusignano, et était donc lié à la famille de Savoie, qui pouvait par conséquent faire valoir ses droits dynastiques. En 1564, Nasi envoya auprès du prince l'un de ses agents commerciaux qu'il chargea d'un double message. La lettre officielle que celui-ci devait remettre au duc était suivie d'une missive plus personnelle du vieil ami Joao Micas, à présent Joseph Nasi, elle-même accompagnée d'un commentaire livré de vive voix. Le duc de Savoie fut très flatté de la proposition et les deux personnages continuèrent un temps à échanger des lettres et à élaborer leurs projets. La réalité immédiate, à laquelle il fallait cependant se mesurer commandait une toute autre prudence : Venise, l'Espagne, la

France étaient des États puissants et proches, alors que la Sublime-Porte semblait bien éloignée. Après quelques hésitations, le duc de Savoie estima préférable de renoncer à son projet et informa aussi bien le pape que les autres États chrétiens des propositions secrètes qui lui avaient été faites.

Joseph Nasi, lui, n'était pas homme à renoncer. Les Vénitiens, qui ne l'ignoraient point, redoutaient l'extraordinaire détermination de cet homme. En 1568, sur ordre de la Sérénissime, le gouverneur de Famagouste arrêta des agitateurs juifs et turcs « qui se promènent sur l'île et font parvenir à Giovanni Miches des comptes rendus tendancieux ». La partie de bras de fer entre Venise et Joao Micas, alias Giovanni Miches, alias Joseph Nasi, duc de Naxos, n'était pas encore jouée, même si cela n'allait plus tarder : le moment décisif, celui de la plus célèbre bataille navale de tout le XVIe siècle, était désormais proche.

9

Lépante

L'affaire de Chypre. — La Sainte Ligue. — La bataille de Lépante. — Le décret d'expulsion des Juifs. — Salomon Ashkenazi.

Depuis près de cent ans les eaux de la Méditerranée étaient désormais devenues le théâtre naturel des hostilités entre Venise et les Turcs. Les escarmouches, les assauts soudains, les embuscades pratiquement continuelles alternaient avec des attaques de front, des conflits ouverts comme ceux qui se déroulèrent entre 1463 et 1479, entre 1499 et 1503 ou encore entre 1537 et 1540. De sinistres grincements avant-coureurs précédaient en général le coup de tonnerre qui ouvrait les hostilités.

Il en fut de même pour la bataille de Lépante. Pendant toute la décennie allant jusqu'en 1570, Chypre avait été, de plus en plus ouvertement, l'objet des convoitises de la Sublime-Porte. Afin d'endiguer ces velléités agressives, Venise avait envoyé sur place des renforts toujours plus importants : d'illustres architectes militaires avaient été chargés de réadapter les fortifications de l'île, où trente nouvelles galères avaient été affectées sous les ordres du capitaine général Gerolamo Zane. Les rapports du contre-espionnage étaient particulièrement alarmants : il était question de plans d'invasion extrêmement détaillés, de nouveaux instruments de guerre pour arracher les portes de leurs gonds, de sondages effectués autour de Famagouste pour repérer les points de passage. Venise ordonna de rapides enquêtes et fit expulser de l'île toutes les personnes suspectes. A Famagouste, et bien qu'il n'y eût pas de preuves contre eux, on chassa tous les Juifs qui n'étaient pas nés sur l'île et qui pouvaient, en théorie, être liés à Joseph Nasi. Dans la cité lagunaire, le débat politique était confus : d'aucuns craignaient le pire et estimaient qu'il était urgent d'armer coûte que coûte, d'autres voulaient préserver jusqu'au bout toutes les chances d'aboutir à une solution négociée et estimaient par conséquent que trop de ferveur belliqueuse ne pouvait que précipiter les choses. La situation de Venise était rendue plus critique encore par la pénurie de blé qui frappait toute la péninsule.

L'incendie de l'Arsenal en septembre 1569 retentit comme un lugubre présage. Voici la manière dont l'événement fut vécu par un témoin, Francesco Molin : « Lorsque je m'éveillai dès les premiers écroulements et que j'aperçus le spectacle des murs qui s'ouvraient, des fenêtres qui se brisaient, des poutres qui se consumaient, et toutes ces flammes autour de moi, je pensai que l'heure du Jugement dernier était venue, et ayant recommandé mon âme au Seigneur, je me mis à attendre mon tour. Plus tard, lorsqu'il me sembla que le pire était passé, je tentai de me relever, pour être aussitôt recouvert de pierres, de poutres, de gravats qui tombaient encore, je tentai néanmoins de sortir de ce lieu, où l'air, brûlant, devenait irrespirable, et me blessai aux pieds à plusieurs reprises ; de partout j'entendais les voix de tous ceux qui criaient au secours... » On ne sut jamais si l'incendie était d'origine criminelle, mais tous les soupçons convergèrent immédiatement sur Joseph Nasi, considéré comme un dangereux ennemi, un homme habile, astucieux et déterminé, capable des machinations les plus diaboliques. Si Nasi avait réellement jeté son dévolu sur Chypre, sa hargne, son succès auprès du sultan, et l'aide qu'il pouvait en retirer, deviendraient peut-être des atouts décisifs. Les Juifs étaient ainsi considérés comme des ennemis de Venise, par leur perfidie et par l'espionnage qu'ils pratiquaient en se servant de leur mystérieuse langue, véritable code secret, au même titre que les Turcs qui menaçaient la République de leurs galères. Nasi apparaissait comme la fusion mythique des uns et des autres : il était turc et juif et, de plus, assoiffé de vengeance contre Venise. La peur contribuait à exagérer le pouvoir de Nasi et à en faire un mythe.

Dès les premiers jours du mois de janvier se répand à Venise la nouvelle que deux navires ont été capturés par les Turcs. L'ambassadeur de Venise à Constantinople, Antonio Barbaro, rapporte le message que lui a adressé, sans ménagement, un haut fonctionnaire turc : « Que voulez-vous donc faire de cette île si éloignée de chez vous, qui ne vous est d'aucune utilité et qui au contraire est la cause de si graves tensions ? Il vaudrait mieux nous la laisser. De toute manière telle est la volonté de notre maître. »

Il règne à Venise une nervosité certaine. Le nonce Facchinetti, d'ordinaire si peu tendre avec les Juifs, se plaint que Venise s'oppose au commerce entre

Ancône et Raguse et que les commerçants juifs sont gênés dans leurs activités. On lui répond qu'il a été trouvé sur eux des lettres rédigées en hébreu, et que ceci constitue un cas d'espionnage manifeste.

A la fin du mois de mars, arrive à Venise un nouvel ambassadeur turc. Convoqué devant le conseil des Dix, il explique que le sultan veut Chypre et que le seul moyen d'éviter la guerre est de lui céder l'île. Les marchands turcs se trouvant à Venise sont immédiatement arrêtés, de même que les Juifs levantins, auxquels la protection de la Sublime-Porte n'est plus dans ces conditions d'aucune utilité. Toutes les marchandises sont confisquées.

En mai 1570, alors que se multiplient les incidents annonçant l'imminence du conflit, le doge Pietro Loredan meurt. On élit à sa succession Alvise Mocenigo. Au début du mois de juillet, la flotte turque débarque à Chypre. Nicosie tombe au mois de septembre. La tête du commandant de la place forte, Nicolò Dandolo, est remise au chef de la garnison de Famagouste, Marcantonio Bragadin, en signe d'avertissement. Il sera à son tour, après la chute de la ville, torturé et écorché vif. Chypre tout entière tombe ainsi sous la férule turque.

Devant la menace d'une suprématie ottomane en Méditerrannée, les puissances chrétiennes décident de surmonter leurs divergences. Après maints efforts, Pie V parvient en effet, au début de l'année 1571, à former une Sainte Ligue pour entreprendre une croisade contre l'infidèle. Ses alliés se montrent cependant fort méfiants. L'Espagne se défie de Venise et de son pragmatisme, de son besoin structurel de vivre en paix et de faire du commerce. Venise, de son côté, veut éviter d'être écrasée par les puissances continentales et défend jalousement sa situation de ville charnière. La papauté n'a de confiance ni dans l'une ni dans l'autre. Les négociations s'annoncent longues et difficiles.

Venise, qui accepte l'idée de rejoindre la Ligue, cherche par ailleurs à maintenir jusqu'au bout des contacts avec Constantinople dans l'espoir d'aboutir à un compromis. Du côté turc, tous ne sont pas unanimes à vouloir le conflit : le conseiller du sultan Sokolli Mehemed, ami de Salomon Ashkenazi et adversaire irréductible de Joseph Nasi, met en œuvre tous ses moyens pour tenter de réduire les tensions, alors que les négociations entre les pays de la Ligue (mai 1570-juillet 1571) s'éternisent. Une phrase du duc d'Albe résume parfaitement ce que furent leurs rapports : « Ces Français seraient bien trop contents de perdre un œil s'ils pouvaient nous en faire perdre deux. »

Finalement après tant d'hésitations, une flotte est armée sous le commandement de Jean d'Autriche, fils de Charles Quint. Elle quitte Messine le 16 septembre. Chrétiens et musulmans s'affrontent le 7 octobre à Lépante : 230 navires turcs contre 208 chrétiens. Seul 30 navires turcs en réchappent par la fuite. Les Turcs perdent dans la bataille 30 000 hommes contre 8 000 morts parmi les chrétiens. Selon Fernand Braudel : « Lépante fut l'événement militaire du XVIe siècle qui eut le plus grand retentissement dans le bassin méditerranéen. Mais cette grande victoire de la technique et du courage s'inscrit difficilement dans les perspectives ordinaires de l'histoire. » Ou encore : « Il a paru singulier — et Voltaire s'est plu à le relever — que cette victoire inattendue ait eu si peu de conséquences. La bataille de Lépante eut lieu le 7 octobre 1571 ; l'année suivante, les alliés échouaient devant Modène ;

en 1573, Venise, à bout de forces, abandonnait la lutte ; en 1574, les Turcs triomphaient à Tunis. Tous les rêves de croisade furent à ce moment-là dispersés par les vents contraires. »

Samuel Romanin raconte l'annonce de la victoire : « On dépêcha aussitôt à Venise Giuffredo Giustinian afin qu'il porte l'heureuse nouvelle. D'une extrême diligence, il parcourut la distance en dix jours seulement. C'était le 18 octobre, à l'heure de la sieste, et toute la ville était plongée dans un état de grande affliction, lorsque apparut la galère porteuse de l'heureuse nouvelle, trâinant dans son sillage les drapeaux ennemis, remplie de turbans et d'habits turcs et sur lequelle, entre deux coups de canon, résonnaient les cris de " victoire, victoire ". A cette vue, en entendant ces bruits, le peuple accourut de toute part et pendant que Giustiniani se rendait auprès du doge et du Collège, une joie universelle se répandit dans toute la ville ; les passants qui se croisaient dans les rues se félicitaient, s'embrassaient. La plèbe, transportée de joie, courait libérer les prisonniers, les magasins fermaient après avoir affiché à leurs portes : " Fermé pour cause de trépas turc ". Personne ne quitta plus la place jusqu'au soir, toutes les affaires furent suspendues ; les marchands turcs pour leur part se tinrent soigneusement à l'abri dans les locaux qui leur étaient affectés. »

Le doge Alvise Mocenigo se rendit à l'église de Saint-Marc. On chanta le *Te Deum* et on alluma toutes les bougies. La vague d'émotion qui déferla sur la ville à la nouvelle de cette victoire fut suivie, comme à l'habitude, par une religiosité renouvelée qui envahit toutes les âmes. Ce furent bien entendu les Juifs qui en pâtirent les premiers. L'idée du complot juif, la haine contre le renégat Giovanni

Miches, le besoin de catharsis firent naître chez les Vénitiens un violent désir de revanche.

Dans les rapports secrets du conseil des Dix, datés du mois de juin 1568, on peut lire : « Et nous voyons bien la grande estime dans laquelle toute la nation juive tient ce Joseph Nasi et principalement depuis qu'il été nommé duc de Naxos : il est considéré comme le principal chef de tous ces Juifs avec lesquels il trouve entente en chaque matière. » Il est tout à fait vraisemblable que le puissant marrane ait été très populaire dans l'enceinte du Ghetto, et même qu'il ait pu bénéficier de quelque complicité. Il semble en revanche déraisonnable et parfaitement infondé d'affirmer que le Ghetto de Venise ait penché en faveur des Turcs. Quoi qu'il en soit, lorsque, selon la pratique habituelle, fut présentée devant le Sénat, en décembre 1571, une proposition de loi prévoyant le renouvellement du permis de séjour pour les Juifs à des conditions semblables à celles de 1566, rares furent ceux qui s'étonnèrent de la contreproposition, soutenue par Alvise Grimani, demandant leur expulsion. Les détails de ce débat, en principe tenu secret, nous ont été rapportés par l'évêque de Vérone, Agostino Valiero, (1530-1606) dans un volume intitulé : *Dell'utilità che si può ritirare delle cose operate dai Veneziani* (« De l'utilité que l'on peut retirer des choses accomplies par les Vénitiens »), imprimé à Padoue en 1787.

Grimani rappelait la grande victoire sur les Turcs, qu'il interprétait comme un signe divin, et considérait que les Vénitiens devaient à présent témoigner leur gratitude au Christ : quoi de plus naturel, ainsi, que de chasser les premiers détracteurs de la foi chrétienne, ces Juifs, de surcroît traîtres à l'État vénitien ? Selon lui, en effet, les Juifs avaient à dessein exagéré la gravité de l'incendie de l'Arsenal et les effets en ville de la pénurie de blé, dans le but de raviver les espoirs turcs. En outre, avançait le gentilhomme vénitien, les Juifs réduisaient, par leur activité économique, de nombreuses familles nobles à la misère et présentaient à la jeunesse, en faisant étalage de leurs biens, un spectacle de corruption, et d'extravagance difficilement supportable.

Alvise Zorzi, prenant la défense des Juifs, avait répondu qu'il ne lui « semblait pas nécessaire de mener tant de gens au désespoir par une nouvelle politique visant à détruire ceux qui pouvaient un jour devenir des serviteurs de Dieu ». Si les Juifs n'avaient pas exercé l'usure, les chrétiens auraient été contraints de le faire à leur place, ce qui n'était certes pas recommandable. Quant à l'extravagance, était-ce bien sérieux d'affirmer qu'elle disparaîtrait de Venise avec les Juifs ? Zorzi, afin de ne pas trop prêter le flanc aux accusations de complicité ou de corruption qui n'auraient pas manqué de fuser, critiqua lui aussi les Juifs sur certains aspects : ils étaient perfides, ils pratiquaient l'espionnage, l'usure, ils étaient avares, mais Dieu souhaitait avant tout qu'ils demeurent parmi les chrétiens, afin de leur indiquer la voie à ne pas suivre.

Il en résulta un débat fort animé, au cours duquel furent défendues par les très nombreux orateurs qui y participèrent trois motions distinctes. Le 18 décembre 1571, le Sénat prenait la décision d'autoriser les Juifs à demeurer à Venise jusqu'à la fin du mois de février 1573. Il fallait qu'avant cette date les Vénitiens aient résolu le problème du prêt à accorder aux pauvres de la ville.

Quatre jours après le vote de la motion, on informait le nonce apostolique que la Sérénissime était disposée à expulser tous les Juifs de ses territoires si le pape acceptait de prendre une mesure identique. C'était la seule manière de faire disparaître les marchands juifs des routes adriatiques et de mettre, au plan commercial, Venise et Rome sur un même pied d'égalité.

Puis, sans raison apparente, le Sénat revint sur sa décision : deux *avogadori* déclarèrent que la loi du 18 décembre 1571 sur les Juifs était irrégulière et qu'elle ne pouvait être ni proposée ni adoptée sur la base de ce qu'avait décidé le conseil des Dix le 20 avril 1524. Elle devait donc être considérée comme nulle et non avenue. Cette loi interdisait en effet qu'il soit fait mention à Venise des monts-de-piété sans l'autorisation expresse du conseil. Les avogadori soulignaient le fait que l'expulsion des Juifs était un moyen détourné de remettre en discussion la *vexata quaestio* des monts-de-piété et que cela avait été fait sans l'approbation préalable prescrite par le conseil.

Approuvant l'intervention des avogadori, le Sénat vota, le 11 juillet 1573, une loi dont les lignes essentielles étaient à l'opposé de celle votée en 1571 et qui allait rester en vigueur jusqu'à la moitié du XVIIe siècle. Sa principale innovation consistait à obliger les Juifs à recueillir la somme de cinquante mille ducats pour financer les prêts sur gages destinés aux pauvres de Venise « par petites sommes de deux ou trois ducats... » L'intérêt autorisé était ramené de 10 à 5 p. 100. La marge de manœuvre accordée aux banques était une nouvelle fois réduite : les cattaveri devaient veiller à ce qu'elles fonctionnent dans le respect des normes et avaient autorité pour procéder à la vérification des registres comptables. La notion de banque telle qu'elle était

170

jusque-là conçue, c'est-à-dire comme une entreprise productive indépendante, était radicalement remise en question : on instituait à sa place un organisme à but non lucratif, fonctionnant grâce à l'argent donné sous la contrainte par les Juifs aux chrétiens nécessiteux de la ville. Naissait ainsi un nouvel instrument de crédit, aux caractéristiques tout à fait particulières et dont le contrôle était entièrement entre les mains du gouvernement, tandis que la gestion, passive, était confiée aux Juifs auxquels on faisait obligation légale de financer les pertes et de maintenir intact le fonds initial : les bénéfices sociaux qui en découlaient étaient les mêmes que ceux apportés par les monts-de-piété. Le prêt sur gages n'était désormais plus une affaire profitable, mais était bel et bien devenu une forme d'asservissement.

La singularité de la solution vénitienne n'a cependant pas échappé aux historiens. Léon Poliakov a observé qu'on avait simplement adapté les banques juives aux exigences de l'époque, au lieu de transférer leurs fonctions aux chrétiens. Un chercheur parisien chargé, durant la Régence, d'étudier le fonctionnement des monts-de-piété italiens se montre très prudent lorsqu'il lui faut parler de Venise : « Je crains fort de soulever l'indignation en expliquant une certaine particularité que toutefois je ne puis taire. La République de Venise a compris, comme d'autres États d'Italie, qu'il serait bien utile de fournir aux pauvres un endroit où, en échange de quelques haillons, ils pourraient trouver une aide qui leur permette de se soustraire à l'opprimante misère qui les frappe, mais elle a fait de cette réflexion un usage singulier, et je crois bien que Venise est le seul endroit où le mont-de-piété subsiste grâce aux Juifs. »

Comment expliquer ce retournement des Vénitiens vis-à-vis de la communauté juive ? Un moment d'ivresse, d'euphorie religieuse lié à la victoire de Lépante, le désir de revanche sur tous les Juifs, levantins ou pas ? Ou bien, plus simplement, peut-être, des considérations d'ordre économique ? Il est vraisemblable que chacune de ces hypothèses contient un élément de vérité, mais elles ne nous permettent pas, pour autant, de parvenir à une vision cohérente de l'ensemble.

Venise, qui après la bataille de Lépante avait un besoin vital de régler le contentieux qui l'opposait aux Turcs, était fortement influencée dans sa démarche par les lenteurs alliées. La République avait besoin de paix ou bien de guerre : les trois années de conflit avaient paralysé tout le trafic maritime et englouti tous les profits. Une tension constante régnait aux frontières de l'Istrie et de la Dalmatie. Chypre et de nombreux points stratégiques de l'Adriatique étaient désormais perdus. Lépante avait représenté la fin d'un cauchemar, mais on était loin des résultats escomptés. Les négociations traînaient : à mesure que le temps passait et que le besoin de paix se faisait plus pressant à Venise, les Turcs se montraient plus réticents et durcissaient leurs conditions.

Le 7 mars 1573, Venise prit la résolution de quitter la Ligue et de conclure un accord séparé avec la Sublime-Porte. Chypre restait aux Turcs, Venise gardait certains avant-postes en Dalmatie et en Albanie, les prisonniers turcs étaient restitués sans aucune rançon et Venise versait, comme réparations de guerre, trois cent mille sequins. La Sérénissime obtenait ainsi une dure paix, mais recréait dans le bassin méditerranéen les conditions indispensables à sa survie.

Nous trouvons certaines explications relatives au comportement des Vénitiens dans un appendice à la chronique juive rédigée en hébreu par Joseph Ha-Cohen, *Emek ha-Bakha* (« La vallée des pleurs »), et traitant des persécutions subies par les Juifs jusqu'en 1576. L'appendice, dû à un chroniqueur anonyme de cette époque, poursuit jusqu'en 1606. Nous y trouvons des pages fort intéressantes : « A la suite du décret d'expulsion, de nombreux Juifs s'étaient déjà embarqués avec leurs femmes et leurs enfants pour se rendre en des terres plus accueillantes où ils pourraient demeurer avec leurs familles, et attendaient qu'un vent favorable leur permette de hisser les voiles. Ce fut justement durant ces jours que le sénateur Soranzo, ambassadeur à Constantinople, revint à Venise. Alors qu'il débarquait, il entendit les cris des jeunes enfants sur les navires et les vagissements des nourrissons. Il demanda à son entourage quelles étaient ces plaintes ; on lui répondit qu'elles provenaient des familles des Israélites, bannis de la ville par un décret d'expulsion. En entendant ces mots, Soranzo fut pris d'une grande colère et, avant même de se rendre chez lui, il s'en fut trouver le doge, demandant à ce que l'on convoque le conseil des Dix. » Soranzo affirma que les Juifs étaient d'une grande utilité pour l'État et surtout que c'était en eux qu'il fallait voir les véritables alliés de Venise : les autres membres de la Ligue avaient en réalité, par leur comportement, annulé les effets de la victoire de Lépante. Le chroniqueur anonyme nous dit encore : « Ces mots de Soranzo furent un éclair pour les Dix, qui, persuadés de leur bien-fondé, se réunirent une seconde fois pour reconsidérer leur décision et conclure un accord de paix avec les Juifs qui purent ainsi retourner vivre parmi les Vénitiens. »

D'autres historiens ont préféré l'explication économique : le Sénat commençait à ressentir les effets négatifs provoqués par les départs déjà nombreux ; de leur côté, les Juifs pour rester à Venise, étaient prêts à de nouvelles concessions.

L'évêque Valiero rapporte, quant à lui, certains détails inédits du débat qui se tint au Sénat, soulignant que certains sénateurs devaient aux Juifs d'importantes sommes d'argent, tandis que d'autres étaient leurs créanciers. Couper de la sorte tout rapport commercial et financier était ainsi une mesure qui apparaissait dommageable pour tous.

Il est donc probable que chacune des différentes raisons que nous venons d'évoquer ait eu son poids dans la décision finale prise à l'égard des Juifs. Et si Joseph Nasi avait été à l'origine du conflit contre les Turcs, un autre grand personnage juif, Salomon Askhenazi, avait, lui, activement contribué au processus de paix.

Ce dernier était loin d'avoir un passé aussi riche et aventureux que Nasi, bien que, comme tout Juif de l'époque, il eût, lui aussi, beaucoup voyagé. D'origine allemande, il était né à Udine et était donc sujet vénitien ; sa famille était répandue à travers toute la Vénétie, entre Udine et Oderzo, Vérone et Candia. Il avait fait des études de médecine à Padoue, puis était parti pour Cracovie, à la cour de Sigismond, avant d'atteindre finalement Constantinople. Il s'était lié d'amitié avec Sokolli, qui avait permis à l'ambassadeur vénitien de rencontrer clandestinement le vizir de la cour, celui-ci ne pouvant, en pleine guerre, s'exposer à l'accusation de collusion avec l'ennemi. Arrêté et interrogé — on le soupçonnait d'entretenir des rapports secrets avec Venise —, Ashkenazi courut de sérieux dangers ; Sokolli parvint cependant à le tirer d'affaire, ce qui lui valut la reconnaissance de l'ambassadeur. Médiateur entre deux pays en guerre, Ashkenazi ne parvint jamais à juguler les forces qui fomentaient la guerre. Ce ne fut que dans un second temps, lorsque le désir de paix parut vouloir renaître chez l'un et l'autre des ennemis, que son rôle, sa fidélité tant à Venise qu'à la Sublime-Porte et son travail acharné, aboutirent aux résultats espérés.

Ashkenazi, selon le témoignage de l'ambassadeur Barbaro, employa son talent pour soutenir la cause des Juifs du Ghetto, suggérant, par exemple, que l'abolition du décret d'expulsion pouvait très certainement contribuer à améliorer le sort des Vénitiens à Constantinople. Et du reste, la paix signée, Venise avait besoin de relancer sa propre économie : les Juifs pouvaient fort bien devenir l'instrument de cette nouvelle politique.

Ashkenazi obtint un succès personnel riche de sens lorsque, en 1574, il arriva à Venise comme ambassadeur de Selim II et fut reçu par le Sénat et par le doge Mocenigo avec reconnaissance. Cette première médiation diplomatique allait être suivie de bien d'autres missions internationales épineuses, parmi lesquelles la signature, en 1586, d'un traité entre la Turquie et l'Espagne au nom de la Sublime-Porte. Il semble que sa mort soit advenue en 1602. Lorsque son fils arriva à Venise, en 1604, avec une lettre du sultan, le doge Grimani l'accueillit avec les mêmes honneurs réservés au père : la gratitude de la République envers la famille Ashkenazi durait toujours.

Et Joseph Nasi, le protagoniste audacieux de tant d'aventures ? Bien que Chypre fût passée sous la tutelle de l'Empire ottoman, la défaite de Lépante avait terni son étoile. La dernière période de sa vie, à l'image de sa personnalité et de son histoire, reste ambiguë et légendaire. Il existe des documents controversés qui ont suscité l'incrédulité de la plupart des historiens et où il est question de rapports secrets entre Philippe II et Nasi. Ce dernier aurait formulé une requête afin d'obtenir un sauf-conduit vers l'Espagne, valable également pour soixante-dix personnes de sa suite, Turcs et Juifs. D'après ces documents, Nasi implorait le pardon « pour avoir, sous la contrainte, pratiqué et professé la religion juive ». Faut-il prêter foi à ces documents ? Témoignent-ils d'une tentative extrême de la part de Nasi pour trouver une voie de salut ou s'agit-il d'un banal faux document ? La vie aventureuse de Nasi arrivait désormais à son terme. Riche, honoré mais tenu à l'écart de la vie politique, il mourut à Constantinople en 1579.

10

Daniele Rodriga
et la nation ibérique

L'escale de Split (Spalato): sa conception. – Les hésitations des Cinq Sages sur la marchandise et celles du Sénat. – La concession de 1589. – L'escale de Split: sa réalisation.

Certaines conséquences de la bataille de Lépante furent plutôt paradoxales, puisque, après un affrontement sans merci, Venise et la Sublime-Porte amorcèrent un rapprochement qui les porta, dans un laps de temps relativement bref, à conclure une alliance. Venise réagissait ainsi aux manœuvres continuelles de l'Autriche, de l'Espagne et de la papauté visant à l'exclure des routes commerciales habituelles de l'Adriatique: l'influence espagnole se faisait à présent sentir jusqu'en Albanie et en Istrie, l'Autriche restait en relation étroite avec les pirates du nord de l'Adriatique et, à l'ouest, l'axe Ancône-Livourne, de plus en plus orienté vers Raguse, entamait avec une agressivité accrue un monopole vénitien déjà fortement ébranlé. Venise ne conservait plus que quelques avant-postes sur la côte dalmate, « cette mince gencive au bord de la mer ». Split avait

177

perdu les forteresses qui la protégeaient, « véritables yeux de ces territoires désormais aux portes de notre ville ». De nombreux témoignages confirment la désolation des lieux : Sebenico et Zadar étaient abandonnés. Les îles de Pago, de Cherso, de Lesina n'avaient pratiquement plus d'habitants, « un grand nombre d'entre eux s'étant consumé sur les galères ». Les Anglais, les Français et les Hollandais, avec leurs incursions en Méditerranée de plus en plus fréquentes, faisaient monter les enjeux commerciaux : les routes océaniques avaient contraint les nouveaux pays maritimes à un effort de modernisation technologique qui se traduisait par la construction de navires plus robustes, servis par des équipages mieux entraînés. Venise et Constantinople qui avaient été des points de passage inévitables pour les commerces de toute nature, se voyaient à présent menacées sur les mers qu'elles avaient un temps dominées de façon outrancière. Une seule issue s'offrait à elles : unir leurs efforts dans l'espoir de retarder une décadence qui s'annonçait inévitable.

La cité lagunaire n'était guère plus épargnée sur le plan intérieur : la guerre avait vidé les caisses, les dissensions politiques s'étaient envenimées et la noblesse avait pris le parti de renoncer au commerce maritime qu'elle jugeait décidément trop risqué. Ce furent une nouvelle fois les réfugiés espagnols qui vinrent former la sève des échanges commerciaux dans une Méditerranée dont ils avaient pénétré tous les ports, petits et grands, après avoir quitté la péninsule Ibérique et tous les territoires du roi d'Espagne, dont Naples, Milan et la Sicile.

Forts de relations de famille multiples et ramifiées, libres de tout préjugé, habiles dans leurs négociations avec les marchands de tous horizons, polyglottes, ces nouveaux chrétiens d'origine marrane, hors de leur terre d'origine, n'hésitaient pas, bien souvent, à revenir au judaïsme, et à dévoiler une identité jusqu'alors tenue secrète. Ainsi dans la capitale turque par exemple, les marchands vénitiens traitaient désormais principalement avec les Juifs qui, du fait de leur domination au plan international, fixaient le cours des marchandises.

Simone Luzzato, célèbre rabbin de la première moitié du XVIIe siècle, ne manqua pas d'observer, décrivant la situation en Méditerranée à son époque, que « l'État turc constituait le principal rempart de la nation juive » et cela non seulement parce que les Juifs y avaient vécu depuis des générations, mais aussi grâce à l'afflux de nombreux réfugiés en provenance d'Espagne : une grande partie d'entre eux s'était en effet établie sur les territoires turcs en raison de l'absence de toute restriction religieuse et professionnelle et de toute interdiction de posséder des biens. De telles conditions, particulièrement généreuses si l'on songe à la situation faite aux Juifs dans la plupart des États européens, amenèrent à Salonique et dans les autres ports turcs une population juive composite, qui n'allait pas tarder à concurrencer sans ménagements des marchands vénitiens par trop habitués à régner sans partage jusque dans les moindres recoins de la Méditerranée.

Il fallut attendre la bataille de Lépante pour constater quelque évolution. En octobre 1577, le gouvernement vénitien entrevoyait enfin une solution susceptible de débloquer la situation commerciale sur l'Adriatique : un fonctionnaire de Bosnie, et ce vraisemblablement sur la suggestion d'un Juif marrane, Daniele Rodriguez, plus connu sous le nom de Daniele Rodriga, avait en effet écrit au doge, lui suggérant de renforcer le commerce par voie de terre.

Marchand par nécessité autant que par vocation, Rodriga avait passé, à partir de 1549, de nombreuses années de sa vie à sillonner la Méditerranée : Ancône, Raguse, Venise, la Dalmatie n'avaient plus de secrets pour lui : il connaissait leurs difficultés et, surtout, savait prévoir leurs perspectives de développement. Il avait établi ses premiers contacts avec les Vénitiens en 1563, en leur achetant des vêtements de soie et de laine, puis avait progressivement gagné leur confiance. S'étant également fait l'ami de nombreux fonctionnaires turcs dalmatiens, surnommés *sangiacchi*, il fut plus tard en mesure de s'acquitter de certaines missions diplomatiques pour le compte de Venise. Diplomatie et entreprises commerciales étaient du reste pour lui les deux faces d'une même médaille : l'une était indispensable à la bonne marche de l'autre. Il avait lui-même fondé une société en compagnie de son frère Petrus Dieghi, de son beau-frère Isaac de Castris et d'un dénommé Joseph Hoef Falcon de Hispania.

En 1577, Rodriga adressa au Sénat une feuille dans laquelle il proposait la création d'une escale à Split où pourraient transiter toutes les marchandises en direction et en provenance des territoires turcs. Venise allait ainsi améliorer sa propre compétitivité commerciale, réduire les risques de voir ses navires tomber aux mains des pirates, diminuer enfin les inconvénients de la concurrence livrée par l'axe Raguse-Ancône. Il demanda à cette occasion un certain nombre de privilèges, ainsi que la liberté de transit pour les marchands qui accepteraient de s'installer à Split avec leurs familles en échange d'une taxe modérée dont il encaisserait lui-même la moitié.

A la fin du mois d'octobre 1577, le Sénat donna son accord de principe, tout en refusant les privilèges demandés pour les marchands étrangers. La République éprouvait en effet beaucoup de peine à se départir de sa politique traditionnellement protectionniste.

L'initiative enthousiaste de Rodriga rencontrait à la fois l'hostilité des marchands vénitiens, qui craignaient pour leurs intérêts et celle des nobles de Split, qui n'avaient aucune envie d'être économiquement supplantés par une population juive dont la réputation sur ce terrain n'était plus à faire. En juin 1579, Rodriga demanda au Sénat l'autorisation d'amener à Venise cinquante familles juives disposées à acquitter chacune une taxe de cent ducats. Ils ne demandaient aucun avantage particulier, sinon que leur soit garantie, comme à tout citoyen de la République, la sécurité des personnes et des biens.

En août 1579, le Sénat n'avait toujours pas donné sa réponse, refusant toute nouvelle discussion du problème : il était impossible d'accepter cinquante familles supplémentaires dans le ghetto, et le moment n'était guère propice pour parler d'une extension. Il fallut donc attendre jusqu'à l'année suivante, où les Cinq Sages sur la marchandise acceptèrent le point de vue des marchands du Ghetto qui se plaignaient d'être à l'étroit et de ne pouvoir, faute d'espace, ouvrir de nouveaux magasins.

Rodriga, considéré par les Vénitiens comme un homme au sens commercial très aigu, était aussi craint d'eux que respecté. Cela ne lui permit pourtant pas de les rallier à son projet si bien que, confronté à des réticences de toute sorte, à court d'argent, il fut contraint de s'en retourner à Raguse où il s'occupa de ses affaires privées. Ce ne fut là pourtant qu'une retraite stratégique : il continua en effet, patient et déterminé, de tisser sa toile, et demanda une nouvelle fois aux Cinq Sages, en 1583, l'octroi de certains privilèges aux marchands juifs levantins ainsi que le droit de vivre en ville « en toute tranquillité et de pratiquer la navigation commerciale sans rencontrer d'obstacles d'aucune sorte. »

Marchand marrane, Rodriga nourrissait en effet le projet de favoriser la migration directe à Venise de tous ces chrétiens judaïsants, en provenance d'Occident, de la péninsule Ibérique, et désireux de se rendre à Venise sans qu'il leur fût nécessaire de passer auparavant par les ports orientaux. Attirés par la situation géographique de la ville, ils l'étaient aussi par le fait que Venise, s'étant démarquée de la politique papale, permettait aux Juifs qui se déclaraient tels d'aller vivre dans le ghetto sans être importunés par de laborieuses enquêtes sur leur passé de chrétiens.

La suggestion de Rodriga fut fermement rejetée par le Sénat : « Si de telles concessions étaient accordées, il ne fait nul doute qu'elles seraient à l'origine de graves désordres et de troubles, car nos propres concitoyens qui, pour des raisons diverses, n'occupent qu'un rang fort modeste dans le commerce maritime, s'en trouveraient complètement exclus, au cas où il serait permis aux Juifs de naviguer librement en Occident et en Orient. » Le Sénat manifesta sa préoccupation pour la situation de monopole qui pourrait en résulter : en cas de nouvelle guerre avec les Turcs, la ville courrait de graves dangers. Il est toutefois intéressant de constater que l'objection soulevée par le Sénat est avant tout d'ordre économique et non religieux.

Dans l'intervalle, le conseil des Cinq Sages sur la marchandise avait été renouvelé. Les Sages, à peine nommés, soulignèrent le rôle prépondérant des Juifs, maintes fois démontré par les faits, dans le développement économique de la Sérénissime. Ils se refusèrent cependant à définir les nouvelles concessions qui pouvaient être accordées aux Juifs, préférant, une nouvelle fois, temporiser.

Quant au projet de Split, bien que bloqué, il restait plus que jamais d'actualité : il répondait en effet à des exigences commerciales précises, animées d'une dynamique interne et dont la validité ne pouvait en aucun cas être remise en cause par les hésitations des Cinq Sages ou celles du Sénat vénitien. Il est vrai que les entraves et les difficultés de toute sorte ne manquaient pas : il fallait faire face à la piraterie, aux attaques continuelles des Turcs, tout en se gardant de l'influence excessive que risquaient à tout moment d'exercer les Juifs. S'ajoutaient à cela des problèmes d'ordre matériel : il était indispensable, pour la réalisation du projet, de remettre en état les routes devenues impraticables qui menaient de Sarajevo à Split, d'agrandir les magasins et les dépôts, de pacifier les populations avoisinantes, de renforcer les structures portuaires. Toute l'énergie et l'imagination d'un Rodriga n'y auraient pas suffi.

Celle-ci ne manqua pas de rappeler au Sénat, dans une lettre qu'il lui adressa en avril 1586, les difficultés auxquelles Venise devait se mesurer : le trafic maritime avait dû être réduit en raison de la concurrence étrangère et Venise risquait à présent l'isolement. Il fallait immédiatement faire escorter toutes les galères. Les Cinq Sages prêtèrent, cette fois, une oreille attentive à ses propos, mais la flotte vénitienne était insuffisante pour escorter tous les convois et garantir une protection totale du trafic. La concession aux Juifs levantins, qui venait à échéance, fut, elle, renouvelée sans la moindre tergiversation.

L'idée maîtresse de Rodriga était d'éloigner de Venise l'inquiétante menace représentée par l'axe Constantinople-Raguse-Ancône-Florence. Les Cinq Sages ne purent que reconnaître la perspicacité du marchand, et répercutèrent ses idées auprès du Sénat, qui, placé le dos au mur, reconsidéra en 1588 le projet de Split. Les investissements nécessaires à l'exécution des travaux de réaménagement furent ainsi votés, on ouvrit un consulat vénitien en Bosnie et les gouverneurs de Zadar reçurent l'ordre de prendre les dispositions nécessaires pour que le pacha de Bosnie permette l'élargissement de la route entre Sarajevo et Split. D'autre part, il fallait créer dans la région un réseau d'intérêts convergents qui puisse séduire les dirigeants de Bosnie tout en tenant compte des exigences turques. Il importait de donner aux échanges en Adriatique un nouveau centre de gravité, sans heurts, sans traumatismes : les marchands turcs trouveraient à Split du sel, du riz, du savon, à des prix plus intéressants qu'à Raguse, ou à Tarente, mais tout cela devait se produire selon un processus soigneusement mis au point, afin de n'irriter personne. Les Turcs avaient même accepté de déboiser certaines zones, le long des routes, pour réduire les dangers de guet-apens. Les préparatifs achevés, Venise bénéficia, à partir de 1590, d'une liaison routière permanente et exclusive avec Split.

En prévision de cette nouvelle situation, les marchands juifs réitérèrent leur requête au Sénat, espérant enfin obtenir les privilèges demandés. Rodriga joignit la sienne, qu'il adressa au Prince Sérénissime, insistant sur la nécessité d'augmenter, tant à Venise qu'à Split, la présence des marchands vénitiens et de leurs familles.

Les Cinq Sages sur la marchandise prirent en considération la proposition des marchands juifs le 27 juin 1589. Ils constatèrent que la plupart des requêtes étaient identiques à celles précédemment refusées, mais les temps avaient changé, et l'installation à Venise de nouveaux marchands juifs pouvait à présent se révéler bénéfique. Le rejet était du reste inutile et illusoire puisque les marchands allaient s'installer en Turquie pour revenir ensuite à Venise en tant que citoyens turcs et bénéficier inévitablement des avantages accordés à ces derniers. Les Cinq Sages apportèrent quelques modifications aux requêtes présentées mais les considérèrent dans leur ensemble comme recevables. Ils recommandèrent cependant au Sénat d'interdire formellement aux marchands auxquels on octroyait ainsi de nouveaux privilèges du servir de prête-nom à ceux qui n'en jouissaient pas. Ils demandaient, en conclusion de leur rapport, prévoyant le surcroît de travail considérable que cela pouvait représenter, à ne pas être désignés pour trancher les litiges auxquels la création de cette nouvelle catégorie sociale n'allait pas manquer de donner lieu.

Leurs conclusions ne faisaient que refléter la vision pragmatique qui avait toujours été celle du gouvernement vénitien : les traitements de faveur étaient réservés aux personnages qui faisaient du commerce en investissant leurs propres économies et capitaux et qui, donc, étaient susceptibles de contribuer à l'accroissement des richesses de la ville. Il fut en outre explicitement stipulé qu'aucun nouveau privilège ne pouvait être accordé à un Juif, de quelque origine qu'il fût, sans que son principe ait été préalablement entériné par les marchands juifs résidents, représentés par l'Assemblée communautaire (*Università degli Ebrei*) et ait ensuite obtenu l'accord des Cinq Sages.

Les propositions de Rodriga, favorablement accueillies par les Cinq Sages, furent, le 27 juillet 1589, présentées au Sénat qui, pour l'essentiel d'entre elles, les ratifia : droit pour les nouveaux arrivants de vivre en ville avec leur famille en toute sécurité, liberté religieuse, amnistie sur le passé. La concession était accordée pour dix ans. Les marchands devaient porter le béret jaune habituel. On ne parla plus de Juifs marranes, de Juifs espagnols ou de nouveaux chrétiens, mais, de façon plus subtile, de Juifs occidentaux ou ibériques.

Ainsi, après bien des tentatives avortées, Rodriga était parvenu à obtenir gain de cause. Bien sûr, sa victoire n'était pas seulement le fruit de la ténacité : Venise était aux prises avec de sérieuses difficultés commerciales ; il ne suffisait plus désormais de faire mieux qu'Ancône ou que Gênes, encore fallait-il affronter la dure concurrence livrée par les puissances occidentales comme la France, l'Espagne, le Portugal et la Hollande dont les flottes mouillaient à présent dans tous les ports de la Méditerranée. Les privilèges accordés aux Juifs ibériques constituaient ainsi pour Venise un moyen — sans doute tardif — de réaffirmer sa prédominance dans les échanges avec le monde oriental, sinon dans toute la Méditerranée du moins en mer Adriatique. L'évolution était considérable : des marchands juifs non vénitiens pouvaient à présent bénéficier d'avantages jusque-là uniquement réservés à la très restreinte classe marchande vénitienne. En d'autres termes, les Juifs, orientaux et occidentaux, dont la majorité était d'origine marrane, bénéficiaient de droits auxquels plus de 90 p. 100 des Vénitiens ne pouvaient aspirer. Cependant il leur était toujours interdit d'appartenir aux différentes corporations et congrégations ainsi que de pratiquer le commerce de détail. De plus, si les citoyens vénitiens pouvaient transmettre leurs droits par héritage, ceux des Juifs étaient obligatoirement limités dans le temps : deux, cinq ou dix ans suivant le cas et leur statut gardait sa précarité. Il serait toutefois injuste de passer sur le fait que Venise était à cette époque pour les Juifs et les marranes de toutes origines le port le plus libéral de toute l'Europe chrétienne.

La concession de 1589 marquait donc une nette évolution et dans la politique économique et dans la politique religieuse de Venise. En effet, les privilèges jusqu'alors accordés aux Juifs levantins l'avaient été à des citoyens turcs, formellement indépendants de l'État vénitien. Or, pour la première fois, on concédait des privilèges semblables à des individus pudiquement définis comme « Juifs ibériques », à l'identité particulièrement floue, et auxquels on permettait ainsi librement de retourner au judaïsme avec la promesse qu'aucune enquête ne serait jamais faite sur leur passé religieux.

On pensera volontiers qu'encore une fois, obéissant à son sens inné du pragmatisme, la République vénitienne ait fait passer la raison d'État avant toute préoccupation d'ordre religieux. Elle était en tout cas en bonne compagnie, la papauté elle-même ayant accepté plus d'un compromis avec les Juifs, dans le but de sauvegarder la position d'Ancône.

Le pari sur l'escale de Split ne tarda pas à se révéler gagnant : les Cinq Sages décrétèrent en 1591 que toutes les marchandises seraient chargées à Split sur une galère marchande à destination de Venise, protégée par une escorte. On construisit, en 1592, une deuxième galère adaptée au transport des « changements lourds » et on accepta aussi d'escorter les navires marchands qui ne voulaient pas attendre à Split. Le délicat mécanisme était en train de s'amorcer selon les prévisions exactes de Rodriga : les Turcs eux-mêmes s'engagèrent à élargir les routes et à organiser des convois de marchandise dûment protégés. Le comte de Split témoignait à son tour, en 1594, du succès de l'entreprise : les trajets méditerranéens et adriatiques avaient été réduits, ainsi que les dangers représentés par les redoutables pirates oustachis, ennemis des Turcs, soutenus par l'Empire autrichien, et qui perturbaient les affaires de Venise. En l'espace de quelques années, Split avait atteint un niveau d'échanges comparable à celui de Raguse.

Rodriga continua d'insister, en particulier pour garantir la sécurité du port : il demanda une protection accrue, proposa une nouvelle escale à Durres afin de favoriser l'affluence des marchandises albanaises, et suggéra d'inclure dans le système d'échanges le port de Salonique. Les Cinq Sages, qui ne doutaient plus à présent de l'habilité commerciale du marchand, acceptaient ses propositions plus facilement ; l'idée d'envoyer leur flotte jusqu'à Salonique leur sembla toutefois très risquée. En octobre 1597, Rodriga prit lui-même l'initiative d'organiser des échanges commerciaux avec ce port, persuadé que la suprématie vénitienne en Adriatique était, une nouvelle fois, en jeu.

Il s'occupa également des litiges opposant la Natione Todesca qui gérait les banques à perte, à la communauté levantine et ibérique. Il demanda, en tant que représentant de ces dernières, que soit institué un nouveau système de taxation. Ce fut là son dernier acte public. On n'entendit plus parler de lui après 1602. S'il eût été en vie, il eût sans nul doute poursuivi ses appels aux Cinq Sages, comme il l'avait fait inlassablement durant les trente dernières années de son existence.

11

L'Université des Juifs
entre le XVIe et le XVIIe siècle

Les différends entre Venise et la papauté. — Les nouvelles activités de la Natione Todesca. — Les cattaveri, les Cinq Sages, les Sopraconsoli face « aux ghettos ». — Le doge Lenoardo Donà et les marranes. — Les marchands juifs entre le XVIe et le XVIIe siècle. — L'interdit. — Paolo Sarpi et le baptême d'enfants juifs.

Après la Natione Todesca et la Natione Levantina, ce fut au tour des Juifs ibériques de s'intégrer dans la communauté de Venise. Au cours de la période allant de la première épidémie de peste, dont le point culminant se situe en 1576, à l'épidémie suivante de 1630, leur présence, bien que controversée, fut explicitement reconnue et l'on vit s'amorcer un lent processus de brassage entre ces trois communautés séparées autant par leurs origines que par leurs cultures, leurs histoires propres, leurs langues, leurs coutumes et jusqu'à leurs rituels religieux.

Le Ghetto prenait ainsi, à l'approche du centenaire de sa fondation, son visage définitif, et ses rapports avec la ville de Venise étaient en voie de stabilisation, phénomène d'autant plus remarquable qu'on le compare à ce qui se produisait au même moment dans d'autres villes de Méditerranée et d'Europe. Il s'agit d'une époque où les destinées de la Sérénissime et celles des Juifs vénitiens sont plus que jamais étroitement liées, comme le souligne l'historien israélien Simsohn, spécialiste d'histoire vénitienne, affirmant qu'il existe une relation marquée entre le développement de la communauté juive et celui de la Sérénissime. Cette première était en effet constituée de Juifs allemands, italiens, portugais, espagnols, levantins. Autant de groupes qui tinrent à conserver leur propres traditions religieuses et qui vécurent séparément, jouissant de privilèges distincts et remplissant des fonctions économiques différentes ; bien qu'appartenant à la même organisation communautaire, il leur arrivait fréquemment de se trouver en profond désaccord. Peut-être les différences s'estompèrent-elles avec le temps, mais les divisions n'en persistèrent pas moins, sans doute en raison d'une certaine tendance juive au particularisme.

Vers la fin du XVIe siècle, la situation politique à Venise fut caractérisée par l'émergence de groupes d'« innovateurs » ou de « jeunes », comme ils étaient encore nommés, exerçant des pressions en faveur d'un certain changement : ils étaient l'expression d'une classe souhaitant jouer un rôle politique plus dynamique, tant au plan intérieur qu'extérieur, et désirant pour sa ville une autonomie accrue. Ce fut ainsi que Leonardo Donà, principal représentant de ce groupe, lutta pour réduire l'influence de la papauté et l'autorité de l'Inquisition, tout en manifestant, pour des raisons de stratégie économique et commerciale, des sentiments profrançais et antiespagnols.

191

Les frictions avec l'Église étaient, certes, dues pour une large part au rôle joué par le Saint-Office, dont les préoccupations n'allaient pas toujours dans le sens des intérêts vénitiens, mais aussi et peut-être essentiellement étaient-elles dues au refus de Venise, après la bataille de Lépante, de s'opposer une nouvelle fois aux Turcs. D'autres divergences concernaient un projet de détournement des eaux du Pô, sur un fonds de querelles permanentes dont l'objet final était le contrôle agricole et alimentaire de l'arrière-pays vénitien. Tournés pendant des siècles vers le commerce maritime, les Vénitiens se voyaient désormais contraints de s'intéresser à la terre : ils avaient souffert de la crise céréalière de 1590-1591 et il leur fallait à présent, de façon impérieuse, assurer leur approvisionnement. A ces exigences stratégiques venaient s'ajouter, nous l'avons vu, les nouvelles vocations agricoles de nombreux patriciens qui, jugeant la mer trop périlleuse, préféraient, reniant la longue tradition de leurs ancêtres, investir dans des biens immobiliers et dans des terres cultivables. Or la plupart de ces terres étaient sous le contrôle de l'Église. On voit donc que le contentieux entre Venise et la papauté, loin de se résumer à un abstrait combat d'idées, était au contraire profondément ancré dans des intérêts matériels concrets et, le plus souvent, inconciliables.

Les délibérations du Sénat en 1602 (assignation aux nobles de terres louées à l'Église moyennant une modeste somme), en 1604 (nécessité d'obtenir une autorisation spéciale pour toute construction d'un nouvel édifice consacré au culte), en 1605 (interdiction de léguer à l'Église des biens immobiliers) furent à l'origine des tensions qui allaient mener les deux États italiens à la rupture. Le temps de l'unité contre l'hérésie et contre les Turcs était révolu et le fossé séparant Venise et Rome ne faisait que s'accroître. Le Saint-Office et les Exécuteurs contre le blasphème se disputaient à présent le droit de juger, en plus des blasphémateurs, les sodomites et les joueurs qui se livraient aux jeux de hasard. Les Exécuteurs entendaient également s'occuper des questions ayant trait à la polygamie, à la censure, aux mariages clandestins, et peut-être même cherchaient-ils à soustraire les Juifs au jugement du Saint-Office qui se montrait si peu sensible aux rapports de Venise avec l'Empire ottoman, d'un intérêt pourtant vital, et dont les Juifs étaient les instruments privilégiés. Venise tentait ainsi de retrouver toutes ses prérogatives politiques, se servant de tous les moyens à sa disposition et utilisant tout particulièrement l'action de ses propres magistratures : Exécuteurs contre le blasphème, avogadori, Sages et celle de tous les organes de l'État, le Collège, le Sénat, le conseil des Dix, les gouverneurs des Territoires. Soucieux de faire preuve d'une autorité indiscutable, les tribunaux vénitiens se montrèrent, durant cette période, particulièrement sévères. Le Saint-Office et le conseil des Dix s'affrontèrent ainsi pour obtenir le privilège de juger certains hommes coupables de s'être promené la nuit et d'avoir chanté des chansons obscènes. Le conseil des Dix dénia toute compétence au tribunal ecclésiastique et condamna les coupables à mort, bien qu'il se fût trouvé parmi eux des nobles. Dans l'arrière-pays, où l'Église était plus puissante, les conflits furent permanents.

La situation se précipita au moment où Paul V prit la succession de Clément VIII. Un ultimatum fut lancé en 1605, suivi de l'Interdit. Ce fut Leonardo

Donà, le plus fier des défenseurs de l'autonomie vénitienne, qui assuma la charge de défier l'Église. Quant aux Juifs vénitiens, passé la bourrasque de Lépante, ils avaient retrouvé toute leur activité et profitaient à présent d'une situation internationale stabilisée et des relations commerciales harmonieuses régnant entre la Sérénissime et la Porte Sublime. Il leur était de nouveau possible d'exercer pleinement leur rôle naturel d'intermédiaires. Par ailleurs, ils finançaient les petits prêts et vivaient du commerce des vêtements usagés.

On ne reparla plus d'expulsion après 1573. Les banques juives avaient depuis longtemps cessé d'être en situation de monopole et c'étaient à présent les monts-de-piété qui dominaient sur ce terrain, dans les grandes villes de Vénétie. Les banques juives ne subsistaient encore que dans les bourgs plus modestes, où elles étaient très utiles au financement des prêts agricoles ; elles étaient cependant privées de toute réelle influence sur le plan financier et, à Venise, contraintes de prêter au taux de 5 p. 100 alors que les monts-de-piété pratiquaient des taux de l'ordre de 10 ou 20 p. 100. Les banques vénitiennes fonctionnaient donc à perte et leur déficit était régulièrement comblé par les résultats des autres activités de la communauté juive.

Les Juifs d'origine allemande, qui avaient constitué la première communauté vénitienne et dont l'activité principale avait été la gestion des banques, avaient donc été contraints de se procurer d'autres sources de revenu. On remarqua en 1594, selon l'historien Brian Pullan, un certain nombre de magasins de vieux vêtements tenus par des Juifs et dont la clientèle était constituée de divers nobles et des « plus hauts personnages de cette excellente République ». Les cattavèri qui veillaient aux activités du Nouveau Ghetto mentionnèrent, parmi les marchands en renom, les frères Abraham, Benedetto et Nascinben Calimani, leur cousin Isaac Luzzato, Orso Dalla Man et Iseppo dalla Baldosa. Ce furent justement ces marchands que l'on nomma, l'année suivante, à la tête de la communauté. Les marchands de « vieux vêtements » possédaient de véritables dépôts, avec des portails donnant sur le canal du Ghetto, ce qui leur permettait de charger et de décharger directement au moyen de leurs barques ; les clés de ces portes étaient tenues par des guetteurs chrétiens.

Aux côtés des marchands, on trouvait également dans le Ghetto une nouvelle catégorie de travailleur auxiliaire, le *sanser*, sorte d'intermédiaire, promoteur d'affaires de nature variée. Il s'agissait généralement d'un métier réservé aux chrétiens, mais il arrivait parfois que, par mérite exceptionnel, certains Juifs puissent obtenir le privilège de l'exercer : une lettre du doge autorisait ainsi les deux fils du célèbre docteur Joseph de Dattolis, Simon et Moïse, à ouvrir leurs agences personnelles et à déléguer des substituts avec l'accord des cattaveri. La concurrence entre Juifs et chrétiens qui en résulta déboucha souvent sur des dénonciations de la part des derniers : en effet, soutenaient-ils, un tel métier ne pouvait que rendre inévitables les relations sexuelles illicites entre Juifs et chrétiens. Les cattaveri ordonnèrent alors aux « intermédiaires » juifs de ne plus rendre visite qu'aux nobles, aux marchands et aux citadins, mieux armés, selon eux, pour résister aux flatteries tentatrices que le petit peuple, plus facilement influençable.

Lentement, les Juifs s'inséraient donc dans de

nouveaux circuits commerciaux : les autorités suprêmes de Venise s'accordèrent pour leur permettre de participer aux enchères du Rialto malgré la résistance farouche des corporations : les tailleurs par exemple furent particulièrement intransigeants, rappelant que, selon les normes établies, les Juifs ne pouvaient produire aucun bien matériel, même pour leur propre usage. De nombreux témoignages viennent cependant confirmer l'intégration juive dans le tissu urbain entre 1590 et 1610 : on parle de médecins, de marchands de fruits, de bouchers, de chapeliers, de graveurs, d'imprimeurs, de danseurs, de musiciens. Les dérogations spéciales, ou en tout cas les demandes pour en obtenir, proliférèrent durant les premières années du XVIIᵉ siècle. Pour travailler il était en effet souvent nécessaire de passer la nuit en dehors du Ghetto.

Les cattaveri avaient autorisé les Juifs à embaucher des porteurs et des domestiques chrétiens, mais il devait s'agir de personnes relativement âgées, afin d'éviter que se nouent entre eux des amitiés, des intrigues ou des aventures sentimentales.

Malgré les nombreuses exceptions, restait toutefois clairement en vigueur la législation officielle ordonnant la séparation entre Juifs et non-Juifs et, régulièrement, il se trouvait quelqu'un pour s'en faire le porte-parole : ainsi, Lorenzo Priuli de rappeler, par exemple, les enseignements et les craintes de Grégoire XIII, selon qui les Juifs étaient susceptibles de séduire et rendre mères des femmes chrétiennes, pour ensuite amener les nouveau-nés dans leur Ghetto et leur donner une éducation juive. Il était donc indispensable d'éviter toute interpénétration entre le Ghetto et la ville, surtout la nuit. Bien entendu les chrétiens devaient en tout temps se tenir à l'écart des synagogues, et à fortiori pendant les fêtes pascales juives. Inversement, si pendant le Vendredi saint un Juif se trouvait sur le chemin de la procession du Très Saint-Sacrement, il lui fallait prendre une ruelle latérale.

Malgré ces conditions de ségrégation, les Juifs jouissaient de droits codifiés (soumis il est vrai à une révision périodique) et d'une autonomie parfois enviable. Le Ghetto de Venise avait acquis un ascendant sur toutes les autres communautés dépendant de la Sérénissime, grandes et petites. Ce fut justement à Venise qu'avait été réunie en 1594 une assemblée chargée de débattre des taxes à verser à la ville et à laquelle avaient participé six chefs de la communauté de Venise et presque toutes les communautés de l'intérieur.

Les cattaveri avaient chargé certains agents du Ghetto de collecter les taxes dans toute la région : la répartition du lourd fardeau fiscal était souvent l'objet de controverses entre la communauté vénitienne et les communautés de Vénétie, mais aussi au sein des différentes communautés du Ghetto, ashkénaze, levantine et ibérique. En 1596, par exemple, les Levantins protestèrent contre les Juifs ashkénazes, arguant du fait qu'ils n'étaient à Venise que par accident et que, ne disposant pas des mêmes droits, il ne leur appartenait pas d'acquitter les mêmes devoirs. Pour résoudre la question, il fallut distinguer entre Juifs levantins, résidant à Venise et citoyens de la République, et Levantins itinérants, ressortissants turcs.

Entre le XVIe et le XVIIe siècle, les Juifs poursuivirent leur intégration progressive dans l'économie de la ville, exerçant de plus en plus fréquemment des petits métiers, les banques de prêt sur gages ayant évolué vers des rôles qui n'avaient plus rien de commun avec celui des débuts. Les Juifs marranes devenaient pour leur part de plus en plus présents. Les groupuscules d'individus s'organisèrent bientôt en une communauté fort appréciée, la communauté ibérique, dont ils surent imposer l'existence au début du XVIIe siècle et notamment par l'opulence de leur niveau de vie.

Au moment même où les marranes voyaient leur situation légalisée, en ces années de transition entre le XVIe et le XVIIe siècle, le Saint-Office était contraint de réduire son action de répression, et cela principalement du fait des divergences profondes qui le séparaient de Venise. Parallèlement, la répartition des compétences entre l'Inquisition et les magistratures vénitiennes devenait de plus en plus difficile : l'affrontement semblait inévitable. Après les années 1580, les agents de l'Inquisition ne franchirent que très rarement les murs du Ghetto, alors que les cattaveri, dont la fonction était, rappelons-le, de maintenir les distances entre Juifs et chrétiens dans la vie quotidienne, intervinrent, quant à eux, avec fréquence : ils s'occupaient, avec les Exécuteurs contre le blasphème, des rapports sexuels entre Juifs et chrétiens. La situation évolua après 1641 de fort curieuse façon et l'on parvint à une singulière répartition des tâches : les cattaveri prenaient en charge les délits sexuels entre hommes juifs et femmes chrétiennes, les Exécuteurs ceux entre hommes chrétiens et femmes juives.

En 1594, l'ambassadeur Paolo Paruta qui avait dû se défendre quelque temps auparavant contre les pressions papales en raison des privilèges dont jouissaient les Levantins et les Juifs ibériques, constatait que la politique menée par la papauté à l'égard d'Ancône n'était guère différente : on encourageait par tous les moyens les Juifs levantins à venir s'y installer. Cela permettait aux Vénitiens de répondre sans embarras aux accusations de Rome et du parti propapal, dont l'influence était considérable. Leonardo Donà, chef de file des « jeunes » et farouche opposant à l'influence de Rome, exposa clairement la position de Venise à l'égard des marranes. Donà avait vécu quelque temps en Espagne et il réprouvait le comportement des Espagnols qui refusaient d'accepter les Juifs baptisés. Leur souci de « pureté » avait entraîné des persécutions d'individus judaïsants, dont la mémoire avait été ensuite longuement entretenue ; or ces mêmes individus, selon Donà, auraient pu, s'ils n'avaient été persécutés, s'assimiler aux autres chrétiens. Lorsque à son tour il fut devenu doge de Venise, Donà fit remarquer au nonce apostolique que les marranes étaient juifs : « Chez eux et en leur for intérieur, ils vivent en tant que Juifs, ils portent un nom juif ou turc, et ce n'est que lorsqu'ils sortent qu'ils utilisent un nom chrétien ; si l'on demande à un enfant quel est son nom il vous répondra : "A la maison je m'appelle Abraham et dans la rue Francesco." » Donà estimait qu'il était de loin préférable d'avoir affaire à de véritables Juifs portant le béret jaune, plutôt qu'à de faux chrétiens au béret noir et qui allaient à l'église de façon peu sincère : c'était là une façon d'être chrétien qui déshonorait et Dieu et la ville. Le nouveau doge s'exprimait ainsi en harmonie avec la tradition vénitienne qui avait toujours prôné la clarté des rôles.

Les nouveaux accords avec les Juifs ibériques avaient éliminé toute ambiguïté et avaient encouragé l'arrivée à Venise de nouvelles forces marchandes.

Paradoxalement, et pour des motifs d'ordre psychologique autant que religieux et économique, ce fut des Juifs mêmes que vint la plus forte résistance à l'arrivée de ces nouveaux immigrants. Elle émana plus particulièrement des Juifs de la Natione Todesca, ou encore Juifs ashkénazes, d'origine allemande et italienne, qui voyaient d'un très mauvais œil les privilèges qu'on leur accordait dès leur arrivée alors qu'on les avait toujours refusés même aux plus vieux d'entre eux. Les Juifs ibériques n'étaient par exemple pas tenus de participer au fonctionnement onéreux des banques. Les rabbins éprouvaient en outre énormément de peine à s'y retrouver, parmi leurs différents us et coutumes plus ou moins curieux. Les maisons du Ghetto étaient en nombre limité et le contact avec les nouveaux venus trop immédiat. Ce ne fut qu'avec une extrême lenteur que les Juifs italiens acceptèrent les Juifs ibériques, les marranes, dont le processus d'insertion se prolongea durant tout le XVIIᵉ siècle.

La concession de 1589 ne résolut pas l'ensemble des problèmes soulevés par la dernière vague d'immigration. Il n'était en effet guère raisonnable de penser que tous les nouveaux chrétiens à tendance judaïsante avaient rejoint le Ghetto, monde clos tant du point de vue psychologique que physique ; se reconnaître dans le judaïsme revenait en outre pour de nombreux marranes à exposer leurs familles restées en Espagne et au Portugal à des représailles certaines ; finalement, il n'était guère aisé pour ces marranes, qui avaient parcouru un si long cheminement intérieur, de changer du jour au lendemain de nom et d'assumer une nouvelle identité juive : ils avaient été soumis à de très nombreuses influences, qui s'étaient superposées à l'élément juif original.

L'alternative avait en tout cas été reconnue à Venise et cela revêtait une importance capitale : quiconque le souhaitait pouvait revenir au judaïsme ; il lui suffisait alors de rejoindre le Ghetto, de porter un béret jaune et de vivre conformément aux lois de la Sérénissime. Encore une fois Venise était la ville aux choix dramatiques, une ville de rencontres et de conflits, que ce fût pour ces individus en quête de leur équilibre ou pour les Juifs du Ghetto qui, tout en retrouvant un nouveau dynamisme, étaient considérablement perturbés par le long processus d'adaptation.

Les premières années du XVIIᵉ siècle furent des années de changement rapide, comparables à une saison printanière, avec ses nuages et ses bourrasques. A Venise, ce fut l'Interdit, proclamé par la papauté.

En 1605 avait en effet été élu à la papauté le cardinal Camillo Borghese, sous le nom de Paul V ; il avait la réputation d'être l'ami de l'Espagne, ennemie traditionnelle de Venise. En 1606, c'était au tour de Lenoardo Donà d'être élu à la tête de la République vénitienne : on se souvient qu'il était le défenseur intransigeant de Venise contre l'ingérence de l'Église. Avant même son élection, il avait prophétiquement mis en garde le nonce apostolique contre toute excommunication, « dont les conséquences seraient telles que quiconque en porterait la responsabilité aurait sûrement à s'en repentir ». L'« accident », comme le définit Paolo Sarpi, qui servit de détonateur, fut l'arrestation, sur les territoires de la Sérénissime, de deux religieux accusés de délits divers. Le Saint-Siège intervint pour exiger que les deux prélats soient envoyés à Rome afin d'y être jugés par un tribunal ecclésiastique et pour demander également que soient abrogées certaines lois visant à restreindre les droits de l'Église ; le Sénat repoussa les requêtes papales. Un certain nombre de facteurs secondaires contribuèrent à envenimer la situation, jusqu'au moment où, après un ultimatum ignoré par les Vénitiens, Paul V excommunia le Sénat et lança l'Interdit contre tous les territoires de la République.

Gaetano Gozzi rapporte : « Ce fut un moment particulièrement délicat pour l'équilibre politico-religieux de la ville. Le bruit courait qu'à la faveur du bouleversement provoqué par l'Interdit, une Église réformée vénitienne était en train de naître, soutenue par les princes et les groupes réformés transalpins, une Église dont le chef n'était autre que frère Paolo Sarpi lui-même. » Il s'agissait cependant d'un événement clandestin, ignoré du gouvernement de la République qui se hâtera de nier, lorsque le siège apostolique lui demandera d'en rendre compte. Dans son *Trattato sull'Interdetto* (« Traité sur l'Interdit), Paolo Sarpi écrira qu'« aucune hérésie n'a jamais pu prendre corps à Venise », ce qui n'était pas exact puisqu'il existait en ville un grand nombre de protestants et d'hérétiques divers comptant à leur tour des disciples et des sympathisants. Lieu de rencontre de peuples et de cultures différents, Venise était en effet aussi un centre privilégié de propagande religieuse. Selon Sarpi, il y avait à Venise dix mille protestants, cependant en majeure partie étrangers ; la communauté grecque était composée de douze mille membres. Ces colonies étaient ainsi bien plus importantes en nombre que la colonie juive, qui toutefois fut plus étroitement liée à l'histoire de la Sérénissime.

L'affrontement qui avait conduit à l'Interdit creusa

le fossé entre Venise et la papauté. Le moine Paolo Sarpi joua, au cours de ces années, un rôle prépondérant. Homme profondément religieux mais tout aussi profondément hostile à l'ingérence de l'Église dans les affaires de l'État, il exerça, à travers les conseils prodigués au Sénat en tant que théologien officiel, une influence déterminante sur la politique de la cité lagunaire, aux moments cruciaux du conflit. Son action lui valut du reste, dans le climat particulièrement enflammé de ces années, une tentative d'assassinat : en octobre 1607, il fut gravement blessé à coups de poignards dans le quartier de Cannaregio, près du pont de santa Fosca. Sarpi défendait en particulier les marranes et les Juifs contre les prétentions réitérées de l'Inquisition. Il établissait une nette distinction entre les hérétiques, relevant des tribunaux du Saint-Office, et les Juifs, considérés comme des infidèles, mais qui étaient soumis à la magistrature séculière ; quant aux marranes, soutenait-il, ils ne pouvaient véritablement être considérés comme chrétiens et jugés par l'Inquisition, puisque leurs ancêtres avaient été baptisés sous la contrainte. Aucune sanction ne pouvait donc être prise contre eux, même s'ils choisissaient de retourner à leur ancienne condition juive, et cela après plusieurs générations. Les marranes disposaient en outre d'un sauf-conduit qui leur permettait de vivre sur le territoire de la Sérénissime, de le quitter à leur guise et d'emporter leurs biens, de porter le béret jaune, d'organiser leurs rites et leurs cérémonies sans la moindre inquiétude. Ces autorisations leur étaient accordées pour le bénéfice public des chrétiens, afin qu'ils puissent rapporter « beaucoup de richesses et d'industrie des terres turques ». Ces mots expriment bien sûr la ligne de conduite politique de Sarpi, nous les retrouvons parmi les concepts qui inspirèrent les concessions de 1589, 1598 et 1611. Sarpi, voyant l'avantage que pouvait retirer la ville d'une telle politique, la justifiait en rappelant les mesures prises par la papauté avant la Contre-Réforme : « La concession de ce sauf-conduit ne peut en aucun cas être condamnée puisque de nombreux papes ont permis aux Juifs d'aller vivre à Ancône en leur accordant des privilèges bien plus importants que ceux concédés par la politique vénitienne. »

Le doge finit donc par prendre en compte l'opinion de son théologien de confiance et barra systématiquement la route à l'Inquisition chaque fois que celle-ci tentait d'instituer des mesures judiciaires contre les Juifs, ou, beaucoup plus fréquemment, contre les marranes judaïsants.

Nous trouvons, daté du mois de juin 1616, un avis du théologien particulièrement important puisqu'il fera en quelque sorte jurisprudence, concernant le cas d'un enfant juif baptisé clandestinement et contre la volonté de sa mère. Sarpi concluait la première partie de sa réflexion en affirmant que c'était faire « œuvre injuste et commettre un péché méritant le châtiment que d'avoir baptisé une créature incapable de jugement sans le consentement de l'un des parents », il rappelait que l'Église retirait la valeur de sacrement à un baptême réalisé dans de telles conditions. Dans les territoires d'outre-mer on avait, il est vrai, pratiqué le baptême sous la contrainte, et l'Église l'avait validé, mais il avait été donné *pro bono religionis*. Ayant ainsi conforté ceux qui, parmi les membres du Collège, souhaitaient entendre cette opinion, il conclut en faisant valoir que dans le cas examiné, rien ne prouvait formellement que le baptême avait été conféré. Cozzi, historien moderne, analyse cette réflexion, en en soulignant l'ambiguïté rhétorique calculée : Sarpi pouvait ainsi satisfaire à l'exigence de respect à l'Église qui animait les membres du Collège, tout en sauvegardant son indépendance d'esprit, puisque son jugement est en définitive favorable à la « pauvre mère juive ». Cozzi écrit encore : « Tous les juristes, jusqu'à la fin du XVIIIe siècle, confrontés à de tels cas, donneront à ce document une signification extensive, en lui faisant poser le principe de l'invalidité des baptêmes forcés, que Sarpi n'a jamais exprimé de manière explicite. »

A la suite de cet événement, Venise inclut, lors du renouvellement de la concession de 1618, un article attribuant aux avogadori compétence pour juger d'éventuels cas de baptême d'enfants juifs.

Aux problèmes religieux s'ajoutaient ceux posés par la dure nécessité pour l'oligarchie patricienne, jalouse de ses anciens privilèges, de s'adapter aux nouvelles réalités commerciales et industrielles. Les Cinq Sages, sollicités par le Sénat, avaient suggéré la poursuite de la politique d'ouverture ayant abouti, en 1589, à l'acceptation des Juifs ibériques. La situation évolua quelque peu en 1610, lorsqu'il fut question au Sénat de modifier les lois sur la citoyenneté vénitienne *de intus* et *de extra*. Parmi les défenseurs de la politique en vigueur, Nicolo Contarini, Nicolo et Antonio Donà rappelèrent, fort éloquemment, les traditions que Venise avait jusque-là respectées : « Les étrangers, même ceux de religion et de coutume différentes, n'ont jamais été détestés par notre État ; c'est ainsi qu'a été admise à Venise l'existence d'un quartier allemand, d'un quartier turc, ou encore du Ghetto réservé aux Juifs et aux marranes. » Leurs adversaires, parmi lesquels le patricien Duodo, craignant la suprématie des Hollandais et des Anglais, technologiquement plus avancés, estimaient qu'un nouveau libéralisme économique pouvait avoir des conséquences sociales imprévisibles. Ce furent les derniers qui l'emportèrent. Le sentiment diffus de l'inéluctable stimulait la fierté des Vénitiens, entraînant chez eux des sursauts d'orgueil : derrière les marchands hollandais, espagnols, français, anglais ou turcs, respectés — à juste titre — pour leur valeur, c'étaient surtout les grandes puissances, dont ils étaient la *longa manus*, que l'on défiait. Cette victoire ne pouvait cependant être qu'éphémère. Le libéralisme était une idéologie douée d'un dynamisme interne, dont les effets pouvaient être ralentis, non point évités. Le XVIIe siècle, siècle de l'hérésie, était désormais aux portes : Venise n'exerçait plus sur la Méditerranée une domination que lui contestaient de manière de plus en plus patente les vaisseaux nord-européens. La République pouvait bien manifester ses états d'âme : pour survivre il devenait urgent que le chêne se métamorphose en roseau.

Les Juifs d'ascendance marrane, Juifs ibériques ou levantins, dynamiques, efficaces, intermédiaires utiles, étaient au fond bien plus acceptables, en dépit de la méfiance qu'ils suscitaient sur le plan humain et religieux, car ils ne représentaient aucune puissance étrangère. Non que cela leur valût d'être mieux aimés ou même d'être acceptés sans réticence. Alvise Sanudo, porte-parole de nombre de marchands vénitiens, s'était déjà battu en 1603 pour qu'on ne leur accorde pas de privilèges monopolistiques, « car Venise, en invitant tous les Juifs levantins ou ibériques à venir dans cette ville avec la promesse d'être traités, en matière de droits de douane et de navigation, comme des citoyens vénitiens, et de ne pas encourir de poursuites pour leurs pratiques religieuses, a vu arriver tant de ces gens perfides que désormais sur la place du Rialto, les bérets jaunes sont plus nombreux que les noirs, au grand émerveillement des étrangers de passage, et leur nombre s'accroîtrait encore si, comme on le pense, arrivaient à Venise tous les juifs partis d'Espagne ». Sanudo faisait encore remarquer que jadis, à Constantinople, sur cent marchands, soixante-quinze étaient vénitiens et vingt-cinq seulement juifs, alors que ce rapport était à présent renversé. Sans doute l'affirmation était-elle exagérée ; toutefois, elle portait le fer dans la plaie : Venise ne disposait plus de forces marchandes propres et avait besoin des étrangères. Les dissensions internes aux magistratures vénitiennes chargées de la surveillance des ghettos s'aggravèrent à leur tour et les cattaveri, responsables du Nouveau Ghetto, se heurtèrent à plusieurs reprises aux Cinq Sages, préposés aux affaires du Vieux Ghetto.

Le problème du commerce fut à nouveau soulevé en 1611. L'un des Sages souligna une nouvelle fois le rôle important des Levantins dans les échanges avec Spolète et Constantinople, allant jusqu'à proposer l'extension de leurs privilèges aux marchands hollandais. Les Juifs ashkénazes, qui faisaient pression pour obtenir la contribution financière des Levantins à la gestion ruineuse des banques, demandèrent alors à pouvoir eux aussi prendre part au lucratif commerce avec l'Orient, requête une nouvelle fois présentée en 1618 alors que les Cinq Sages songeaient à étendre leurs relations commerciales aux pays flamands.

Le rôle des marchands juifs durant cette période fut déterminant, au point que le Sénat, qui en avait conscience, accepta d'abolir certaines taxes sur les *sansarie*. En 1522, Moïse Israël et David Navarro suggérèrent d'entreprendre de nouveaux échanges vers l'Occident, proposant d'exporter vers Tunis et Alger des marchandises pour une valeur de dix mille ducats, par voie de terre, à travers la France et l'Espagne. Les Cinq Sages et le Sénat donnèrent une suite favorable et acceptèrent même de réduire la part de bureaucratie dans les formalités administratives, témoignant par là d'une certaine volonté d'ouverture : le risque d'évasion fiscale devenait acceptable en contrepartie d'une circulation plus fluide des marchandises.

A Spolète, la communauté juive, constituée au départ de quelques individus, atteignait en 1621 deux cents personnes. Leur influence suscitait bien des envies et, régulièrement, parvenaient à Venise des nouvelles sur « les désordres occasionnés par la présence des Juifs dans la ville », des suggestions pour qu'ils soient enfermés dans un ghetto et pour que « leur soient imposées quelques taxes destinées au bénéfice public ».

Corfou comptait également une communauté juive très prospère qui acquérait des biens immobiliers et prenait en louage terrains et baronnies. Giust'Antonio Bellagno, procureur général de Dalmatie, faisait remarquer, en novembre 1622, que les Juifs de Corfou étaient au nombre de sept cents, mais que seulement cent d'entre eux étaient autochtones, les autres étant des Juifs ibériques.

Plus de cent ans s'étaient ainsi écoulés depuis la fondation du Ghetto, en 1516, durant lesquels trois phases distinctes avaient pris naissance et s'étaient achevées.

L'arrivée à Venise de la Natione Todesca avait, durant la période initiale, conduit à la création du Ghetto. Les Juifs étaient à ce moment-là principalement des banquiers, soumis à de lourds impôts destinés à financer les travaux de réaménagement de l'Arsenal, le renforcement de la flotte et les dépenses urgentes et extraordinaires. L'activité bancaire était conduite à la demande expresse de la République et les Juifs bénéficiaient d'une large autonomie.

Au cours de la deuxième phase, après 1540, cette autonomie se restreignit considérablement en même temps que se dégradait la situation des Juifs dans le Ghetto, la pression fiscale et religieuse se faisant de plus en plus difficilement supportable. L'attitude du gouvernement fut imitée par le reste des chrétiens qui retirèrent aux banques juives leur confiance ainsi que les sommes d'argent considérables qu'ils leur avaient confiées pour les faire fructifier. Cette phase se conclura par l'arrivée à Venise des Levantins.

Après Lépante, qui marque l'ouverture de la troisième phase, avec l'acceptation, en 1589, des Juifs ibériques et jusqu'à la grande peste de 1630, les Juifs vénitiens furent contraints de gérer un certain nombre de banques en faveur des pauvres, sortes de monts-de-piété laïques, très largement subventionnés par les Juifs eux-mêmes, qui, aux termes de leur concession, devaient fournir les fonds de roulement et combler leur déficit. Les nouveaux marchands, levantins et ibériques, parvinrent, malgré la situation de déclin, à raviver les échanges avec l'Orient. Ils furent néanmoins, après une âpre résistance, contraints à leur tour de participer à l'effort de financement des banques du Ghetto. A la fin du XVIᵉ siècle, il ne restait plus aux banquiers juifs que leur réputation ; en réalité ils étaient devenus les employés d'instituts dépourvus de toute autonomie administrative et soumis à des contrôles incessants.

Au début du XVIIᵉ siècle, les trois communautés, ashkénaze, levantine et ibérique s'étaient définitivement établies dans les différents ghettos de Venise. Commençait alors une nouvelle histoire, celle d'un ghetto unique, creuset où allaient se fondre une multitude de mondes et de cultures.

12

Le Ghetto de Venise
un siècle après sa fondation :
société, religion, culture

*Origine étymologique du mot « ghetto ». — Le
climat. — Les synagogues. — L'organisation intérieure. — Le règlement de l'école italienne. — Le
Grand Livre. — Les actes notariés. — La population.*

Cent ans d'une histoire dense avaient conféré au
Ghetto juif un rôle parfaitement défini au sein de la
vie vénitienne. Zaccaria Dolphin, le noble vénitien
qui estimait, comme nous le rappellent les *Diarii* de
Marin Sanudo, que « les Juifs sont de trop sur cette
terre » et qu'« il convient de les expédier tous au
Nouveau Ghetto, véritable forteresse autour de
laquelle on éléverait des murailles et jetterait quelques
ponts-levis », était bien loin d'imaginer toutes les
conséquences de son réquisitoire et encore moins la
fortune que connaîtrait le terme *ghetto*, destiné à
parcourir le monde entier et à susciter chez les
linguistes et les historiens les débats les plus animés.
Dans l'opinion la plus communément répandue, le
mot vient du vénitien *ghetto*, indiquant un lieu

211

fermé, dans lequel les Juifs étaient contraints de vivre. Dans la zone des ghettos il y avait eu en effet, au cours des siècles précédents, une fonderie, appelée en vénitien *getto* (de *gettare* : « fondre »). Temanza nous dit : « Cette île étendue qui accueille à présent la plupart des Juifs, et dénommée Nouveau Ghetto, au bord du rio San Girolamo, n'était, au début du XVᵉ siècle, qu'un terrain marécageux. L'autre, aux abords de Cannareggio, qui porte le nom de Vieux Ghetto, était affectée aux fonderies publiques et constituait le siège du magistrat préposé à ces dernières. C'est pour cette raison que cet endroit était nommé getto. Il y avait douze fourneaux dont les scories se répandaient sur les alentours. C'est ainsi que cette île s'est, petit à petit, bonifiée, et qu'on put plus tard y construire les maisons que l'on voit aujourd'hui et qui abritaient, avant 1516, de nombreuses familles chrétiennes. »

Giuseppe Tassini, dans ses « Curiosités vénitiennes », après avoir appelé l'opinion de Temanza, affirme que ces fonderies existaient en fait depuis le XIVᵉ siècle. Il ajoute qu'elles avaient cependant cessé de fonctionner au début du XVᵉ siècle, puisqu'un certain Gasparino de Lon, âgé de quarante ans et cité comme témoin lors d'une contestation juridictionnelle entre le curé de San Geremia et celui de San Ermagora, prétend, en parlant du *geto*, qu'il y avait là-bas une douzaine de fourneaux, mais qu'il les avait vus durant son enfance. Tassini pense que le Vieux Ghetto, auquel se serait ajouté le Nouveau Ghetto, aurait servi comme dépôt de matériaux de rebut. Les Juifs, cependant, arrivèrent sur les lieux en sens inverse : ils habitèrent d'abord le Nouveau Ghetto, puis occupèrent le Vieux.

Dans son œuvre *Venetia città nobilissima e sin-*

golare, Francesco Sansovino explique, en regard du mot « ghetto » : « Ce pays étant fréquenté par de nombreuses gens de toute langue et de tout pays, les Juifs y sont arrivés à leur tour, s'installant dans un premier temps à Spinalunga, qui fut ensuite, de leur fait, appelée Giudecca. »

L'origine du mot *ghetto* et du mot *Giudecca* a suscité bien des incertitudes chez des historiens, vénitiens et autres, aussi célèbres que Muratoni et Vettor Sandi, victimes d'un certain nombre de méprises.

Parmi les contemporains, Ravid fait remarquer que les termes utilisés lors de la constitution du ghetto, en 1516, sont ceux de *geto* et de *getto*, puis, à partir de 1541, ceux de *ghetto, gheto, geto, getto*. Il lui apparaît donc que l'origine du terme ne peut faire aucun doute et que la seule question qui pourrait subsister est celle du lien entre *geto* et *gettare*.

En octobre 1984, l'historien vénitien Marco Morin publiait certains documents d'archives, qui semblaient devoir effacer ces derniers doutes : le 2 septembre 1360, le Collège décide que le cuivre amené à Venise sera, avant sa commercialisation, raffiné au *geto* (ASV[1], Collegio Notatorio, Reg. 1, 31 V). Nous trouvons également, dans une délibération datant de mars 1414, le mot *ghetto* orthographié avec *h* : « *quod auctoritate huius collegij Raminis datur libertas provisoribus nostris et officialibus ghetti raminis* » (ASV, Collegio Notatorio, Reg. 5, 1 R).

Suivant cette hypothèse, le terme *ghetto* serait donc parti de Venise pour apparaître ensuite dans

1. Archivio di Stato di Venezia. *(N.d.T.)*

de nombreuses villes d'Italie. En 1562, il est utilisé dans la bulle de Pie IV, au sens d'endroit clos habité par les Juifs, sous la contrainte. Auparavant, jusque dans les années 1550, on ne parlait pas encore de ghetto, mais d'un quartier où l'on enfermait les Juifs.

Le terme, apparaît, avec le même sens, vers 1570, dans certains documents publics en Toscane, puis dans les années 1580 à Padoue et à Mantoue.

Dans une lettre publiée en 1890, mais datant de la fin du XVIe siècle, l'ambassadeur de Modène à Venise écrivait que les Juifs étaient confinés depuis 1516 dans une partie de la ville où l'on fondait l'artillerie et qu'on avait appelé *gietto*, puis *getto*.

Ces différents éléments n'ont cependant pas suffi à clore un débat resté ouvert jusqu'à nos jours : parmi les interprétations les plus subtiles, nous trouvons celle de Joseph Baruch Sermoneta, selon qui ghetto aurait pour origine le mot hébreu *ghet* (répudiation, divorce) ou d'autres mots encore, venant de l'ancien allemand, du syrien ou du yiddish ; il reconnaît que la théorie généralement acceptée par les historiens possède des fondements crédibles, mais il observe que d'un point de vue linguistique il n'est guère plausible de faire dériver le mot ghetto de *getto*, sans enfreindre les règles de la phonétique (qui n'admet pas le passage de la palatale *ge* à la gutturale *ghe*). Sermoneta fait également état d'une autre hypothèse selon laquelle le terme ghetto, désignant le lieu de résidence forcée des Juifs, existait déjà vingt-cinq ans avant la date de fondation du Ghetto. En 1536 était en effet publié, à Constantinople, un recueil de *responsi* de David Ha Cohen, rabbin de Corfou, évoquant certains détails fort intéressants, relatifs à l'exode d'Espagne en

1492 : on lit à un certain moment : *Welaqechù othàm ha-malachim ba-ghetto we-horidùm mechùtz la'ir*, que l'on pourrait traduire par : « les faisant descendre hors de la ville, les marins les mirent dans le ghetto », ou « les marins les prirent dans le ghetto et les firent descendre hors de la ville » ; ghetto signifierait alors digue, môle. Ces observations de Sermoneta sont fondées sur l'hypothèse que le texte remonte bien à 1492, ou à peu de temps après, et sur l'équivalence môle-ghetto, venant du latin *jectus*, digue de pierres, jetée. La transformation phonétique pourrait, à ce moment-là, trouver une justification : les Juifs italiens auraient simplement estropié les mots prononcés par les réfugiés juifs espagnols, qu'ils auraient mal compris. Plus près de nous, l'historien S.A. Wolf a tenté de démontrer la parenté avec le provençal *gaita*, signifiant « garde » : nous nous souvenons que quatre gardes surveillaient en effet le Ghetto. Certains Juifs provençaux auraient fort bien pu introduire le terme à Venise. Il est en tout cas établi que les Juifs, aussi bien à Venise qu'en d'autres endroits publics d'Italie, appelaient leur ghetto *chazer* (en hébreu : « enclos ») ou *hasser*, en vénitien.

Ayant présenté les principales hypothèses, il convient toutefois de souligner que la grande majorité des historiens penche pour l'origine vénitienne du mot ghetto ; au-delà de la querelle linguistique, historique, étymologique, il ne faudrait en effet pas perdre de vue que c'est dans cette ville, entre les *calli* et les *canali*, qu'a été engendrée la réalité du Ghetto, avec ses caractéristiques singulières : des aspects économiques, culturels, sociaux et religieux d'une grande originalité aussi bien dans ses rapports avec la République Sérénissime qu'avec le reste du monde occidental et oriental alors connu.

La vie du Ghetto durant ses cent premières années ne fut jamais égale à elle-même : elle connut des mutations continuelles et parfois brutales, du fait de la succession d'immigrations de petits groupes d'individus mais aussi en raison des grands mouvements ayant amené — malgré eux — les trois principaux groupes historiques du Ghetto, la communauté ashkénaze, levantine et ibérique, à vivre l'un aux côtés de l'autre, alors même que tout les séparait : leurs langues, leurs rites religieux, leur vécu, mais aussi leur statut face aux magistratures vénitiennes, qui les traitaient de façon inégale tant par le rôle économique qu'on leur permettait de jouer que par les différents privilèges, concédés plus libéralement aux nouveaux arrivants, tandis que les vieilles banques croulaient sous la charge des impôts.

Isolé, en marge de la ville, le Ghetto est un espace entièrement juif ; c'est le théâtre de tous les événements ayant trait à la vie juive de l'époque. On pénétrait dans le Nouveau Ghetto en passant sous de longs portiques, véritables boyaux, au-dessus desquels s'élevaient des maisons comptant jusqu'à neuf étages, comme en témoignent certains cadastres du XVIIIe siècle. La place s'ouvrait alors dans son ampleur circulaire, toutes les fenêtres des maisons étant tournées vers cet unique foyer. On peut admirer encore aujourd'hui cet espace circulaire, mais on trouvera, à la place des maisons d'époque, une Maison de Repos israélite du XIXe : toute la partie du côté du rio San Girolamo a été perdue. Les bâtiments, très hauts, avaient sans doute à ce moment-là plus fière allure qu'aujourd'hui, les maisons aux alentours étant bien plus rares, alors que foisonnaient jardins, couvents et routes recouvertes de terre et de boue. Les escaliers étaient en bois afin de ne pas créer de surcharge, ainsi que toutes les cloisons et les structures de séparation entre les petits appartements aux plafonds bas, dont les cabinets étaient communs.

On entendait dans le Ghetto les sons les plus divers : les chants hébraïques et les dialectes estropiés des pays méditerranéens, mais aussi des idiomes colorés, espagnols, turcs, portugais, levantins ou grecs, sans oublier certains patois polonais ou allemands, ainsi que les divers dialectes italiens : les personnages les plus divers fréquentaient cette véritable tour de Babel, marranes, aventuriers ambigus, aux costumes hauts en couleurs, rappelant les usages de lointains pays.

Le rythme de la vie quotidienne était scandé par les traditionnelles prières du matin, de l'après-midi et du soir. La nuit venue, on fermait les portails et la barque entamait sa ronde autour des canaux. La grand-place, qui pendant la journée était au centre de la vie quotidienne juive et chrétienne, devenait, la nuit tombée, une sorte de territoire indépendant, une république autonome de Juifs au cœur de Venise. La scène se vidait, laissant hors du Nouveau Ghetto tous ceux qui venaient, le jour, acheter de vieux vêtements ou se pressaient aux portes des banques juives. Le Vieux Ghetto, la longue *calle* Storta, traversée par de petites ruelles étroites et tortueuses, *corte* (cour) del Moresco, corte dell'Orto, calle Barucchi, *campiello* (petite place) del Moresco, *scale* Matte, était tout aussi silencieux. Plus au fond, relié par un fragile et modeste pont, se trouvait le Ghetto Novissimo (1633) avec ses petits hôtels prestigieux, dépourvu de magasins et de synagogues, un quartier exclusivement résidentiel, habité par les immigrants les plus récents. Chacun de ces lieux possédait des caractéristiques très particulières et la contiguïté physique ne faisait que masquer les profondes divergences créées par des habitudes ancestrales.

C'est dans le Nouveau Ghetto, de forme trapézoïdale, qu'avaient été construites les premières synagogues encastrées, pratiquement cachées dans les maisons : la *scola grande todesca* (1528) la *scola Canton* (1531), la *scola italiana* (1571).

La synagogue ashkénaze est reconnaissable encore aujourd'hui à sa série de cinq baies en arc, dont deux sont à présent murées. Sa construction intérieure est asymétrique ; une tribune elliptique, qui suit le plafond, atténue cette irrégularité. Les bancs de prière, de style Renaissance, contrastent avec l'éclat des dorures sur les murs baroques, où figurent des inscriptions célébratives et commémoratives. L'*aron* (armoire), flanqué de deux grandes baies, repose sur quatre marches roses sur lesquelles on peut lire le nom du donateur.

Quant à la scola Canton, elle aussi de rite ashkénaze, son nom pourrait venir de la famille qui finança sa construction, ou de sa situation, à l'angle d'une rue (en vénitien *canton* signifie « angle ») ou encore du fait qu'elle a été construite par des Juifs appartenant à la communauté ashkénaze, mais d'origine française. Une ancienne carte topographique publiée à Paris au XVIIIe siècle définit en effet le Ghetto comme le « Canton des Juifs ».

La scola italiana est elle aussi reconnaissable à ses cinq grandes baies, surmontées d'un emblème où l'on peut lire : « Santa Comunità italiana 1575 » et à une petite coupole qui domine la chaire.

Les deux synagogues les plus spacieuses ont été construites en dernier, dans le Vieux Ghetto : la scola levantina et la scola spagnola, l'une en face de l'autre, sur la petite place appelée justement campiello delle Scole.

La synagogue levantine a été érigée au moment où fut accordée aux marchands itinérants levantins l'autorisation de résider à Venise. C'est la seule que l'on puisse remarquer de l'extérieur, grâce à un édicule polygonal se détachant de la façade, appelé *diago* ou *liago*, élément typique de l'architecture vénitienne. A l'intérieur, la chaire, richement gravée, décorée de motifs floraux et soutenue par de hautes colonnes torsadées, est attribuée au célèbre sculpteur de Belluno, Adrea Brustolon. Sur le côté opposé, on trouve un aron simple, en marbre. La structure de la synagogue est typiquement de style Renaissance, même si l'intérieur a été restauré au siècle suivant.

La synagogue espagnole, la plus grande des synagogues vénitiennes, remonte à la seconde moitié du XVIe siècle et recueillit les Juifs et les marranes d'origine espagnole qui se réfugièrent à Venise. Elle fut complètement restaurée en 1635, suivant la tradition, par Baldassarre Longhena. D'autres interventions successives, au XIXe siècle, ont contribué à briser l'harmonie qui la caractérisait. Une nouvelle fois, la simplicité extérieure marque un net contraste avec le raffinement des boiseries dorées, des lustres en bronze.

C'est dans le Nouveau Ghetto qu'étaient concentrées toutes les banques de prêt sur gages, la noire, la rouge, la verte, ainsi que les dépôts de vêtements usagés, disposés tout autour, dans les rez-de-chaussée. Les Levantins avaient, quant à eux, installé leurs propres dépôts de marchandise dans le Vieux Ghetto, ou l'on trouvait aussi quelques marchands de fruits et légumes et quelques boucheries casher. Selon toute probabilité, les rez-de-chaussée étaient exclusivement utilisés pour des activités commerciales : sur les soixante mille mètres carrés dont on imagine que les Juifs aient disposé, au moins vingt-cinq mille devaient ainsi être affectés à des magasins ou à des lieux communautaires, parmi lesquels les synagogues. S'il est vrai que la population a compté jusqu'à cinq mille personnes, sur une surface de trente-cinq mille mètres carrés (il doit s'agir d'un chiffre maximal atteint pendant un laps de temps très court), il est facile de calculer que l'espace moyen dont disposait chaque individu était de sept mètres carrés. Sans doute ce calcul est-il quelque peu faussé ; il a pourtant le mérite de mettre en évidence cet aspect précis des conditions de vie à l'intérieur du Ghetto. L'étroitesse de l'espace individuel contrastait singulièrement avec l'ampleur et la richesse des lieux de prière, signes de la générosité et des fortunes commerciales des derniers venus, mais aussi de l'importance des synagogues dans la vie sociale juive quotidienne, lieux de rencontre et d'étude autant que de prière. Un témoignage nous confirme que « huit ou dix individus habitaient ensemble des lieux très étroits et fétides ». Lorsque la situation fut devenue intenable, en 1633, on prit la décision de construire un nouvel ensemble de maisons, de l'autre côté du canal, contigu aux deux précédents : ce fut le Ghetto Novissimo, atypique par rapport aux deux précédents, qui compléta, sur le plan urbain, le développement des trois ghettos.

Les maisons du Ghetto n'étaient pas la propriété

des Juifs, qui n'avaient pas le droit, nous le savons, de posséder des biens immobiliers. Il leur était cependant accordé un privilège très particulier appelé *jus gazakà*, synthèse du latin et de l'hébreu talmudique, dénotant des concepts différents entre eux, et, plus précisément, la présomption légale d'un rapport juridique. Le terme finit par prendre le sens de « posséder un droit sur un lieu déterminé ou sur une maison déterminée » : non pas un droit de propriété, mais un droit d'usufruit qui pouvait être hérité, donné en dot, transmis par donation, ou encore vendu.

Vers la fin du XVIIᵉ siècle, après l'achèvement des trois ghettos, la République reconnaissait comme interlocuteurs habituels les chefs de l'Università degli Ebrei, l'organisme qui réunissait les trois communautés, allemande, levantine et ibérique.

Ces chefs *(parnassim)* étaient élus par une assemblée (le Kahal Gadol) dont la composition numérique et le mode de représentation varia suivant les années. Pendant la seconde moitié du XVIᵉ siècle, les chefs étaient au nombre d'une douzaine, avant d'être réduits de moitié en 1685. Ils formaient le conseil restreint (Va'ad katan) dont la décision ne pouvait être entérinée que si une majorité de deux tiers des voix était atteinte. L'élection à la charge de dirigeant de la communauté juive était bien sûr une marque d'estime, mais elle représentait surtout une lourde obligation morale : pressés entre les exigences de la Sérénissime, relevant souvent du chantage, et les critiques de leurs propres coreligionnaires, les douze, puis les six, se retrouvèrent souvent dans des situations fort inconfortables. En 1594, l'assemblée était constituée, selon Pullan, d'environ soixante-dix Juifs vénitiens, auxquels s'ajoutaient les chefs de la

communauté et onze Juifs de l'intérieur qui représentaient les communautés rurales. En 1600, elle
était composée de soixante Juifs ibériques, douze
Juifs levantins et quarante Juifs allemands, une
centaine de personnes en tout, que l'on pouvait
difficilement considérer, vu le nombre des Juifs du
Ghetto, comme représentatifs de la communauté
tout entière.

Tous pouvaient être élus à la charge de *parnas*
(chef), dans la limite de deux fois et à condition que
la proportion numérique existant entre les différents
groupes soit toujours respectée au sein de l'Assemblée communautaire. Chaque Natione avait en outre
sa propre assemblée particulière : les Ashkénazes et
les Levantins l'appelaient « Kahal », les Ibériques
« Talmud Torah ». C'est dans ces assemblées que
l'on discutait des problèmes spécifiques à chaque
groupe. Ceux-ci étaient la plupart du temps d'ordre
économique et juridique, mais pouvaient également
avoir trait au rituel religieux, différent suivant les
traditions de chaque groupe. L'Assemblée communautaire avait quant à elle pour tâche de veiller aux
affaires courantes, aux problèmes d'hygiène, de *cas-*
herut, du service des gardes chrétiennes, des aides à
accorder aux familles les plus pauvres. A l'intérieur
du Ghetto, elle jouissait donc d'une large autonomie,
avec de vastes responsabilités sociales, religieuses et
civiles, en matière d'impôts, de dépenses intérieures,
d'entretien des synagogues, du cimetière. En aucun
cas, cependant, elle ne pouvait se livrer à une activité
politique.

Les impôts sur les rentes et sur le capital étaient
difficiles à évaluer et étaient surtout versés par
obligation morale. Il existait en effet une seule
sanction possible de la part du groupe, radicale il

est vrai : l'expulsion. Ces impôts étaient en partie utilisés pour payer les dépenses internes courantes ainsi que le personnel fixe : le *shochet* (chargé de l'abattage casher), le *chazan*, le *shamash* (préposé aux services des synagogues) ; la plus grande partie de ces impôts était cependant directement versée à l'État vénitien.

La question de l'impôt, dont dépendaient pour une large part les rapports avec Venise, était d'importance et l'organisation interne de la collecte faisait l'objet d'une attention particulière : il s'agissait de répartir le plus équitablement possible la charge souvent excessive imposée par la République. Afin d'éviter tout incident, les *tansadori* ou percepteurs étaient choisis avec le plus grand soin ; ils étaient tenus de prêter serment devant le rouleau de la Loi, la Torah, et s'engageaient à accomplir leur tâche avec impartialité. Il semble qu'à Venise, en 1589, le nombre des foyers fiscaux se soit élevé à deux cents sur mille sept cents personnes. Il arrivait que les tansadori soient contraints, dans l'exercice de leur fonction, de demander la protection des cattaveri.

En 1663, les différents groupes du Ghetto avaient beaucoup progressé sur la voie de l'intégration : le Conseil exécutif, ou Va'ad katan, était composé de sept membres, trois Ashkénazes, trois Ibériques et un Levantin. Les premiers conservaient la majorité numérique bien que le mécanisme des impôts réduisît considérablement leur influence au sein du Va'ad katan. Ce processus d'osmose entre les trois communautés s'accéléra avec l'accroissement des mariages « mixtes ». Les particularités s'estompèrent, sans jamais cependant entièrement disparaître.

Les rabbins, longtemps répartis entre les différents

groupes du Ghetto en fonction de l'influence de ces derniers, parvinrent à être élus, selon des critères de mérite personnel unanimement reconnus, à la charge de chefs spirituels de la communauté tout entière. Le rôle même du rabbin avait du reste subi, avec les années, certaines modifications. Enseignants, ils étaient devenus prédicateurs et juges et faisaient à présent autorité en matière d'interprétation de la Loi. Sans doute cette évolution était-elle due à la baisse du niveau moyen de culture juive dans le Ghetto, qui rendait absolument nécessaire la présence de guides spirituels cultivés et compétents. Le rabbin était rémunéré par la communauté et son contrat fixé pour une durée limitée ; des assistants l'aidaient à régler les affaires courantes. Naturellement être rabbin à Venise constituait un privilège considérable, en raison de l'influence qu'exerçait, par la volonté du Sénat, la communauté vénitienne sur toutes celles de Vénétie. Ainsi les Juifs de Padoue et de Vérone tentèrent-ils souvent de s'affranchir d'une tutelle par trop intéressée qui s'étendait aussi bien aux règles religieuses qu'aux dispositions d'ordre strictement fiscal.

Les banques de prêt sur gages, la rouge, la verte, la noire, dont le passif était à la charge des Juifs, n'étaient pas directement gérées par un organe communautaire : elles étaient sous-traitées à des banquiers juifs, soumis ainsi à un double contrôle, celui de l'assemblée communautaire et celui exercé par l'État, à travers la magistrature des Sopraconsoli. L'assemblée juive restait cependant responsable du bon fonctionnement ainsi que de la correction des comptes, selon des règles minutieusement établies par le Sénat.

Les synagogues n'étaient pas, à l'intérieur du

Ghetto, les seuls lieux de prière, de rencontre et d'étude ; les Juifs fréquentaient aussi les *midrachim* et les académies, financés par des associations privées, ou par les familles qui s'intéressaient à l'étude : parmi les plus illustres, figurent les midrachim Luzzatto, Vivante, Meshullamim.

Nombreuses étaient les associations de bienfaisance aux noms pittoresques, œuvrant pour le mariage des Catherinettes *(Maritar Donzelle)*, pour le rachat des esclaves *(Riscatto delli Schiavi)* ou encore pour porter secours aux femmes en couches *(Soccorso alle Partorienti)*. Tous les aspects de la vie juive quotidienne étaient supervisés par une association. La circoncision des nouveau-nés, les visites aux malades isolés, la préparation des funérailles étaient des rituels d'une importance particulière.

Les métiers du Ghetto étaient, nous l'avons dit, principalement des petits métiers. Aux côtés des marchands de vêtements usagés on trouvait des artisans, des petits commerçants, des teinturiers ; étaient en revanche interdits les métiers de couturier, d'imprimeur ainsi que tous ceux qui pouvaient porter quelque ombrage aux corporations vénitiennes. De nombreux Juifs travaillaient cependant dans les imprimeries des nobles vénitiens comme typographes, correcteurs d'épreuves ou relieurs. D'autres s'occupaient de la production de l'huile, du vin et de la nourriture casher, ou distillaient du vin, ou encore géraient des auberges qui accueillaient les voyageurs juifs.

Une société éprise de culture comme l'était la société juive ne manquait certes pas d'humanistes illustres, et d'écrivains qui — comme cela se produit souvent encore aujourd'hui — travaillaient dans les maisons d'édition, ou encore d'artistes et de médecins. Cette dernière profession était fort prisée à cause des avantages matériels qu'elle procurait, mais aussi parce que, dans les conditions de précarité que connaissaient les Juifs, elle représentait une sécurité non négligeable : des privilèges importants avaient, depuis toujours, été liés à l'exercice de cette profession.

On compte qu'entre 1517 et 1521, deux cent cinquante étudiants juifs ont été formés en médecine à l'université de Padoue et l'on sait que de nombreux autres l'ont fréquentée sans obtenir de diplôme. Cette université dépendait en effet de Venise et les conditions particulièrement libérales permettant aux étudiants juifs de s'y inscrire faisaient partie de la politique vénitienne, souvent en marge par rapport au reste de l'Europe. Ces étudiants arrivaient de toute l'Italie et même d'Europe orientale où ils retournaient, une fois leurs études terminées. L'université jouissait d'une grande réputation internationale et l'on y enseignait, aux côtés des matières spécifiquement médicales, la philosophie : le doctorat de médecine de l'université de Padoue était en effet aussi un diplôme de philosophie. L'enseignement plus particulièrement lié à la pratique médicale se développa plus tard, à partir du XVIIe siècle.

A Padoue, les étudiants juifs ne vivaient plus dans les conditions de ségrégation qu'ils avaient jusque-là connues, et étaient au contraire encouragés à s'intégrer dans le milieu estudiantin. C'était, pour le pauvre Juif, qui n'avait jamais connu cela, une expérience traumatisante, projeté qu'il était du milieu clos du Ghetto dans une communauté d'étudiants ouverte, au sein de laquelle l'attendaient toutefois un certain nombre de difficultés, liées à la langue, à la culture, à la religion (observation du Sabbat, nourriture casher). Il leur fallait aussi acquitter des droits universitaires plus élevés que ceux de leurs camarades. Afin de préserver, dans de telles conditions, sa propre identité, l'étudiant juif allait devoir faire preuve d'une grande capacité d'adaptation.

Cette expérience, avec ses aspects positifs et ses épreuves, fut l'un des signes précurseurs de la grande révolution intellectuelle qui se produisit dans les Juifs européens au siècle des Lumières, puis au sommet de l'émancipation du Ghetto, lorsque les diverses communautés et les individus, désormais libres, durent se mesurer à l'environnement extérieur, sortir du Ghetto.

En avril 1616, toutefois, les problèmes qui se posaient n'étaient pas encore de cet ordre. Le Sénat, conforté par l'avis de son théologien, Paolo Sarpi, confirma sa position sur le problème de la délivrance des diplômes de l'université de Padoue aux étudiants, juifs ou grecs, qui n'entendaient pas faire profession de foi devant l'Église catholique romaine. C'était là l'un des contentieux entre Venise et la papauté. L'opinion de Sarpi en la matière était que « ceux qui ont besoin de l'autorité de Sa Sainteté pour considérer leurs diplômes comme valides ne devront point s'y soustraire. Mais ceux pour qui le fait de prêter serment constitue une démonstration d'allégeance à la cour romaine, à laquelle ils ne peuvent se plier, n'auront pas pour autant à souffrir d'une annulation éventuellement prononcée par sa Sainteté... »

Ce furent justement les étudiants juifs, d'origine polonaise et levantine, de Padoue qui montrèrent les inclinations les plus prononcées pour les idées cabalistiques. Vers les années 1570, considérées, à juste titre, comme des années critiques pour le

Ghetto, la force de pénétration de la Cabale fut intense et l'étude du Zohar très répandue. Les controverses entre cabalistes et talmudistes s'envenimèrent. Ashkénazes et Levantins unirent leurs forces contre le livre *Meor'Enàyim*, d'Azaria de Rossi, érudit accusé de céder aux séductions du Zohar. Rossi tenta tout d'abord de se défendre, puis apporta, dans un second temps, de nombreuses modifications à son œuvre, ajoutant un appendice qui apaisa les esprits et plus particulièrement le rabbin Samuel Judah Katzellenbogen, l'un des critiques les plus virulents. L'épisode se situe à l'apogée de l'influence ashkénaze dans les affaires religieuses du Ghetto.

La fin du XVIᵉ siècle marqua, dans le domaine religieux, une profonde transformation du rituel public, sous l'impulsion d'Azario da Fano, auteur — célèbre pour ses propensions cabalistiques — d'un recueil liturgique selon le rite italien, dans lequel il modifiait jusqu'au *Kaddish*, la prière des morts, l'un des sommets de la poésie religieuse juive. La pénétration du rituel cabalistique sur le terrain de la prière quotidienne, depuis toujours dominé par la tradition talmudique, est un tournant dans la culture juive de l'époque. En l'espace d'un siècle, la société juive vénitienne avait en effet mué : monolithique, elle était devenue, sous l'effet de l'arrivée continuelle de groupes et de groupuscules d'immigrants, d'un pluralisme exemplaire ; statique, vivant au rythme monotone des magasins et des banques, elle était à présent un modèle de dynamisme, animée par les arrivées et les départs soudains des marchands levantins, leurs longs voyages et surtout leurs longues périodes d'oisiveté. La fragmentation impliquée par ce pluralisme ethnique se retrouvait dans les attitudes des différentes communautés face à la société chrétienne environnante : les Ashkénazes, aux racines plus solides, étaient ainsi plus ouverts au dialogue que les Ibériques, introvertis et méfiants. Les premiers étaient cependant à leur tour divisés entre eux : d'un côté ceux que l'on appelait les Allemands, et qui étaient en fait des Juifs de Vénétie, ou des Juifs vénitiens depuis des décennies, de l'autre les immigrants arrivés plus tardivement de l'Est. Quant aux Sépharades, Levantins et Ibériques, ils portaient encore les marques de leur passé, plus ou moins récent, en Espagne et au Portugal, aux côtés de celles, moins profondes, laissées par l'influence turque. Il semblerait que le seul élément commun entre tous ces différents groupes, et qui leur permettait de communiquer, ait justement été la langue hébraïque, sans doute parlée à l'origine avec les accents et les prononciations les plus variées, mais qui ne dut pas tarder pas à s'imprégner des intonations monotones du dialecte de Vénétie. Les Sépharades parlèrent un temps le ladino (encore appelé judéo-espagnol), les Ashkénazes utilisaient des variétés distinctes de yiddish, rapidement tombées en désuétude : elles avaient pratiquement disparu dès la fin du XVIIe siècle. Le yiddish (idiome où se mélangent des éléments de l'allemand et de l'hébreu) était cependant encore utilisé par les Ashkénazes du ghetto au début du XVIIe siècle, comme en témoigne Léon de Modène dans son *Historia de' Riti Ebraici*. Le rabbin, homme d'une grande érudition, regrette, entre autres choses, le fait que les Juifs vénitiens connaissaient bien mal l'hébreu. C'est également à cette époque que remonte la naissance d'un parler judéo-vénitien, dont il ne reste aujourd'hui que peu de traces dans les mémoires les plus anciennes, constitué par l'insertion d'éléments hébraïques dans le dialecte vénitien, ou la construction de mots en partie hébraïques, en partie vénitiens. Ce parler ne devint toutefois jamais un dialecte ni, à fortiori, une langue comme le yiddish : ce fut un jargon très restreint, essentiellement utilisé pour ne pas être compris des chrétiens.

Léon de Modène et Simone Luzzatto, représentants du noyau fondateur du Ghetto, trouvèrent souvent à redire sur les us, coutumes et attitudes des derniers immigrants du Ghetto. Pour sa part Joseph Ha-Cohen, dans *Emek-ha Bakhà* (« La Vallée des larmes »), s'en prenait aux Ashkénazes auxquels il attribuait, de manière sans doute exagérée, des vices ayant attiré de graves désastres sur la communauté entière.

Ce monde composite, aux rites et aux usages fort complexes, fut un terrain d'une grande fertilité, propice à la naissance d'idées originales, comme l'illustre un exemplaire de la *Haggadah* comportant trois traductions différentes, en italien, en espagnol, en yiddish, et qui devaient permettre à tous de comprendre les légendes de la Pâque. Il existe de même des livres de prière rituelle traduits en plusieurs langues. Les trois communautés qui coexistaient dans un espace aussi étroit possédaient des règles rigides et détaillées et l'organisation intérieure du Ghetto était si méticuleuse que plus d'un historien a paradoxalement parlé de « république dans la République ». Si l'on en croit les actes répétés des magistratures vénitiennes, la séparation entre Juifs et chrétiens aurait dû être totale ; pourtant, en dépit de toutes les tentatives et de toutes les lois, il ne fait nul doute que les contacts ont été très fréquents au cours de la vie quotidienne : les mœurs n'étaient après tout pas si différentes. Tout comme les chrétiens, les habitants du Ghetto avaient eux aussi pour habitude de se réunir et d'échanger des histoires ; ils pratiquaient certains sports très courants comme le jeu de ballon, à tel point que les rabbins furent contraints de se réunir pour statuer s'il était ou non permis de jouer pendant le Sabbat. Comme de nombreux chrétiens, les Juifs croyaient aux influences astrales, accordaient de l'importance aux amulettes et les rabbins avaient souvent à se plaindre de leur faible assiduité aux lieux de prière ; certains d'entre eux n'hésitaient pas à montrer du doigt le Ghetto de Venise, qu'ils qualifiaient de repaire de pécheurs, aux mœurs relâchées. Il est vrai que, comme du reste la majeure partie des Juifs italiens, ceux de Venise n'étaient pas très orthodoxes : ils aimaient à prendre leurs aises et à participer aux diverses activités et fêtes vénitiennes. Il nous reste une bien curieuse lettre du rabbin Léon de Modène, qui, contraint de s'absenter de Venise, priait un ami de lui réserver une place pour assister à une régate, et ce malgré le fait que celle-ci se déroulât durant l'un des jours de pénitence précédant le jeûne d'Av. Le Rabbin, s'excusant pour ce désir qui pouvait paraître incongru, explique qu'il lui semblait légitime de différer une journée de deuil pour prendre part à un événement aussi joyeux.

Ovadia da Bertinoro était ainsi en mesure d'affirmer que les Juifs se conduisaient à l'égard de leur foi comme les chrétiens à l'égard de leurs saints : ils faisaient peu de cas du monothéisme strict qui était censé être le leur : ils croyaient aux esprits et aux démons et se répandaient en pratiques superstitieuses, comme les ex-voto. Au début du XVIIe siècle, alors que se faisaient de nouveau sentir les pressions de la papauté, on constata parallèlement un regain de tension religieuse de type cabalistique, encouragé par la prédication de Menahem Azaria da Fano.

La culture chrétienne et les textes classiques pénétrèrent à leur tour à travers les lourds portails du Ghetto. A la littérature yiddish ou espagnole se substituèrent des romans, des poèmes, des essais rédigés en latin et en italien, et, en dépit du point de vue juif, l'intégration entre les deux mondes contigus ne fit que s'accélérer. Aussi bien Léon de Modène que Simone Luzzatto, Sara Coppio Sullam, figures populaires du Ghetto au XVIIe siècle, nous ont montré, à travers leurs écrits, la profondeur des influences réciproques entre le monde chrétien et le monde juif.

Le célèbre carnaval vénitien trouvait ainsi son équivalent dans la fête de Purim, pendant laquelle les Juifs, tout comme les Vénitiens, revêtaient masques et déguisements. Les jeux de hasards étaient tout autant répandus dans le Ghetto, si l'on en croit Léon de Modène. Juifs et chrétiens se rencontraient par ailleurs en de nombreuses occasions, par exemple lors des cérémonies de mariage : la danse, la musique et le théâtre étaient fort appréciées à Venise ; les meilleures preuves de ces contacts nous sont justement fournies par les publications des arrêtés les interdisant, comme celui, resté célèbre, de 1592 qui défendait aux Juifs d'enseigner le chant et la danse.

Les influences non juives pénétrèrent jusque dans les synagogues, où les murs furent, à un certain moment, peints à grands motifs de fleurs et d'oiseaux. Le rabbin Archivolti, maître de Léon de Modène, protesta vigoureusement contre l'introduction de ces images, car, selon lui, elles étaient source de distraction et nuisaient au recueillement nécessaire à la prière.

Les livres sacrés furent, à toutes les époques, finement décorés de dessins et de gravures d'une grande beauté. Mosé da Castellazzo, sans doute le peintre graveur le plus célèvre du Ghetto, illustra admirablement une édition du Pentateuque.

L'activité théâtrale était, elle aussi, très prisée. Nous retrouvons un témoignage sur une comédie jouée dans le Nouveau Ghetto en 1531, puis encore en 1559 et 1592, *Ester*, de Salomon Usque. La pièce fut même revue soixante ans plus tard par Léon de Modène, dont les talents étaient décidément multiples. Marin Sanudo nous dit ainsi, lors de la première représentation : « Ce soir, au Ghetto, une très belle comédie a été jouée par les Juifs... »

Profondément hostiles aux manifestations théâtrales, qu'ils considéraient comme des facteurs de promiscuité, les orthodoxes s'opposèrent résolument à l'introduction de la musique dans la synagogue. La controverse se développa en 1605, lorsqu'un chœur masculin aux grandes qualités vocales se produisit dans la synagogue ibérique. Léon de Modène, combatif, comme à l'accoutumée, répliqua à ceux que la chose offusquait qu'il ne voyait rien de répréhensible au fait d'utiliser sa propre voix pour chanter les louanges du Seigneur. Il poursuivit cette apologie de la musique dans une préface au *Scir Ha-Scirim*, de Salomone Rossi, ainsi que dans d'autres *responsi* qu'il eut l'occasion de rédiger, soutenant qu'il n'était nullement dangereux pour l'intégrité du culte de mêler les mots à la musique, et qu'il ne considérait pas non plus comme blasphématoire le fait de prononcer dans les chants le nom de Dieu. Morosini, alias Samuel Nahmias, rapporte, en bon témoin de son temps : « Je me souviens fort bien de ce qui se produisit à Venise, aux alentours de 1628, lorsque arrivèrent de Mantoue les Juifs chassés par la guerre. Dans cette ville où fleurissaient les études en tout genre, les Juifs s'étaient particulièrement intéressés à l'étude de la musique et des instruments musicaux. Arrivés à Venise, ils constituèrent une académie de musique, dont les membres, les principaux personnages du Ghetto, et les plus riches, parmi lesquels je me trouvais moi-même, et rabbi Léon de Modène, maître de chapelle, se réunissaient deux fois par semaine. En cette année, raconte-t-il, furent exécutés dans la synagogue espagnole des chants en langue hébraïque, et divers psaumes accompagnés d'une musique solennelle qui se prolongeait pendant des heures, écoutée, pour leur grand bonheur, par nombre de nobles seigneurs et de nobles dames, si bien qu'il fallut placer devant les portes de nombreux soldats avec leurs capitaines afin que tout se déroulât dans le calme. On apporta à l'intérieur de la synagogue, parmi d'autres instruments, un orgue ; les rabbins interdirent cependant qu'on en jouât puisqu'il s'agissait d'un instrument ordinairement utilisé dans les églises. Mais tout cela ne fut que feu de paille. L'académie dura bien peu, ainsi que l'étude de la musique et bien vite on revint au statu quo. »

La compagnie de musique du Ghetto se nommait « Academia degli Impediti » et avait également un nom hébreu, inspiré par les derniers versets d'un psaume hébraïque : « Sur les rivières de Babylone, nous pleurions, assis, au souvenir de Sion. Aux saules nous avions suspendu nos harpes... » L'académie s'appela ainsi « Bezochenu et Zion ».

La musique liturgique, qui fit sa première apparition au début du XVIIe siècle, ne devint une pratique communautaire que vers la moitié du siècle.

Particulièrement intéressante nous a semblée une cantate hébraïque en forme de dialogue, de Carlo Grossi, compositeur vénitien, non juif, exemple unique de ce type de composition artistique datant de la seconde moitié du XVIIᵉ siècle. Vers la fin du siècle, sous l'influence des cabalistes mystiques de Safed, était née à Venise la confrérie des « Shomrim Labboqer » (les Guetteurs de l'aurore). Ce fut à l'occasion de l'anniversaire de sa constitution, qui coïncidait avec la fête de Hosha'ana Rabbà, que fut commandée la composition de Grossi : étaient représentés un voyageur observant, la nuit, un groupe d'hommes chantant, dans la joie et la ferveur, les louanges de Dieu. C'étaient bien sûr eux, les Guetteurs de l'aurore qui, par une nuit lointaine, dans le Ghetto, exprimaient leur ferveur religieuse, mais aussi le lien très particulier les unissant au grand ciel étoilé de la lointaine Safed.

Toutes ces manifestations de la vie sociale furent, à tous les instants, dominées par l'aspect religieux : l'étude de la Torah, véritable constante d'une vie, refuge contre les malheurs de toute sorte. Les Ashkénazes, qui recevaient l'enseignement du célèbre Rachi, étaient les maîtres incontestés du *Pilpul* (l'étude et la discussion du Talmud). Il semble qu'ait également existé une académie privée fondée par Caliman ou Calonimos Belgrado en 1594 et dont la figure de proue fut l'inévitable Léon de Modène.

Toutes les conditions d'un fort dualisme culturel étaient ainsi réunies : les murs du Ghetto n'étaient en effet qu'un obstacle très perméable, et les Juifs étudiaient beaucoup, aussi bien la Torah que le latin, les matières juives que celles non juives.

La culture originale ne fut cependant jamais sérieusement menacée et le signe de reconnaissance le plus ambitionné, fut, de tout temps, le titre de rabbin. Léon de Modène écrivait : « En Italie les rabbins les plus vieux ordonnent les nouveaux rabbins et les appellent, tant que leur préparation est incomplète, au double point de vue de l'écrit et du verbe, *haver di rav*, rabbins adjoints. Si en revanche leur formation est suffisante, il les appellent *moreno* ou *rav*. » Nombreux étaient les jeunes gens qui aspiraient à ces titres et à ces honneurs. Les Sépharades avaient adopté une attitude très critique face à ce qu'ils considéraient comme des faiblesses ashkénazes. Déjà Isaac Abrabanel remarquait, de manière fort sarcastique, au début du XVe siècle : « Lorsque je suis arrivé en Italie, je me suis rendu compte que la coutume des ordinations sommaires était très répandue, surtout parmi les Ashkénazes. Tous ordonnent ou sont ordonnés rabbins. Je me demande bien d'où peut leur venir cette licence, à moins qu'ils ne soient soucieux d'imiter les pratiques des gentils qui donnent un doctorat à tout le monde afin d'être payés de retour. » Le titre de rabbin constituait en tout cas chez les Juifs une haute distinction, et l'on était parfois prêt, pour l'obtenir, à aller jusqu'à la corruption, dont plusieurs cas furent constatés.

D'autres détails inédits sur la vie des Juifs du Ghetto nous sont fournis par les archives d'État de Venise, où sont déposés les actes notariés de l'étude Bracchi, parmi lesquels on trouve soixante testaments juifs. Ces documents ont fait l'objet d'une étude monographique et nous ont livré un certain nombre d'informations sur les conditions personnelles, économiques et religieuses à l'intérieur du Ghetto. Les actes sont rédigés en italien, à l'exception de quelques-uns, dont nous avons les traductions et qui présentent parfois sur le plan linguistique un intérêt indéniable : Rachel, veuve de Samuel Namias, d'origine ibérique, s'exprime par exemple « dans une langue mêlée d'acceptions italiennes et espagnoles, illustrant fort bien la langue parlée par les immigrants ibériques du Ghetto ». Les testaments semblent confirmer, compte tenu de l'échantillon particulier qu'ils constituent, un certain niveau culturel, car les Juifs qui se rendirent chez le notaire Bracchi écrivaient tous un italien presque correct. Les témoins chrétiens habitant les zones contiguës au ghetto (Fondamenta degli Ormesini, San Girolamo, Ponte dell'Aseo), et qui exerçaient des métiers aussi courants que celui de batelier, de marchand de fruits et légumes, de tisserand, semblent établir un certain degré d'intégration à l'univers extérieur au Ghetto. Certains auteurs de ces testaments décrivaient même avec minutie leur propre tombeau et dictaient leurs dispositions concernant la récitation de la prière des morts, le *Kaddish*, ou encore prévoyaient les donations aux œuvres de bienfaisance, citées plus haut. Les livres religieux occupaient, dans ces testaments, une place à part.

En l'absence, pour des raisons bien connues, d'actes de propriété immobilière, on remarque qu'une attention particulière est portée à la transmission héréditaire d'objets précieux et de droits de Jus gazaka. Certains documents présentent par ailleurs des aspects quelque peu curieux : un père laisse à sa fille unique la possibilité de choisir son époux entre deux cousins, et lègue à celui qu'elle écartera une somme d'argent en compensation.

Les chiffres officiels, généralement acceptés, fournis par Contento et par Beloch respectivement dans *Il consimento della popolazione sotto la Republica*

Veneta et *La popolazione di Venezia nei secoli
XVI e XVII* concordent pour affirmer que la population juive à Venise en 1550 s'élevait à environ
1 000 personnes ; ce chiffre augmenta entre 1556 et
1563, d'environ 500 personnes suite à l'expulsion par
Paul IV des Juifs romains en 1559.

Le recensement effectué dans le Ghetto de Venise
en 1586 dénombrait 1 694 personnes, à savoir environ la moitié de la population juive de Rome (3 500
individus). En 1640, après la terrible épidémie de
peste, le nombre des Juifs vénitiens était de 2 600.
Padoue et Vérone comptaient, ensemble, 400 Juifs
en 1586. Treize ans plus tard, en 1599, ce chiffre
passait à 300 individus pour la seule ville de Vérone.
Quant à la population juive de Padoue, elle était, en
1615, de 665 personnes, représentant 2 p. 100 de
l'ensemble de la population, avant d'être réduite de
moitié, en 1630, lors de l'épidémie de peste.

D'autres historiens estiment pour leur part que
la communauté juive de Venise aurait atteint, en
1646, le chiffre de 4 870 personnes, et ce malgré
deux terribles épidémies de peste. Selon cette hypothèse, l'accroissement s'expliquerait par l'arrivée des
Juifs ibériques et par l'immigration continuelle en
provenance d'Europe de l'Est, où les Juifs étaient
soumis à d'incessantes persécutions.

Nous avons cependant la certitude d'un chiffre : à
la fin du XVIe siècle, l'ensemble de la population
juive de la République de Vénétie était de 3 000
personnes, sur un total de 1 500 000 habitants.

L'historien contemporain Ravid, tout en acceptant les chiffres de Beloch et de Contento, estime
devoir néanmoins tenir compte des conclusions de
Harris, qui a soigneusement analysé les aspects

démographiques du Ghetto vénitien et conclut donc à la validité des chiffres suivants :

Année	Nombre de Juifs
1516	700
1536	1 424
1581	1 043
1630	5 000
1642	3 300
1655	4 870

Il n'est guère possible de déterminer si ces chiffres comprennent ou non les marchands levantins itinérants, présents en ville de manière semi-permanente. On peut remarquer que certaines sources donnent, en 1642, le chiffre de 3 300 individus alors que d'autres font état de 549 familles ; la corrélation n'est pas automatique.

Beltrame, auteur d'une ample étude sur la démographie de Venise, estime quant à lui que la population juive en 1642 s'élevait à 2 671 personnes. Ce chiffre coïncide cependant exactement avec celui que de nombreuses autres sources font correspondre à l'année 1766. Ajoutons que le chiffre proposé par Harris pour l'année 1665 peut sembler exagéré si on le compare à celui de Beloch qui estimait le nombre de Juifs à Venise en cette année à 1 870 individus.

Il nous manque certaines données relatives à la période située entre 1655 et 1766 qui aurait connu, selon Roth, de fortes immigrations en provenance d'Orient et d'Occident.

Deux autres sources méritent d'être citées : Thomas Coyrat, voyageur anglais de passage à Venise en 1608, estima, dans ses impressions de voyage, *Coryat's Crudities*, que la population juive était comprise entre 5 000 et 6 000 individus. D'autre part, dans *Humble Addresses*, Menasseh ben Israel décrit, admiratif, le Ghetto, mentionnant le chiffre de 1 400 foyers. On ignore s'il faisait allusion au nombre des maisons ou des familles ; en multipliant toutefois ce chiffre par quatre, on obtiendrait un total d'environ 5 500 individus.

Nous rappelerons, en conclusion, les observations de Harris selon qui les Juifs représentaient, au XVIᵉ siècle, entre 0,6 p. 100 et 1,2 p. 100 de la population totale de Venise ; au XVIIᵉ cette proportion varia entre 2,5 et 3,3 p. 100 pour revenir, pendant le XVIIIᵉ à 1,2 p. 100, le nombre maximal étant estimé à 5 000 personnes sur 150 000 habitants en 1630 et à 4 780 sur 159 000 en 1855. D'autres données, rapportées par Harris, ont été empruntées à Beltrame : en 1630 les Juifs des deux ghettos, le Vieux et le Nouveau, vivaient à 1 015 sur un hectare ; alors que la densité moyenne à Venise était de 236, elle fut dans le ghetto, en 1642, de 897.

Densité par hectare, au XVIᵉ et au XVIIᵉ siècle

Année	1581	1586	1633	1642
Ghetto Vecchio	502	826	1 127	568
Ghetto Novo	420	662	903	1 023
Ghetto Novissimo	—	—	—	1 100
Moyenne	461	744	1 015	897

Le problème de l'espace ne fut du reste pas résolu au cours du XVIIᵉ siècle. Le noble Loredan, qui prit la parole au Sénat, en 1659, en faveur des Juifs s'exclamait : « Là où habitent en ce moment vingt Juifs habitent en moyenne entre quatre et huit˙

Vénitiens... En dehors de quelques-uns, ils vaquent tous à leurs affaires, se contentant de l'espace fort restreint dans lequel ils vivent et célèbrent leurs offices. Les rabbins leur expliquent les dogmes de la religion, les incitant à faire pénitence, à jeûner, à faire abstinence, à pratiquer la charité ; le peuple ne les tolère que par intérêt et par nécessité ; ils sont privés de correspondance, affaiblis, isolés, et leur moral en est affecté. »

La peste de 1630 causa à Venise autant de ravages que la plus sanglante des batailles perdues. Un témoignage rapporte que certains Juifs du Ghetto se retournèrent contre Iseppo Ferach, surnommé Benceze Hebreo, résidant dans le Vieux Ghetto, car, « frappé par la peste, il manqua d'obéir, par indolence coupable, aux ordres émanant des autorités vénitiennes et des chefs du Ghetto, lesquels insistaient pour que toutes les affaires personnelles infectées soient expédiées au lazaret ».

Les Vénitiens avaient constaté que les Juifs résistaient à la maladie dans de bonnes conditions, car ils appliquaient des règles d'isolement très strictes et finirent par imiter leur comportement. Malgré toutes les précautions, pourtant, le Ghetto ne fut pas épargné par la peste : selon un chroniqueur de l'époque, Abraham Catalano, il mourut 454 personnes et environ deux mille autres quittèrent la ville.

13

Léon de Modène
ou de la contradiction

Œuvres de jeunesse, rêves et mariage. — La passion du jeu et la carrière de prédicateur. — L'étude de l'alchimie. — Diffesa da quello che scrive Fra' Sisto Sanese (*« Réponse aux écrits de frère Sisto Sanese »*). — *L'édit des chefs de la Communauté contre les jeux.* — La Historia de' Riti Hebraici. — Kol Sakhal *ou La Voix du fou.*

« Depuis mon enfance je me suis toujours efforcé de fouiller toutes les connaissances et, si je n'ai pu apprendre davantage que quelqu'un voulant boire toute l'eau de la mer, je n'ai jamais empêché mon intelligence de se pencher sur un sujet que je désirais comprendre. J'ai donc toujours été opposé au point de vue de Rabbenu Asher qui remerciait Dieu de ne connaître aucune science séculaire, car, dans son esprit, elle l'eût écarté des chemins de Dieu. Pour ma part je me dis : fasse le ciel que je sois capable de remercier, d'exalter et de glorifier Dieu afin qu'il m'aide à acquérir toute la connaissance du monde. Je me suis rendu maître non seulement de tous les enseignements... de la Torah, mais j'ai aussi parcouru jour et nuit les livres des hérétiques et des non-croyants, comme ceux des maîtres des autres religions, afin de mieux combattre l'hérésie et j'ai étudié les livres de magie et de sorcellerie, non pas, Dieu me garde, pour les mettre en pratique, mais pour mieux comprendre, et distinguer entre le bien et le mal et me rendre plus attentif à l'accomplissement du bien et plus déterminé dans le refus du mal. »

Cette page est de Léon de Modène, en hébreu Jehuda Arijeh mi Modena, le plus célèbre et le plus controversé des rabbins vénitiens. Elle nous révèle en substance sa vision du monde, ouverte et moderne : « Je n'ai jamais empêché mon intelligence de se pencher sur un sujet que je désirais comprendre », « même si je n'ai pu apprendre davantage que quelqu'un voulant boire toute l'eau de la mer ».

Léon de Modène naquit à Venise en avril 1571 d'une famille d'origine ferraraise, temporairement réfugiée dans la cité lagunaire en raison d'un tremblement de terre. Après avoir séjourné quelque temps dans le Ghetto, au moment justement de la naissance du petit Léon, la famille revint dans sa ville d'origine, où en 1578, le père, Isacco, connut certains ennuis causés par un conflit avec le cardinal Alvise d'Este pour des motifs restés obscurs. Léon fut extrêmement précoce : il semble qu'à deux ans et demi il lisait déjà l'*Haftarah* et qu'à trois ans il était en mesure de traduire en italien certains passages de la Torah. Il fut éduqué par de grands maîtres, parmi lesquels le rabbin Finzi, le rabbin Samuele Archivolti et Mosé de la Rocca, neveu du rabbin d'Ancône, Mosé Basola.

Très jeune encore il écrivit *Sur Merà* (« Éloignés du mal ») sous forme de dialogue, dans le but de combattre les jeux de hasard dont avaient été victimes deux de ses demi-frères. Ayant cependant toujours vécu en contradiction avec ses idées, Léon de Modène céda, à son tour quelques années plus tard, à la passion du jeu, dont il ne parviendrait plus à se défaire.

Son autobiographie est une mine de renseignements et d'anecdotes qui, au-delà de la personne, nous restituent son environnement naturel, à savoir le Ghetto : Léon de Modène y évoquera particulièrement certaines périodes difficiles, ainsi qu'un certain nombre de rêves prémonitoires auxquels il avait attaché une grande importance.

En 1589, Léon revint à Venise, accompagné de sa mère qui avait arrangé son mariage avec la fille aînée de l'une de ses sœurs. Ayant rencontré sa cousine il la trouva fort jolie et très sage : « Après Shavuoth nous nous rendîmes, dans l'allégresse, à Venise. » Ils trouvèrent la future épouse malade et pensèrent qu'elle guérirait rapidement. Son état empira cependant : « La maladie s'aggravait de jour en jour, jusqu'au moment où elle fut sur le point de mourir, mais son cœur était courageux, comme celui du lion, et ne se laissa pas gagner par la peur. Alors qu'elle était en train de mourir, elle me fit appeler, me tendit les bras et me donna un baiser, murmurant qu'elle avait conscience de faire un geste sans doute répréhensible en d'autres circonstances. Le Seigneur savait pourtant que pendant toute l'année de nos fiançailles nous n'avions pas même permis à nos petits doigts de s'effleurer, et que seule la mort lui donnait cette licence. » Peu après, Esther, la fiancée, mourut. Léon se consola en épousant sa sœur, Rachel, quinze jours plus tard. Le lendemain de son mariage, le rabbin Salomone Sforno, après un bref sermon à la synagogue, le nommera « haver », titre, comme nous l'avons vu, on ne peut plus gratifiant pour un jeune homme qui en était à ses premières armes.

En 1593, le Sabbat suivant le jeûne d'Av, dit Chabbat Nahamu, il prêcha dans la grande synagogue ashkénaze, ce jour-là comble ; ce fut le début d'une grande carrière de prédicateur qui dura plus de quarante ans, pendant lesquels Léon ne quitta presque jamais le Ghetto de Venise où vinrent l'écouter, selon des témoignages dignes de foi, les hommes les plus divers : nobles vénitiens, ambassadeurs européens, prêtres, moines. Son prestige intellectuel au sein du Ghetto fut considérable et c'est à lui que fut confiée la Jeshivà fondée par Calonimos Belgrado.

Sa vie privée fut en revanche beaucoup moins heureuse, déchirée par des deuils d'une extrême cruauté qui lui enlevèrent sa femme et ses deux fils (dont le deuxième était né en octobre 1593). C'est sans doute dans la tentative de noyer sa douleur qu'il se laissa gagner par la passion du jeu, tant détestée pendant sa jeunesse : « Et durant les journées de Chanucca 5355 (1595), le diable décida de se jouer de moi et me causa grand tort puisque je ne perdis pas moins de cent ducats. » Dès lors le jeu devint pour lui un mode de vie, une souffrance ponctuée de moments de rémission, de rechutes, d'oscillations continuelles et douloureuses. « Et pendant les journées de Shavuot ils m'incitèrent à jouer et je perdis plus de trois cents ducats. »

Son activité littéraire était cependant intense, presque autant que son désir d'éprouver des émotions destructrices en jouant continuellement. Ayant fait la connaissance d'un jeune médecin, Abramo di

Camis, qui cherchait éperdument, au grand détriment de sa santé et de sa fortune, la pierre philosophale, il se passionna à son tour pour l'alchimie. Plus tard, il se rendit brièvement à Ferrare, où ses prédications lui valurent l'admiration générale. Pressé par la nécessité, il accepta la charge de précepteur de la famille Zelman, mais souffrit grandement de son éloignement de Venise où il retourna, à la mort de Zelman, à la recherche de ses anciens élèves et sans doute d'une vaine fortune dans le jeu.

On le demanda à Florence, au printemps 1609, mais il était incapable de rester longtemps hors de Venise : il revint quelques mois plus tard, obtenant de la confrérie ashkénaze du Talmud Torah un emploi et un salaire. Durant cette période, sa fille Diana se maria et son autre fils, Marco, pour des motifs que l'on ignore, s'éloigna de Venise. Il y revint en mai 1615 et mit sur pied un laboratoire de chimie où, avec l'aide de son père, il se consacra à certaines expériences dans le but d'obtenir, à partir de neuf onces de plomb et une d'argent, dix onces d'argent.

Les espoirs de Léon de Modène furent, bien sûr, déçus ; son fils tomba soudainement malade, « avec de fréquentes hémorragies occasionnées par les sels de l'arsenic et des autres substances utilisées dans son laboratoire ». Ces ennuis le contraignirent à abandonner l'étude de l'alchimie et pendant les deux années où il survécut à sa maladie, il fut physiquement inapte à toute activité.

En automne 1616 mourut le rabbin Salomone Sforno, son conseiller et ami, laissant une fille à marier. Léon de Modène, parvint, au cours d'un sermon resté célèbre, à recueillir la somme de cinq cents ducats qu'il remit en dot à la fille de son ami.

La nouvelle se répandit au-delà des étroites limites du Ghetto : un prêtre de l'église San Gérémia, racontait, admiratif, l'événement à ses fidèles, lorsqu'il découvrit le rabbin parmi les membres de son auditoire, s'interrompant alors pour le présenter.

Socialement reconnu et apprécié, Léon de Modène continua de connaître une vie privée particulièrement troublée : en 1620, l'un de ses fils, aventurier, revint d'Orient. Avant de le revoir, le malheureux rabbin dut cependant payer une forte indemnité au capitaine pour permettre à son fils de quitter le navire.

Léon passait de nombreuses heures de sa journée à enseigner au Talmud Torah ashkénaze, où il se sentait pourtant triste et opprimé : « Seule une force surhumaine pourrait briser les chaînes qui m'emprisonnent. »

Les études demeuraient son refuge naturel : il travailla en 1622 au traité talmudique *Ketubot* (concernant les actes de mariage) et, toujours la même année, il prononça dix-huit sermons à la grande synagogue ashkénaze, auxquels se pressa régulièrement la foule ; il fit participer un chœur de jeunes chanteurs, et jusqu'à son fils Marino, qui n'était certes pas un modèle de vertu synagogale.

Cette même année, la famille da Modena était frappée par une nouvelle tragédie : Marino s'était fait un ennemi, Sabbatai Benincasa, avec lequel il en était déjà plusieurs fois venu aux mains ; un soir, celui-ci l'avait poursuivi, un couteau de boucher à la main, jusqu'au-delà de l'enceinte du Ghetto, où Marino ne s'était sauvé que par miracle, en le poussant dans le canal. Rabbi Léon avait tenté d'arranger les affaires de son fils en faisant intervenir le noble Alvise Giustiniani qui proposa ses bons offices, sans grand succès. Un soir du mois de mars, Sabbatai Benincasa et son frère se trouvaient dans le Ghetto en compagnie d'un certain Isacco, fils illégitime d'une femme surnommée la Spagnoletta, et d'un certain Abramo, dit Ciompo, fils naturel d'une femme appelée la Bella, et avec eux se trouvaient quatre jeunes gens d'origine ibérique, Davide Mocato, Mosé Emmanuele Giacobbe, Isacco Montalti et Elia Muciacion, ce dernier étant jaloux d'une femme « impudique » fréquentée par Marino da Modena. Ce soir-là, le jeune homme était invité chez certains de ses amis levantins. Les jeunes voyous simulèrent un combat de rue, faisant croire, par leurs cris, qu'ils étaient attaqués par une bande non juive. Marino, n'ayant pas flairé le piège, descendit les escaliers au pas de course : il fut aussitôt encerclé et traîtreusement blessé à mort. Les funérailles, au cimetière juif, furent d'une tristesse infinie ; un jeune noble, Dolfin, qui participait au cortège, fut pris d'une émotion si vive qu'il sombra dans un état de prostration : il « se mit au lit et en mourut ». Le vieux rabbin à son tour plongé dans une profonde tristesse ressassait les mots prophétiques du sénateur Lorenzo Sanuto : « Si ton fils ne modère pas ses élans effrénés, ils ne tarderont pas à le tuer. » Sa profonde dépression ne l'empêcha pas de réagir : il adressa une requête au conseil des Dix, obtenant que les coupables comparaissent devant les Exécuteurs du Blasphème et soient condamnés à dix ans de bannissement.

Désormais seul, il fut convié par son gendre Jacobo Levi et sa fille Diana à vivre auprès d'eux et de son petit fils Isacco, dans le Vieux Ghetto : une offre que Léon, vieillissant, résolut d'accepter.

En 1626, les chefs du Talmud Torah lui proposèrent un nouveau poste d'enseignant et lui avancèrent la somme de cent cinquante-deux ducats qui devait lui permettre d'éponger ses dettes de jeu. Rabbi Léon promit solennellement, en présence de deux témoins, de ne plus jouer pendant vingt-cinq mois, le temps de rembourser la somme empruntée.

Au début du mois de mai 1627, Léon de Modène acheva d'écrire sa *Diffesa da quello che scrive frà Sisto Senese nella sua Biblioteca Santa*. Le passé de frère Sisto comportait certaines phases troubles : d'origine juive, il se serait converti pendant son adolescence ; franciscain, puis dominicain, toujours fervent néophyte, il soutint sans faiblir la supériorité de la foi chrétienne. Frère Sisto, dans son traité apologétique, dénigre le Talmud, affirmant que ses pages contiennent des instigations à l'inceste, au blasphème contre la foi chrétienne, et à la duplicité envers les chrétiens ; il observe que les talmudistes appellent à considérer les chrétiens comme de « grossiers animaux », qu'il existe à leur égard de précises dispositions juridiques et que l'on promet l'impunité à quiconque tue un chrétien, détruit une église ou une copie des Évangiles. Léon de Modène estima qu'il n'était guère possible de ne pas réagir à de telles accusations tout en mesurant le risque qu'il prenait à contredire publiquement un personnage aussi influent. Il rédigea un manuscrit de vingt-trois pages qu'il présenta à la magistrature vénitienne afin d'obtenir l'autorisation de le publier. Celui-ci fut transmis, selon l'usage, au *Consultore in Iure*, pour qu'il exprime son opinion. L'avis fut négatif et ces écrits furent déposés aux archives d'État de Venise où ils se trouvent encore aujourd'hui.

A l'accusation d'instigation à l'inceste, le rabbin répondait, indigné : « A-t-on jamais vu un Juif prendre pour femme sa fille ou sa sœur, ou se servir d'elles charnellement ? » Il constate donc que le frère Sisto avait interprété cette page du Talmud de façon à « vomir sur elle sa pensée perverse et vénéneuse ». Mais c'est dans sa réponse à l'accusation de fraude contre les chrétiens que le rabbin Léon de Modène met en lumière tout son talent de polémiste : il nie toute accusation de fraude, mais se rend compte, s'agissant de l'usure, de la particulière difficulté de sa tâche : « A chaque fois qu'il est débattu dans le Talmud sur la question de savoir s'il est légitime de berner le gentil la réponse est non... et il est même souvent dit qu'il s'agit d'un péché plus grand que si la fraude avait été commise contre un Juif, car le gentil en reste profondément offusqué, imaginant que cela est permis aux Juifs par leurs lois ; quand Dieu dit, dans le Décalogue : *non furaberis*, il n'excepta aucune nation. Or, s'il se trouve de nombreux Juifs pour tenter de tromper les chrétiens, ce n'est pas que leur loi le leur permette, ni à fortiori le leur ordonne... mais il est pourtant vrai que, comme chez tous les peuples, il est chez les Juifs aussi des gens dépourvus de scrupules, qui en raison de l'état de nécessité et de misère auquel est réduite la nation juive, estiment en leur for intérieur (de manière tout à fait injuste et illicite) pouvoir agir contre leur conscience sous prétexte d'assurer leur survie. »

Il insère, à ce moment précis de son éloquente plaidoirie, le récit d'un fait survenu à Ferrare en 1605 et dont il fut personnellement le témoin. « Un Juif réclamait à un gentilhomme ferrarais une forte somme d'argent, dont plusieurs centaines de ducats d'intérêts ; le gentilhomme, lui, soutenait que selon sa loi, un Juif n'était pas en droit de réclamer des intérêts à un chrétien. Il possédait, pour prouver ses dires, un document signé par un rabbin, qui lui donnait raison ; d'autres rabbins s'étaient en revanche prononcés en faveur du Juif. L'illustrissime cardinal me fit appeler afin de connaître mon opinion : était-ce licite qu'un Juif réclame des intérêts à un chrétien ? Je lui dis : " Monseigneur, non et oui. — Expliquez-vous ", dit-il. Je lui répondis : " Je pense que non, car, il est dit, dans le Deutéronome : *non fenerabis fratri tuo usura pecunia usura cibi,* etc. ; *extraneo fenerabis, et fratri tuo non fenerabis.* Par *étranger* on ne peut entendre que les membres des sept nations dont il est question dans le passage. Les autres s'entendent frères. Le plus souvent, les talmudistes considèrent les Idumées comme étant les chrétiens, et toujours dans le même chapitre, on peut lire : *non abominaberis Idumeo quia frater tuus est,* etc. Le chrétien doit donc être considéré comme un frère et il n'est pas légitime de lui prêter à intérêt. — Mais, ajoutai-je aussitôt, si les chrétiens nous traitaient comme des frères et nous permettaient de vivre comme de véritables citoyens, sans nous empêcher de nous rassembler là où nous le voulons, d'acheter des biens immobiliers, de faire du commerce comme nous l'entendons, à Venise et ailleurs, s'ils ne nous interdisaient pas de pratiquer les arts mécaniques et ne nous imposaient pas tant et tant d'autres restrictions, alors, oui, nous serions bien forcés de les considérer comme des frères. Mais ils nous traitent en esclaves, et nous, en esclaves, nous considérons licite ce qui ne devrait pas l'être, car il nous faut penser à notre subsistance. Et donc je pense que oui. " L'illustrissime cardinal m'adressa un sourire, posa sa main sur mon épaule, et me libéra, prononçant ensuite une sentence en faveur du Juif. »

En 1627, il revit une nouvelle fois son fils Isaac, qui, rentré pour huit mois, était reparti aussitôt. Le vieux rabbin, sur qui les années commençaient à peser, ne put éviter de se lamenter : des trois fils qu'il avait eus, un était mort empoisonné, l'autre assassiné et le troisième, il ne le voyait guère. L'année 1629 fut une nouvelle année de malheur : il perdit son gendre, et, peu après, la petite fille, née au moment où celui-ci était en train de mourir. Il ne lui restait plus que sa fille Diana et son petit-fils, Isaac.

L'année suivante, en 1630, l'érudit rabbin qui avait si brillamment soutenu la cause des Juifs contre les accusations de frère Sisto, dut assurer sa propre défense. Les chefs de la communauté avaient promulgué un édit contre le jeu, menaçant de sévères sanctions quiconque manquerait de le respecter : « Des jeux de cartes et de dés, nombreux et variés, ont été introduits dans notre communauté causant la perte de bien des familles. Les chefs de l'assemblée ordonnent donc que soit interdit à tout Juif, résidant à Venise, femme ou homme, jeune homme ou jeune femme, garçon ou fille, sous peine d'excommunication, de se livrer au jeu, à Venise ou hors de Venise, avec un Juif ou avec tout autre personne ainsi que de jouer par l'intermédiaire d'un tiers... »

Piqué au vif, Léon de Modène repartit de toute sa verve polémique, n'hésitant pas à prendre position contre l'assemblée. Il nia tout d'abord le droit de considérer comme majorité absolue ce qui n'était selon lui qu'un groupuscule non représentatif, constitué par la centaine d'individus en mesure de payer les douze ducats requis pour figurer parmi les membres de l'assemblée, dont certains n'atteignaient pas l'âge de quatorze ans. N'était-ce pas plus sage de s'en remettre à la réflexion des quelque six cents chefs de famille exclus de cette assemblée, pour des raisons uniquement fiscales ? Comment, du reste, soixante et onze personnes osaient-elles songer à en excommunier plus de deux mille ? De tels abus pouvaient-ils être agréables à Dieu ? Il écrivit dans son autobiographie : « Je pris position non point pour justifier le jeu, mais pour leur démontrer qu'ils n'avaient pas autorité pour interdire. » S'agissant de la passion malsaine qui l'habitait, il nous laisse entendre qu'il considère le ciel et ses étoiles comme responsables de son destin d'homme. « J'ai toujours été convaincu qu'il n'était guère possible de les éluder et d'échapper à leur puissance et à leur rage... c'est d'elles que dérive en moi le conflit incessant qui me condamne à me débattre entre la difficulté et la nécessité, et me fait gâcher au jeu chaque jour de ma vie. »

D'autres nuages, bien plus sombres, s'accumulaient cependant sur le Ghetto. Léon de Modène rapporte : « Et, depuis ce moment, la peste commença à se répandre, et à frapper le peuple d'Israël. La main du Seigneur s'abattit avec vigueur sur toute l'Italie... à cause de la guerre et de la famine... la peste est arrivée jusqu'ici, à Venise, avant que ne commencent les journées annonçant les grandes fêtes juives... la première des victimes fut Moisè Sarfatti, puis, pendant les journées de Sukkhot, mourut aussi Jacob Cohen. L'épidémie s'est propagée à tel point qu'aujourd'hui, 1er Adar 5391 (automne 1631) on compte que déjà cent soixante-dix personnes ont été emportées. »

A Venise, la peste, fit plus de cinquante mille victimes, sur un total de cent cinquante mille habitants. L'épidémie bouleversa la vie quotidienne de la ville entière ainsi que, bien évidemment, celle du Ghetto. Les banques n'acceptaient plus que des gages en métal et une grande partie de la marchandise entreposée dut être détruite pour d'évidentes raisons sanitaires. Les difficultés économiques furent aggravées par l'impôt extraordinaire de cent vingt mille ducats décrété par le Sénat. Léon commente amèrement : « Les riches furent abaissés au niveau des classes moyennes, les classes moyennes devinrent pauvres et les pauvres ne trouvèrent plus personne pour prendre pitié d'eux car, simplement, il n'y avait plus d'argent. »

L'épidémie cessa en hiver 1631. Toutes les synagogues célébrèrent la fin du danger par un jeûne de pénitence et les offrandes furent si nombreuses qu'elles permirent l'achat d'objets du culte en argent. La maison de Léon n'avait pas subi de contagion directe : lui et les membres de sa famille avaient, cette fois, été épargnés. Comme cela arrive souvent dans le cas d'individus névrotiques, les circonstances critiques qu'il venait de vivre eurent sur le moral du rabbin joueur un effet paradoxalement bénéfique : il se mit à écrire sans relâche, gagnant plus de cinq cents ducats qui lui permirent de se passer, pendant quelque temps, de la bienveillance et du soutien financier de ses amis. Il hérita également, à la même époque, de la responsabilité d'éduquer son petit-fils Isaac, sa fille Diana s'étant remariée avec un homme que la peste avait rendu veuf. Comble de bonheur, son fils céda aux appels de plus en plus insistants de Léon qui le pressait de revenir auprès de lui et rentra de Livourne.

Purim 1636, le carnaval juif : la peste avait mis à dure épreuve hommes et femmes du Ghetto et la soif de divertissement revenait à présent, impérieuse. Voici la manière dont Moisè Soave dépeint cette atmosphère, à partir d'informations tirées de l'autobiographie de Léon de Modène : « ... Parents, amis ou simples connaissances, tout le monde échangeait des cadeaux avec tout le monde, c'est-à-dire, le plus souvent, des sucreries, des confitures et autres gourmandises. Aux fenêtres, les femmes se saluaient joyeusement, discutant avec une enviable simplicité des dons faits et reçus, du bon repas qui les attendait, de la soirée qui s'annonçait heureuse... Les enfants couraient gaiement à travers les rues du Ghetto, en habits de fête, au milieu du vacarme des tambours et des trompettes, traînant leurs épées de bois et leurs petites chaises, leurs petites armoires et les miroirs qui font les délices de cet âge innocent... Les rues étaient inondées de gens, de sourires, de poignées de mains, de baisers ; au diable la pénurie. Un étranger de passage aurait cru se trouver au milieu de gens heureux de leur sort, et, à bien des égards, enviables. Et, en vérité, ce matin-là, ils l'étaient. »

Le climat n'allait cependant pas tarder à se dégrader et l'allégresse céder le pas au sentiment de précarité. La meilleure chronique à ce propos est encore celle de Soave, inspiré par Léon de Modène : « A midi sonnant, de nombreux agents de police, dûment armés, firent précipitamment fermer les portes du Ghetto, et, avec cette délicatesse qui a toujours distingué les forces de l'ordre public, ils se mirent à fouiller toutes les maisons, sans exception, arrêtant un dénommé Sabbadin Catalano. Un vol important avait été commis dans le quartier de la Merceria aux dépens d'un riche marchand appelé Bregonzi. Les effets volés, balles de soies, vêtements de soie brochés d'or et autres objets de valeur atteignaient la somme considérable de soixante-dix mille ducats. La totalité du butin fut retrouvée dans une chambre indiquée par Catalano lui-même, qui, menacé d'être soumis à la question, eut tôt fait d'avouer son méfait et de dénoncer ses camarades. » Le malheureux Léon fut lui aussi indirectement impliqué dans l'affaire : un détenu, dénommé Scaramelle, accusa, sans doute pour des motifs de vengeance personnelle, deux chefs de famille juifs d'avoir corrompu deux juges de la Quarantie. Le gendre de Léon, ne s'estimant plus en sécurité, quitta la ville, avec certains de ses amis, pour Ferrare. Durant toute l'année suivante, Léon connut des jours d'angoisse et de peur : non pas qu'il se sentît coupable, mais « un simple soupçon suffisait à l'époque pour qu'une personne honorable soit traînée devant les tribunaux ».

Plus tard, on lui communiqua que son nom aurait été cité parmi ceux que l'on accusait de corruption, de même que le nom de l'un de ses meilleurs amis. Pris de panique, Léon songea un moment à quitter la ville pour se réfugier à Padoue, hors des limites territoriales de la Sérénissime. La fuite pouvait cependant constituer un aveu tacite et entraîner le bannissement à vie, pour lui comme pour les membres de sa famille ; il décida donc courageusement de rester dans sa ville bien-aimée, où une nouvelle désagréable surprise l'attendait cependant.

Dans son autobiographie, Léon de Modène rapporte qu'il avait rédigé, au cours des années 1616-1617, un recueil de rites, d'usages et de règles juives à la demande de l'ambassadeur anglais à Venise, sir Henry Wotton, qui voulait, à son retour, en faire don au roi Jacques Ier. L'ouvrage de Léon de Modène fut lu et apprécié par de nombreuses personnalités de l'époque, parmi lesquelles sir William Boswelle, diplomate anglais. Celui-ci l'offrit au juriste John Selden, qui le mentionne dans son traité *De succesionnibus*, dans lequel il donne à rabbi Léon le nom d'« archisinagogus ». L'une des rares copies manuscrites arriva dans les mains de l'éditeur français Jacques Gaffarel. Quelque temps plus tard, en 1637, celui-ci adressa une lettre à Léon de Modène : « Voici, avec un retard certainement trop grand, l'histoire de ton peuple finalement publiée par mes soins. » Saisi par un mauvais pressentiment, le rabbin courut aussitôt relire son manuscrit : il ne l'avait pas lui-même destiné à la publication ; il contenait donc certains passages qui pouvaient se révéler compromettants. Les conséquences pouvaient en être dramatiques et pour le rabbin qu'il était et pour les Juifs du Ghetto, surtout dans la période critique où ils se trouvaient.

Faisant allusion à cette œuvre, *Historia de' Riti Hebraici*, Léon écrivit : « ... Je ne m'étais pas réellement préoccupé de ménager l'Inquisition, car ce manuscrit était censé n'être lu par aucun représentant de l'autorité papale... Je ne me suis donc aucunement soucié d'éliminer ces passages que je n'aurais jamais laissés si l'œuvre avait dû être publiée en Italie... Le deuxième lundi de Pâques 5397 arriva un homme porteur d'un message dans lequel on m'informait que ce livre avait été publié à Paris. Je ne savais pas à qui il avait été dédié, ni s'il y avait eu des modifications... Je m'empressai d'en consulter une copie... dans laquelle je relevai cinq ou six remarques contre l'Inquisition qu'il eût été préférable de ne pas faire. Profondément troublé, je me mis à m'arracher les poils de ma barbe et restai hagard, l'esprit vide, car je savais pertinemment qu'aussitôt parvenu à Rome ce livre causerait un grand tort à tous les Juifs... Où pouvais-je fuir, puisque je ne pouvais aller ni à Ferrare, ni en aucun autre endroit d'Italie ? » Hors de lui, « sans personne parmi ses amis pour le réconforter », il se rendit, spontanément, par inspiration divine, raconte-t-il, chez le censeur, qui l'accueillit avec bienveillance, lui conseillant de présenter au tribunal du Saint-Office une copie du manuscrit, accompagnée d'une déclaration écrite, dans laquelle il se proposait d'apporter toute modification aux mots ou phrases qui pouvaient offenser la religion chrétienne. Les inquiétudes du rabbin se révélèrent fondées. Le moine Marco Ferrero, du couvent de San Giovanni e Paolo, trouva dans le texte beaucoup de matériel critiquable, particulièrement dans les pages où il était question de la métempsychose, des treize articles de la foi et de l'immatérialité de Dieu. « *Ipse esse abolendum* », déclara péremptoirement frère Ferro. Léon témoigne cependant : « Je m'étais représenté le danger plus grand que ce qu'il n'était en réalité, puisque ce que j'avais écrit n'était, en définitive, pas même tellement dangereux à dire. »

Un mois avant la présentation de l'œuvre devant l'Inquisition, Léon raconte : « Quelques jours plus tard, ce Français se rendit à Rome, me faisant auparavant parvenir une copie imprimée à Paris et sur laquelle je vis qu'il avait, fort astucieusement et fort intelligemment, expurgé ces quatre ou cinq passages qui m'avaient procuré tant de souci. Il avait rédigé, en guise d'introduction, un texte fort élogieux à mon égard ; l'ouvrage avait été dédié à un noble, ambassadeur du roi de France, venu habiter à Rome. Ce personnage m'envoya personnellement

258

une lettre où il me disait que l'œuvre lui avait beaucoup plu, ainsi qu'à Sa Majesté. Alors seulement je parvins à me calmer quelque peu. »

L'édition vénitienne, revue et corrigée, de l'*Historia de'Riti Hebraici, vita e osservanza degli Hebrei di questi tempi di Leone Da Modena rabbi hebreo da Venezia*, parut peu de temps après, en 1638. Léon explique, dans le prologue, qu'il avait été incité à écrire ce livre pour répondre à la curiosité des chrétiens sur les coutumes juives. L'*Historia* est un livre synthétique rédigé à la façon d'un exposé : Léon observe que tous le rites ne revêtent pas la même importance, qu'il existe 613 *mizvoth* ou commandements légaux, dont 248 obligations, et 365 interdictions. En dehors des mitzovth, les Juifs sont tenus de respecter un certain nombre de préceptes, transmis par les Sages de la Loi orale, ou encore de simples usages *(minhagim)*. Les préceptes de la Loi écrite et ceux de la Loi orale constituent le patrimoine commun de tous les Juifs, quelles que soient leurs différences par ailleurs, ajoute Léon de Modène en songeant aux communautés du Ghetto. Il poursuit en expliquant que ce sont surtout les usages qui différencient les trois communautés, ibérique, levantine et ashkénaze. Quant aux synagogues : « Il y en a une, deux, six, dix par ville, en fonction du nombre des Juifs qui s'y trouvent, de façon à ce que chaque communauté puisse pratiquer le culte selon ses propres usages. » Il souligne que la façon de prier est très différente suivant les communautés : « Ce sont les Allemands qui utilisent le plus pleinement le chant, alors que les Levantins et les Ibériques ont une façon de chanter qui rappelle le turc ; les Italiens chantent pour leur part de manière simple et posée. »

Naturellement, un esprit aussi polémique que celui de Léon de Modène ne pouvait être entièrement satisfait des réalités qu'il constatait autour de lui : « Rares sont de nos jours les Juifs capables de tenir un discours suivi en hébreu, qu'il s'agisse de la langue sainte, qu'ils appellent *Lascion acodesh* et dans laquelle sont écrits les vingt-quatre livres de l'Ancien Testament, ou de la langue chaldéenne, dite *Targum*, qui était la leur autrefois. Ils ont en effet été instruits dans la langue du pays où ils sont nés, l'italien en Italie, l'allemand en Allemagne, le turc en Orient ou le maure en Barbarie. Ainsi, ils se sont tellement empreints de ces langues étrangères qu'en se rendant d'Allemagne en Russie ou en Hongrie, ils ont continué de parler l'allemand. Le même phénomène est à constater pour les Juifs d'Espagne arrivés au Levant : ils se sont servis de la langue espagnole. Quant aux Juifs italiens, ils ont employé l'un et l'autre, suivant l'origine de leurs ancêtres. Les gens du peuple n'ont en effet d'autre aspiration que celle de se conformer aux usages de l'endroit où ils se trouvent, utilisant parfois dans leurs discours quelques mots de mauvais hébreu. Quant aux gens instruits, qui connaissent les Écritures, rares sont ceux qui, n'étant pas rabbins, savent élégamment tenir un discours en langue hébraïque. Et pour ce qui est de la prononciation de cette langue, les différences sont telles, entre les diverses communautés, que c'est à peine si les Allemands sont compris des Italiens et des Levantins. On peut toutefois affirmer que ce sont les Italiens qui s'expriment de la manière la plus conforme aux règles de la grammaire, appelée en hébreu *Dichduch*. »

L'*Historia de'Riti hébraici*, au-delà de certains

événements contingents, suscita une large approbation et fut abondamment éditée et rééditée ; elle fut traduite notamment en français, italien, anglais, hollandais, latin, et vers la moitié du XIXᵉ siècle, en hébreu.

Un personnage tel que Léon de Modène ne pouvait cependant faire l'unanimité, même au sein du monde juif : l'historien Graetz, auteur d'une monumentale étude sur l'histoire juive, a ainsi été particulièrement sévère dans son jugement sur l'*Historia*.

Une nouvelle et captivante controverse, sur bien des points toujours discutés et dont le protagoniste est une nouvelle foïs Léon de Modène, a été provoquée par la publication d'un livre imprimé à Gorizia en 1852 par les soins du rabbin Isacco Reggio. L'ouvrage, intitulé *Bechinat ha-qabbalah* (« L'examen de la tradition »), reproduisait deux opuscules inédits, que Reggio, s'appuyant sur de nombreuses concordances formelles et conceptuelles avec l'œuvre de Léon de Modène, attribua tous deux à ce dernier.

Le premier de ces petits livres, *Kol Sakhal* (« La Voix du fou »), consiste en une critique de la tradition talmudique ; le deuxième, *Shaagat Arieh* (« Le rugissement du lion »), est une réfutation du premier ; il ne nous est pas parvenu dans son intégralité et se situe dans le prolongement philosophique de *Bet Jehuda*, l'œuvre précédente de Léon de Modène. La personnalité même du rabbin, érudit et joueur de dés, les conflits qui déchiraient son âme, prêtent volontiers à controverse. Se pourrait-il que, derrière le défenseur du pouvoir rabbinique, se soit en réalité dissimulé un hérétique resté anonyme afin de manifester en toute liberté ses idées secrètes et subversives ?

Au début du XVIIᵉ siècle, sa réputation internationale et sa tradition culturelle faisaient du Ghetto de Venise le phare de nombreuses communautés européennes, comme celles d'Amsterdam et de Hambourg, où l'arrivée massive de groupes hétérogènes, dépourvus d'une tradition unitaire, avait créé les conditions favorables à la naissance de profondes divergences en matière de foi. Ces penseurs, souvent marranes, qui remettaient en cause certains des principes fondamentaux du judaïsme, tels que la validité de la Loi orale, étaient tenus par les rabbins pour de véritables hérétiques : parmi les cas restés célèbres, ceux de Baruch Spinoza et d'Uriel da Costa. Les chefs de nombreuses communautés juives demandèrent ainsi l'aide des rabbins vénitiens pour tenter de contenir la marée dissidente : en 1618 ceux-ci se rangèrent contre les détracteurs de la Loi orale, en prononçant contre eux l'excommunication.

Kol Sakhal est une œuvre emblématique, née de cette période marquée par la suspicion et la tension religieuse. Son mystérieux auteur s'en prend à la Loi orale et demande à ce que l'on revienne aux enseignements premiers de la Bible, éliminant ainsi le pouvoir des rabbins qui, soutient-il, ont, tout au long des siècles, détourné le texte biblique de son sens véritable. La religion juive devait ainsi redevenir le fruit de la rencontre entre la Raison et la Révélation.

Doit-on ou non reconnaître dans *Kol Sakhal* l'esprit de Léon de Modène ? Le rabbin nous propose, dans l'introduction, sa propre version des faits : « Au cours du mois de Sivan 5382 — 1622 — à Venise, trois mois après le meurtre cruel de mon fils Marino, plongé dans un état de profonde mélancolie, j'errais le long des canaux de la ville, pleurant sur mon sort et sur les disgrâces qui, depuis le jour de ma naissance, n'ont cessé de s'abattre sur ma personne, lorsque je vis venir vers moi un érudit de ma connaissance. » Ce personnage lui aurait ensuite remis le texte anonyme attaquant les rabbins et la Loi orale, ce qui aurait incité Léon de Modène à rédiger, en réponse, *Shaagat Arieh*. Cette version constitue-t-elle un démenti probant aux supputations de Reggio, qui vit immédiatement en Léon de Modène l'auteur de *Kol Sakhal* ? Le rabbin serait-il l'auteur de ce livre, qu'il aurait ensuite regretté, effrayé par ses propres idées ? Aurait-il usé de cet artifice afin de s'exprimer sans avoir à craindre de représailles ? Et ne serait-ce pas là, enfin, la raison pour laquelle il n'a pu mener à son terme *Shaagat Arieh* ? Telle est, rapidement exposée, la teneur d'un débat, fascinant, d'une grande actualité, puisqu'il divise aujourd'hui encore les principaux commentateurs juifs.

Son œuvre suivante, *Maghen we-Zinnah* (« Bouclier et défense »), fut composée à la demande des chefs de la communauté ibérique pour répondre aux onze thèses de l'hérétique Uriel da Costa, parvenues jusqu'à Venise. A aucun moment le rabbin ne se laissera aller à l'invective, préférant faire usage du raisonnement, et montrant même quelque souplesse à l'égard de certaines observations d'Uriel da Costa pour mieux proclamer ensuite, s'agissant de la défense de la Loi orale, toute son intransigeance. Le texte de la Torah a été conservé sans voyelles, explique-t-il, et par conséquent, son sens nous échapperait s'il n'existait pas une Loi orale pour l'interpréter ; la Torah étant en effet brève et concise, les Juifs pourraient se fourvoyer parmi les nombreuses difficultés que comporte le texte sans une longue tradition d'approfondissement et de commentaire ; les passages obscurs et non expliqués de la Torah n'en ont pas moins une signification : toutes les générations, peuvent, grâce à leur propres sages et à leur maîtres, se mesurer à eux. La Loi orale est donc une interprétation nécessaire, une règle qui nous protège. Malgré l'exil et la dispersion tout au long des siècles, la parole des maîtres est restée relativement homogène quant au fond, et tous les Juifs du monde ont ainsi pu suivre la même Loi orale : n'est-ce pas là une preuve suffisante de vérité ? On ne peut guère en effet considérer comme significatives les différences existant dans la pratique des rituels et dans la prière, conclut Léon de Modène. Le rabbin, ne renonçant jamais à convaincre son interlocuteur, tente de se situer dans le cadre d'un débat mené au sein du monde juif sans jamais céder à la tentation excommunicatrice. Son désir est de réaffirmer le pouvoir rabbinique, la validité de la Loi orale.

Est-il possible qu'il ait été à ce point ambivalent et paradoxal, en équilibre entre l'orthodoxie et l'hétérodoxie, qu'il ait soutenu, dans *Kol Sakhal*, exactement le contraire de ce qu'il avait affirmé dans *Maghen we-Zinah* ?

A ce propos, certains commentateurs ont cru reconnaître dans le premier ouvrage l'œuvre perdue d'Uriel da Costa, *Examen das tradiçoens phariseas*, sans doute remaniée et réadaptée par Léon de Modène lui-même. Da Costa, né à Oporto, en 1581, d'une famille marrane, avait été un fervent catholique avant de revenir au judaïsme. Redevenu juif, ses écrits hérétiques lui avaient cependant valu d'être excommunié ; il se suicida en 1640 après avoir fait publiquement acte de contrition. Il n'est pas impossible qu'il ait suscité la sympathie de Léon de

Modène, sinon pour toutes ses idées, du moins pour une partie d'entre elles.

S'adressant, dans son testament, à celui qui prononcerait son éloge funèbre, Léon le prie de relever « qu'il n'a jamais appartenu au parti des hypocrites, et que le fond de son cœur était limpide, qu'il a craint Dieu et combattu le mal, encore plus dans le secret qu'il ne l'a fait publiquement ». Jusqu'à son dernier soupir, Léon conservera son ambiguïté. Dans son autobiographie il se définit du reste lui-même comme un anachronisme vivant. Ce fut un Juif de la Renaissance, né cependant trop tard et qui dut se mesurer à la Contre-Réforme en même temps qu'il fut le témoin de profondes mutations.

Le XVIIᵉ siècle fut une époque de croissance économique rapide, accompagnée d'une évolution intellectuelle qui transforma la vieille société à caractère médiéval, dans ses aspects idéologiques et religieux. Le rapport de l'homme avec Dieu subit lui aussi un changement radical et, bien que de manière quelque peu approximative et schématique, on peut affirmer que, conformément à l'air du temps, l'idée d'une divinité omnipuissante, régissant intégralement la vie humaine, fut supplantée par le concept d'un Dieu « constitutionnel », lié aux lois de la nature. Spinoza avait eu, quant à lui, la coupable audace d'aller jusqu'à l'élimination du Dieu personnel des Juifs pour lui substituer une vision panthéiste de l'harmonie de la nature.

Le judaïsme du XVIIᵉ siècle, fruit des anciens enseignements talmudiques qui avaient mis en place un certain nombre de défenses et de « garde-fous », eut donc à se mesurer avec les idées nouvelles, alors même que s'accentuait, au sein du Ghetto, la résistance à toute nouveauté, et particulièrement lorsqu'elle provenait d'ailleurs. Il était donc dans l'ordre des choses que le rabbinat officiel, conservateur, vieilli, fasse l'objet d'une remise en question. Ce ne fut certes pas un hasard si les poussées centrifuges les plus marquées se produisirent à Amsterdam, centre dynamique du nouveau capitalisme : les nouveaux arrivants contestaient l'autorité de la Loi orale, codifiée dans la Mishnah et dans le Talmud par la longue tradition du débat rabbinique.

Il se trouva, en Italie aussi, des hérétiques pour s'élever contre la Loi orale et la suprématie des rabbins, mettant ainsi en péril l'orthodoxie, déjà consolidée, des Juifs nés dans ce pays. Les arrêts de bannissement promulgués par les chefs de l'Assemblée communautaire sont éloquents : « Ils entendent à présent le bruit terrible de notre courroux, ces hommes qui insultent les messagers de Dieu, les sages, les interprètes de la parole divine autorisés par les versets des Écritures... Peu nombreux sont, sur nos terres comme à l'étranger, les pécheurs, les scélérats, qui osent nier la parole des sages et leurs interprétations allégoriques, et les considèrent comme dépourvues de valeur. Si leur lèpre était contenue à l'intérieur de leurs maisons et ne se propageait qu'entre eux, nous pourrions encore conserver notre quiétude puisqu'ils ne causeraient de tort qu'à eux-mêmes, à leurs âmes et à leurs esprits perdus, et que le châtiment qui leur est réservé, dans ce monde comme dans l'autre, pourrait nous paraître suffisant. Mais nous entendons le sifflement terrible de leurs voix venimeuses... telle une bande de prophètes... ils vont par les rues de la ville pour tenter de convaincre avec leurs mots. Ils pensent être de ceux que l'on place très haut en Israël... ils considèrent la Torah comme une tromperie et le sage, à leurs yeux, est celui qui raille la parole des sages... ils abattent les barrières placées devant la Torah. Ils considèrent les mots des sages comme vides de sens. Ils sont persuadés d'être les uniques détenteurs du salut... » Ce bref extrait suffira très certainement à nous donner la mesure de l'importance que pouvait, à cette époque, revêtir l'identification de l'auteur de *Kol Sakhal*. Le scandale eût été immense si la paternité présumée de Léon de Modène avait pu être effectivement démontrée.

Œuvre d'un auteur anonyme et inconnu, ou bien fruit d'un travail de réécriture du rabbin vénitien, fait dans le but de combattre l'hérésie ou encore témoignage d'une embardée idéologique inavouée autant qu'inavouable, *Kol Sakhal* constitue en tout cas une dure attaque contre le judaïsme officiel. Dans sa réponse, Léon de Modène répliquera durement à son auteur : si l'on peut, à l'extrême limite, accepter une discussion sur les principes généraux, l'accusation de détourner le sens de la Torah portée contre les rabbins est en revanche inadmissible. La Torah n'est pas un document humain, mais, ayant été donnée par Dieu, la moindre de ses lettres est chargée de signification et nécessite, pour être comprise, l'apport de la Loi orale, élaborée par les rabbins au cours des siècles de réflexion.

Malgré certaines incertitudes et malgré leurs horizons différents, les historiens du XIXe siècle, Isacco Reggio de Gorizia, Abraham Geiger de Breslau, et Libowitz, auteur, comme Geiger, d'une biographie de Léon de Modène, ont toujours estimé que les deux œuvres (*Kol Sakhal* et *Shaagat Arieh*) étaient complémentaires, apportant de nombreuses preuves à leurs affirmations, fondées tant sur le style que sur les idées. Reggio suggéra même que le premier opuscule pouvait constituer une provocation délibérée contre le rabbinat, faite de façon à ne pas avoir à en subir les conséquences.

L'historien américain Rivkin, auteur de l'ouvrage *Léon de Modène et Kol Sakhal*, publié aux États-Unis en 1952, a soutenu pour sa part une thèse diamétralement opposée à celle de Reggio, se montrant particulièrement sceptique quant à l'interprétation suivante donnée par Reggio à certaines phrases ambiguës de Léon de Modène : « La réfutation que j'ai écrite contre l'œuvre hérétique *Kol Sakhal* et intitulée *Shaagat Arieh* n'est pas du tout une réfutation, puisque ce n'est qu'en apparence qu'il semble que je rugisse dans ce travail. La voix que vous entendez dans *Kol Sakhal* n'est pas la voix d'un fou, mais la véritable voix de Léon. » Le titre contiendrait ainsi, selon Reggio, deux mensonges : la réfutation n'en est pas une et l'hérésie n'est pas la création d'un fou.

Léon de Modène aurait ainsi été l'auteur de deux œuvres antithétiques dans lesquelles il détruisait ce qu'il voulait soutenir en même temps qu'il défendait ce qu'il cherchait à détruire. Faut-il voir là l'extrême modernité d'un homme du XVIIe siècle ou, plus prosaïquement, les contradictions d'un joueur invétéré, à la personnalité dédoublée, et qui se trouvait en état de conflit intérieur permanent ? Rivkin, qui s'est efforcé d'établir une distinction entre Léon de Modène et l'auteur anonyme, recense pour sa part de très nombreuses contradictions entre les deux textes. Ces incohérences formelles (concernant la liturgie, les rituels, les prières chorales) n'apportent cependant pas une conclusion décisive à ce débat.

Léon de Modène a sans doute été le premier

érudit juif qui se soit soucié d'exposer et de faire connaître les coutumes juives avant que de les interpréter. Cela apparaît aussi bien dans ses écrits qu'à travers les rapports intenses entretenus avec le monde non juif et ses nobles, ses prélats, ses ambassadeurs, ses intellectuels, catholiques ou autres.

Moisé Soave nous fait le récit des dernières années de Léon de Modène : « ... Atteint d'asthme, il changeait souvent de demeure ; il était tourmenté jour et nuit par sa femme qui, ne possédant d'autre partie saine en son corps que sa langue, en faisait abondamment usage, au point que le malheureux vieillard en éprouva un grand dégoût de la vie ; il crut par deux fois sa dernière heure arrivée, et dut cependant, à l'âge de soixante-quatorze ans, partir pour Ferrare se quereller avec les beaux-frères de l'une de ses filles pour obtenir la restitution d'une dot — qui lui fut rendue. »

Il rédigea ses dernières volontés en 1648, vendit un certain nombre de livres, en offrit à son neveu Isaac ainsi qu'à quelques parents. Il mourut à la fin du mois de mars 1648, à l'âge de soixante-dix-sept ans, après une maladie de quatre mois.

Il avait exercé, tout au long de sa vie, vingt-six activités différentes : 1) Il avait eu des élèves juifs ; 2) Des élèves non juifs ; 3) Il avait donné des cours d'alphabétisation ; 4) Il avait prêché ; 5) Écrit des sermons pour d'autres ; 6) Il avait été le chantre de la communauté juive de Venise ; 7) Il avait écrit pour les différents groupes de cette communauté ; 8) Exercé des fonctions rabbiniques ; 9) Prononcé des sentences religieuses ; 10) Exercé le métier de juge ; 11) Il avait été maître d'une yeshivà ; 12) Il avait obtenu le titre de rabbin haver ; 13) Entretenu une correspondance suivie avec les communautés étrangères ; 14) Il avait composé des morceaux de musique ; 15) Écrit des poèmes pour mariages et pierres tombales ; 16) Des sonnets en italien ; 17) Des comédies ; 18) Avait enseigné l'art de les représenter ; 19) Il avait réécrit des manuscrits ; 20) Il avait été traducteur ; 21) Imprimeur ; 22) Correcteur d'épreuves ; 23) Il avait étudié puis enseigné l'art d'interpréter les amulettes ; 24) Il avait vendu des livres et des amulettes ; 25) Il avait été médiateur lors de transactions commerciales ; 26) Il avait arrangé des mariages.

Ce fut lui-même qui écrivit le texte de l'épitaphe destinée à être gravée sur son tombeau. En voici la traduction de l'hébreu : « Paroles du défunt / Quatre brasses de terrain dans cet espace clos / A titre de possession pour l'éternité / Furent acquises d'En-Haut pour Jehuda Leone / da Modena. Sois bienveillant à son égard (ô Seigneur) et accorde-lui la paix. »

Il écrit encore dans son testament : « Aujourd'hui, mardi 3 Sivan 5394, ma tête et mes membres sont engourdis et je sens m'envahir une faiblesse qui me remplit de craintes sur mon avenir... La base de mon cercueil devra être quadrangulaire et celui-ci ne devra pas être évasé. Il n'y sera mis que les livres, imprimés ou manuscrits, écrits par moi. On prendra soin à ce qu'aucun manuscrit ne parvienne entre les mains de non-Juifs et on ne prendra donc que les grands livres, bien reliés. Derrière ma dépouille, les *Hazanim* se garderont de chanter des admonestations adressées à d'autres, ils se contenteront d'un passage du livre des Psaumes " Je lèverai mes yeux vers les montagnes... " ou bien " Celui qui réside dans le mystère du Seigneur ", dont la composition musicale est de mon neveu Isacco Levi... On veillera également à réciter quelques-unes de mes interprétations originales de versets bibliques ainsi que certains passages de mes écrits. On m'enterrera face à l'entrée du cimetière, du côté de la sortie vers les champs, près de ma mère, de mon fils, de mon grand-père et de mon oncle. Je souhaite que l'on tourne plusieurs fois autour de mon cercueil à la façon des Levantins. Je demande à ce que mon fils Isaac se rende, une année durant, à la synagogue italienne pour réciter le *Kaddish.* »

Il nous reste de l'érudit rabbin l'inventaire de ses biens — seul inventaire d'un Juif vénitien à cette époque, selon l'historien Clemente Ancona. Publié par sa fille Diana, dans le but, semble-t-il, d'apaiser les créditeurs, il a ensuite été conservé aux archives d'État de Venise. En dehors d'une liste de misérables objets courants tels qu'une litière en fer, « deux matelas fourrés de paille, quelques draps et trois chemises d'hommes usagées », ce document, particulièrement intéressant, nous livre les titres de tous les ouvrages du rabbin, juifs et non juifs, en sa possession : des textes religieux, concernant la doctrine, la Cabale, les rituels et les préceptes juifs, mais aussi des livres sur les horloges, les prédications de Savonarole, une copie du *Decameron* de Boccace, des traités de cosmographie, pour n'en citer que quelques-uns.

Personnalité fort controversée de son temps, Léon de Modène ne l'est pas moins de nos jours. Doué d'un immense talent de polémiste et de ressources potentielles considérables, il ne parvint jamais à les exploiter jusqu'au bout et en épuisa au contraire une grande partie au jeu. Longtemps enseignant, il n'en retira aucune joie, n'aimant que l'écriture.

Même la correction des épreuves lui était insupportable.

Le milieu dans lequel il évolua apporte sans doute quelque explication aux multiples aspects de sa personnalité, souvent inconciliables. D'une curiosité sans limites, il s'opposa à la Cabale tout en croyant aux amulettes et à l'astrologie. Profondément attaché au judaïsme, il n'en resta pas moins à l'écoute du monde extérieur, faisant preuve du plus grand intérêt pour les origines du christianisme. Il tenta souvent de concilier la tradition juive et la culture de Venise, ville qu'il aimait, dont il ne s'éloigna que par nécessité et qu'il retrouva invariablement. La diversité même de ses intérêts l'incita à assumer des positions d'une grande tolérance. Ce fut un homme intelligent, dépourvu de tout préjugé, souvent sarcastique, et qui ne craignit point de révéler ses contradictions au grand jour.

14

Sara Coppio Sullam, la poétesse

L'échange de lettres avec Ansaldo Cebà. — La controverse avec Baldassarre Bonifacio sur l'immortalité de l'âme. — Le Codice *de Giulia Soliga.*

« D'une extrême beauté, Sara avait des cheveux blonds et le regard doux... mais sa constitution était délicate et elle était affligée de fréquentes maladies. » C'est ainsi qu'Emanuele Antonio Cicogna, célèbre historien spécialiste de Venise, décrit au XIXᵉ siècle Sara Coppio Sullam, singulière figure de femme, poétesse, lettrée, ayant vécu dans le Ghetto vénitien entre la fin du XVIᵉ et le début du XVIIᵉ siècle.

Sara épousa en 1612 Giacobbe Sullam et se distingua par certaines polémiques littéraires, véritable miroir, au-delà de la vie culturelle du Ghetto, de la culture du début du XVIIᵉ siècle.

Son échange de correspondance avec Ansaldo Cebà, gentilhomme génois, poète, traducteur de classiques et auteur d'un poème épique intitulé *La Reina Ester* 1615 suscita le plus vif intérêt. L'échange dura quatre années, au cours desquelles les deux poètes ne se rencontrèrent jamais.

En mai 1618, Sara avait été la première à écrire à Cebà, exprimant sa curiosité autant que son admiration pour l'auteur du poème, et souhaitant l'établissement d'une relation épistolaire. Cebà accepta immédiatement, exhortant son interlocutrice à lire le chant XIX de son poème, à réfléchir aux paroles de la reine Esther et à se convertir au christianisme. Il lui fit parvenir un sonnet, puis lui envoya, quelques mois plus tard, son portrait. Sara répondit en envoyant le sien accompagné d'un sonnet.

Aux exhortations de Cebà qui voulait lui faire découvrir les chemins de la religion chrétienne, Sara répondait : « Celui qui, séduit par le neuf, son vieux chemin délaisse, souvent s'égare puis pleure sa faiblesse. » Après quatre années de tentatives infructueuses, Cebà écrivit à Sara : « Si vous n'avez pas l'intention de vous convertir, suspendez votre plume ; car je ne pense pas utiliser la mienne à d'autres fins que celle-là. » Le long échange de lettres (Cebà en avait écrit cinquante-trois) s'interrompit donc, brisant le lien entre la jeune Juive vénitienne et le vieux noble génois, que tout séparait, à commencer par l'âge, puisqu'il y avait entre eux un écart de trente années. L'année suivante paraissait, chez l'éditeur Giuseppe Pavone, le premier volume des *Lettere di Ansaldo Cebà, scritte a Sara Coppio e dedicate a Marco Antonio Dorio* (« Lettres d'Ansaldo Cebà à Sara Coppio, dédiées à Marco Antonio Dorio »). Il nous reste de ce recueil rarissime une copie à la Biblioteca del Civico Museo Correr à Venise. Des lettres de Sara, nous ne conservons en revanche pas la moindre trace : il n'est pas impossible que Cebà les ait toutes détruites.

Ces lettres, bien que situées dans le prolongement d'une tradition littéraire établie, ne pouvaient pas

274

passer inaperçues des historiens : comment la jeune Sara avait-elle pu tenir si longuement tête au fin renard qu'était Cebà ? De quelle aide avait-elle bénéficié, puisque l'un de ses amis, le moine Angelico Aprosio, ne la croyait certes pas capable d'une telle ingéniosité ? Cicogna supposa que l'instigateur secret de tant de sagacité pouvait bien être un certain Numidio Paluzzi, prosateur et poète admis au salon littéraire de Sara. Moisè Soave n'eut pour sa part aucun doute : c'est en Léon de Modène, ami de Sara, qu'il faut voir l'inspirateur de sa doctrine, ainsi que de ses réponses doctes, prudentes, mais vives. En réalité aussi bien Cebà lui-même, qu'un prêtre trévisan, du nom de Baldassarre Bonifacio, avaient subodoré, derrière la blonde et audacieuse Sara, la présence de l'érudit rabbin. Nous savons en tout cas que celui-ci fréquentait le salon littéraire de Sara et qu'en 1619 il publia à Venise la tragédie *Ester* de Salomon Usque, après l'avoir largement modifiée, la dédiant à la poétesse.

En 1621, Sara Coppio Sullam dut se mesurer à Baldassarre Bonifacio, archidiacre de Trévise puis évêque de Capodistria (1584-1659), qui avait fréquenté assidûment le cénacle de Sara avant de devenir l'un de ses détracteurs les plus acharnés. Dans son *Discorso sull'immortalità dell'anima*, publié à Venise en 1621 par Antonio Pinelli, Boniface accusait Sara d'hérésie et d'avoir nié l'immortalité de l'âme. Comme le Saint-Office représentait à ce moment-là une réelle menace, Sara Coppio fut contrainte de réagir promptement, ce qu'elle fit en publiant le *Manifesto di Sara Coppio, Hebrea* (« Manifeste de Sara Coppio Sullam, juive »), dans lequel elle réprouve et abhorre l'opinion tendant à nier l'immortalité de l'âme, qui lui a été faussement

275

attribuée par Mgr Baldassarre Bonifaccio. L'ouvrage est dédié à la mémoire de Simon Coppio, son père vénéré. Il est également publié chez Pinelli, en 1621, in octavo. C'est là la seule œuvre imprimée de Sullam qui nous soit parvenue intégralement.

D'autres informations concernant la vie de Sara Coppio Sullam nous sont fournies par le moine Angelico Aprosio : il était arrivé à Venise un Français, qui, apprenant la réputation de Sara et de son salon, n'eut de cesse d'y être introduit. Numidio Paluzzi, conseiller et maître de Sara, se rendit compte qu'elle avait été frappée par l'étranger et songea à en tirer profit. Il fit rédiger une fausse lettre dans laquelle le Français supposé lui révélait ses amours « qu'il avait tenues secrètes » et lui demandait une réponse immédiate qui devait arriver à Paris en quelques heures, grâce à certains artifices magiques. La poétesse se laissa prendre au piège et suivit scrupuleusement, selon la version de frère Aprosio, les suggestions de son conseiller, à qui elle remit quatre cents écus d'or pour acheter des cadeaux et payer un portrait commandé au peintre Berardelli. Paluzzi lui garantissait que le tout arriverait à Paris « grâce à un esprit aérien qui ne mettrait guère plus de trois heures pour effectuer le trajet entre Venise et la France ». Cet épisode figure également dans un manuscrit dit *Codice di Giulia Soliga*, actuellement conservé à la bibliothèque Correr et qui appartient au bibliophile vénitien Cicogna précédemment mentionné.

Paluzzi, déchu de sa charge de secrétaire auprès d'un noble vénitien en raison de son ignorance et de son arrogance, avait été secouru par Sara qui, le voyant en haillons, lui avait fait donner des habits, un logement et un salaire de six sequins par mois,

« lui faisant parvenir matin et soir force provisions aussi bien pour lui que pour son famélique serviteur ». Soligo rapporte que, six ans plus tard, Paluzzi avait soudainement abandonné sa charge et qu'avant de quitter Venise pour le Frioul « il avait tranquillement emporté tout ce que sa patronne avait déposé dans sa maison, non sans lui avoir auparavant fait débourser le salaire de trois mois, et sans même lui faire ses adieux, il avait pris la fuite ; le méfait avait coûté à Sara plus de deux cents ducats. L'aventure frioulane échoua toutefois et Paluzzi revint à Venise, plus misérable que jamais ; la poétesse l'accueillit une nouvelle fois chez elle, le soigna, lui donna une chambre voisine de la sienne, et le confia aux soins de Paola, la Frioulane, la meilleure de ses domestiques, qu'elle considérait comme une mère. Celle-ci se mit cependant, avec la complicité de la Mora, une négresse marrane de Grenade, à la dévaliser systématiquement, accusant un imaginaire esprit aérien. Paluzzi vint s'installer chez Paola, s'associa aux deux femmes, et, s'imaginant qu'il possédait là un terrain de chasse privilégié pour ses chiens, entra à son tour dans l'infâme concert, volontiers accepté par les deux femmes qui espéraient bien, à l'abri de son autorité, accomplir de grandes choses, ce à quoi elles parvinrent en effet. » La pauvre poétesse, confiante dans les personnes auxquelles elle avait fait tant de bien, et curieuse envers tout phénomène possédant des caractéristiques magiques et extra-terrestres, tomba dans le piège qui lui était tendu et qui, avec la complicité de Berardelli et des trois filles de la Frioulane, prit une ampleur considérable. Soliga nous dit : « Il n'était d'écrin qui résistât, de caisse qui ne s'ouvrît, d'armoire qui ne fût éventrée, toutes les serrures, toutes les portes cédèrent devant l'esprit aérien... les bracelets autour des bras, les chaînes autour du cou, les ceintures serrées aux flancs, les anneaux passés aux doigts, plus rien ne fut en sécurité... » Les mystifications se multiplièrent jusqu'à prendre des proportions démesurées, puisqu'en effet les voleurs ne trouvaient guère de résistance sur leur chemin. Ils dérobèrent des bijoux et des objets domestiques et, la poétesse ne donnant aucun signe de suspicion, ils montèrent l'affaire des lettres avec le prince français telle que la décrit le témoignage du moine Aprosio.

Soliga écrit encore : « Dieu voulut qu'une duperie aussi indigne soit révélée au grand jour, et lorsque la poétesse se rendit compte du méfait elle en appela à la justice et s'en plaignit en privé et en public, si bien que ces brigands firent circuler certains écrits infâmants à son égard. » Paluzzi et Berardelli, suite à la plainte de Sara devant les Seigneurs de la nuit (*La Quarantia al Criminal*), avaient, pour se venger, distribué des satires infâmantes dites *sarreidi*.

La partie centrale du *Codice di Giulia Soliga* est consacrée à un procès imaginaire contre Paluzzi devant le tribunal d'appel du Parnasse. Sous la présidence d'Apollon, ce tribunal où siègent d'éminentes personnalités d'hommes de lettres et d'hommes politiques, convoquera l'esprit de Paluzzi afin qu'il rende compte de ses méfaits.

Sara Coppio Sullam mourut emportée par des « fièvres » en mars 1641. On gravera sur sa pierre tombale, en vers hébraïques, l'épitaphe dictée par Léon de Modène et traduite au XIXe siècle par Moisé Soave :

Ci-gît l'estimable Sara
épouse du vivant
Jacob Sullam :
L'ange exterminateur décocha son dard,
et la blessa mortellement.
Sage entre toutes les femmes,
soutien des gens sans réconfort,
Les miséreux trouvaient en elle une compagne, une amie.
A présent irrémédiablement proie des vers,
Le jour prédestiné Dieu dira pourtant, dans sa bonté :
Reviens, reviens, ô Sulamite.
Elle cessa de vivre le sixième jour[1]
5 adar 5401 de l'ère juive.
Puisse son âme jouir de la béatitude éternelle.

1. Vendredi.

15

Simone Luzzatto ou de la cohérence

Luzzatto et le mythe de Venise. — Le Discorso circa il stato de gl'Hebrei et in particolare dimoranti nell'inclita città di Venezia. — *Le destin du* Discorso.

Isaac Abrabanel, David de Pomis et Simone Luzzato — ce sont là les noms de trois Juifs vénitiens qui, sur une période de cent cinquante ans, contribuèrent de manière particulièrement active à renforcer. le mythe de Venise. Nous nous souvenons qu'Abrabanel était arrivé à Venise au début du XVIe siècle, après avoir erré dans de nombreux ports de la Méditerranée, alors que le Ghetto n'existait pas encore ; quant à Pomis, chassé de Pérouse par l'intolérance papale, il avait trouvé dans la lagune honneurs et hospitalité, bien que le souvenir des événements de Lépante fût à ce moment-là encore très vivace. On comprendra donc qu'ils aient tenu à rendre hommage à leur nouvelle patrie. Tel ne fut pas le cas de Luzzato, Juif ashkénaze, appartenant au groupe fondateur du Ghetto, et qui, bien qu'ayant repris à son tour, à l'aube du XVIIe siècle, les louanges du mythe vénitien, avait déjà décelé les signes avant-coureurs d'une décadence qu'il entendait conjurer par l'élaboration d'une théorie économique originale. Elle avait le mérite de renforcer la vision idéale tout en mettant en lumière le lien indissoluble entre les Juifs vénitiens et la cité lagunaire.

Le mythe de Venise, auquel Abrabanel et Pomis avaient donné une dimension métaphysique, fut en effet réinterprété par Luzzatto sur la base de considérations historico-politiques et des réalités économiques de son temps. Nourri par la culture de la Renaissance, Luzzatto fait continuellement référence à Machiavel, à Paruta et à la théorie de la raison d'État, tout en citant les classiques, Platon, Aristote ou Tacite, et, s'il exprime ses idées politiques avec sensibilité et passion, Luzzato sait aussi faire preuve de rationalité et de mesure.

Il écrivit le *Discoso circa il stato de gl'Hebrei et in particolare dimoranti nell'inclita città di Venezia* («Discours sur la condition des Juifs et en particulier de ceux demeurant dans l'illustre cité de Venise») dans le but de convaincre le lecteur, sur la base de données concrètes, de l'utilité de la présence des Juifs.

Luzzato enrichit l'idée messianique d'une signification politique en donnant à l'existence juive en diaspora le sens machiavélien de nécessité ou bien encore en soulignant que l'homme n'est pas uniquement l'expression d'un libre arbitre, mais qu'il subit la pression de la lutte pour la survie. L'écho de Machiavel se retrouve encore dans le passage où il demande, introduisant une analogie clairement humaniste, que soient préservés les restes de la nation juive, au même titre qu'une pièce archéologique, une statue de Phidias par exemple.

Abrabanel et Pomis s'étaient contentés de souligner la parenté et les affinités entre la constitution de Moïse et celle de Venise exprimant par là une vision statique, immuable dans le temps ; Luzzatto, qui reflète les nouvelles exigences de la société marchande du XVIIᵉ siècle, nous propose quant à lui une vision dynamique, en harmonie avec les nécessités de son époque : les véritables protagonistes de la grandeur et du déclin de la ville sont l'économie et la politique. Le rabbin vénitien met l'accent sur l'aptitude particulière de la République à la stabilité, la manière exemplaire dont la justice y est rendue, la rigueur de ses lois, contrastant avec les pratiques de l'époque, mais il attribue cette situation de prospérité moins à des causes métaphysiques qu'à la bonne marche de l'économie et à la gestion convenable de la chose publique. Passant en revue les causes de la grandeur de la République Sérénissime, les symptômes de sa décadence, les remèdes possibles, il démontre, par inférence, l'importance vitale du rôle des Juifs à Venise. C'est en cela que réside l'originalité de son œuvre, et que Luzzatto se révèle homme du XVIIᵉ siècle, des temps modernes et de la science nouvelle.

Le *Discorso* semble constituer une réaction à certains événements sensibles vécus par la communauté juive vénitienne. John Toland, soutenant le parti favorable à la naturalisation des Juifs britanniques en 1714, avait fait allusion à des problèmes auxquels avaient été confrontés les Juifs de Venise vers la fin des années 1630. On se souviendra en effet qu'en septembre 1635 un vol de marchandises avait été commis dans le quartier de la Merceria, suscitant bien des esclandres ; le scandale atteignit son paroxysme au moment où l'on découvrit une partie du butin dans le Ghetto. On arrêta les coupables, parmi lesquels certains Juifs, ainsi que des nobles haut placés et des juges soupçonnés de corruption. L'affaire, ponctuée de nombreux coups de théâtre, de révélations vindicatives, prit bientôt des proportions hors du commun ; les polémiques et les conflits atteignirent la communauté juive dans son ensemble, au point que celle-ci se sentit menacée. Le conseil des Dix et le doge Francesco Erizzo nommèrent trois intermédiaires qui devaient tenter de désamorcer le processus d'expulsion des Juifs des territoires vénitiens, de réduire l'agitation dans les rues de la ville et d'apaiser les esprits : on fit venir de Vérone Shemuel Meldola, connaissance personnelle du doge, la communauté désigna Simone Luzzatto, chef de la yeshivà du Kahal Kadosh de Venise, ainsi que Israël Conigliano, ami intime du ministre Marco Giustiniano.

Simone Luzzatto était alors le grand rabbin de Venise. Né en 1583, il s'était forgé dès les premières années du XVIIe siècle une réputation indiscutable et ses avis sur de nombreuses questions d'ordre religieux faisaient autorité. Il possédait une vaste culture, débordant largement du cadre strictement hébraïque : Joseph del Medigo le louait pour sa profonde connaissance des mathématiques et Giulio Morosini (Juif converti dont le nom avait été Samuel Nahmias) reconnaît, dans son pamphlet antijuif *Via della fede* (« Le chemin de la foi »), que son savoir et son éloquence lui valaient d'être connu et respecté autant au sein du Ghetto qu'à l'extérieur.

Luzzatto trace les grandes lignes de son apologie dans sa préface au *Discorso*, publié à Venise en 1638

283

par Giovanni Colleoni, déplorant que « la nation juive illustre et glorieuse par le passé soit à présent déchue » et « qu'elle manque cruellement des doctrines et de l'érudition qui lui eussent permis de s'exprimer, de se présenter au jugement sincère des hommes de sagesse et de se défaire ainsi de la réputation infâme de nation mendiante que le temps lui a forgée ». L'intention du rabbin vénitien est de rendre évidents « certains bénéfices tirés par l'Illustre Ville de Venise de la présence des Juifs », non point pour valoriser ceux-ci de manière excessive, mais « simplement pour démontrer que la communauté juive n'est aucunement inutile parmi les autres habitants de ladite cité et aussi pour révéler à ceux moins versés dans les affaires du monde les motifs qui incitent la très sage et la très juste République à donner au peuple juif un domicile sûr et à le défendre des insultes extrêmes. »

Faisant allusion aux récentes réactions hostiles à l'égard du Ghetto, il écrit que, même dans un terrain bien cultivé, on peut trouver de l'ivraie au milieu du bon grain et que le paysan n'en abandonne pas son champ pour autant. Dans sa défense du rôle des Juifs à Venise il affirme : « D'aucuns exagèrent les délits commis par quelques-uns d'entre nous, comme s'il s'agissait là de désastres intolérables, de calamités insupportables, alors que les bénéfices ordinaires dus à la communauté juive sont considérés comme des choses insignifiantes et ne semblent pas être pris en compte. Les Juifs apportent à l'illustre ville de Venise un bien-être certain et méritent par conséquent d'être reconnus comme une partie intégrante de son peuple. »

Rappelant les conceptions des premiers philosophes grecs, notre auteur écrit encore : « Qu'il soit ainsi permis au peuple juif de se comparer aux atomes de Démocrite... Les règnes sont semblables à la Voie lactée qui apparaît à nos yeux comme un amas d'étoiles minuscules, dont chacune est invisible à nos yeux mais qui, réunies, donnent à l'ensemble tout son éclat et sa lumière ; il en va de même pour les grands empires, constitués grâce au rassemblement d'individus appartenant à des populations diverses. » La communauté juive est l'une de ces étoiles minuscules, mais son importance dans l'économie de la République Sérénissime est grande : la multiplicité des droits qu'elle acquitte libère le peuple de la charge des impôts ; l'expérience enseigne en effet que, dans les villes où le commerce est florissant, le peuple est en grande partie exonéré de taxes exorbitantes. Il rappelle la grandeur de Venise, dont il fait l'éloge « puisque ses gouvernants ont pour coutume de taxer l'industrie des hommes et non point leurs vies, de châtier les vices et non point d'en tirer profit, ce qui est dû principalement à leur modération, mais aussi, de façon non négligeable, aux revenus du commerce maritime ».

Dans la première des dix-huit considérations autour desquelles est articulé le traité apologétique, le rabbin fait bien appel à l'esprit de tolérance, mais au nom d'une motivation économique, « puisque la ville tire de l'activité des Juifs des bénéfices de nature différente et que l'on peut classer en cinq catégories : accroissement des droits d'entrée et de sortie ; importation de marchandises en provenance de pays lointains, répondant tant aux nécessités des hommes qu'aux agréments de la vie civile ; abondance de matière première, de laine et de soie, par exemple, permettant aux artisans de travailler (ce qui contribue grandement au maintien de l'ordre et de la sérénité, car n'ayant pas à s'inquiéter de leur subsistance matérielle, ceux qui travaillent sont à l'abri de pulsions incontrôlées) ; exportation, qui permet l'écoulement de toute la production manufacturée et élaborée en ville ; commerce et échange réciproque, fondements de la paix et des rapports de bonne entente entre pays voisins. Autant d'activités, observe Luzzatto, dans lesquelles les Juifs sont profondément impliqués, « employant leur industrie autant que leurs biens ». Certains prétendent que les Juifs ne sont pas réellement des importateurs, mais occupent des espaces qui ne sont pas les leurs, et causent ainsi du tort aux citoyens chrétiens de la ville. Ils ajoutent que ce ne sont pas les Juifs qui font prospérer le commerce vénitien, car Venise possède déjà toutes les conditions favorables aux échanges, bénéficiant d'une enviable situation géographique, de la proximité de fleuves navigables, de liaisons routières commodes, de liberté et de sécurité dans la vie quotidienne, ainsi que d'un haut niveau de compétence technique. Luzzatto prend acte de toutes ces observations, mais propose malgré tout, dans sa seconde considération, une explication sur la raison qui fait qu'une grande partie du trafic marchand à Venise soit entre des mains étrangères. Le métier de marchand, utile pour celui qui le pratique et bénéfique pour la ville, est néanmoins très éprouvant et présente, tant pour les personnes que pour les marchandises, un certain nombre de dangers. Le marchand aspire donc, après une période de dur labeur, à un repos mérité et acquiert des biens stables : ce n'est pas sans raison que, dans les villes marchandes, qui s'enrichissent grâce au commerce, poussent de somptueux palais, richement décorés. Ainsi, plus les richesses d'une ville s'accroissent et moins ses habitants ont le désir de parcourir les mers, laissant la place aux étrangers qui fuient les misérables conditions rencontrées ailleurs. Il est loin le temps où Quirini, Da Mosto, Barbaro, Marco Polo entreprenaient d'audacieux voyages vers l'Orient et l'Occident, vers le Nord et le Sud, jusqu'en Moscovie et en Tartarie : les Vénitiens préfèrent désormais leurs campagnes et la culture des champs, ils ont perdu le goût de s'exposer aux vents et aux coups du sort. Les Français et les Anglais, les Flamands et les Génois ont pris leur place dans les échanges avec l'Orient, la Dalmatie jusqu'à Constantinople. La croissance d'une ville est semblable à celle d'un corps qui se nourrit, grandissant tout d'abord, avant de se stabiliser à un certain niveau et de commencer, lentement, à se dégrader : les citoyens devenus opulents songent davantage à dépenser leurs richesses qu'à en produire de nouvelles ; c'est alors que surviennent les étrangers : ils gagnent de l'argent et puis rentrent chez eux pour jouir du bénéfice de leur activité, ce qui est fort dommageable pour la ville qui perd de sa substance et de sa richesse. Que faire alors ? Accueillir les étrangers en ville ? Ce n'est pas toujours facile, ni possible. S'y opposent leur amour de leur patrie lointaine ainsi que leur aspiration à terminer leurs jours au pays de leur naissance. Pour attirer durablement les Français, les Génois, les Allemands, il faudrait leur donner la possibilité d'acquérir des maisons et des terrains aux mêmes conditions que les citoyens vénitiens. Les marchands, devenus riches, ne se contenteraient pas de simples possessions, mais seraient amenés à demander de nouvelles prérogatives, des charges, des titres, des propriétés, et tout cela dans le but fort naturel de rendre leur condition plus brillante. Tous ces inconvénients peuvent être palliés par les Juifs qui « ne possèdent pas de patrie vers laquelle ils pourraient désirer transférer les richesses accumulées à Venise ; ils n'ont pas la faculté d'acquérir des biens immobiliers et, s'ils l'avaient, il ne serait point dans leur intérêt de geler ainsi leurs avoirs ; ils n'aspirent à aucune dignité, à aucun titre ou domaine que ce soit et, une fois acceptés dans une ville, ils adoptent la ferme résolution de ne plus la quitter ». La conclusion s'impose, naturelle : les Juifs conviennent mieux à la ville de Venise que tout autre étranger.

Mais les Juifs sont-ils réellement adaptés au commerce ? Dans sa quatrième considération, Luzzatto, sur la base d'observations en partie psychologiques en partie anthropologiques, apporte de nombreux arguments en faveur de sa thèse. « Là où les Juifs trouvent une demeure, le commerce ne tarde pas à fleurir, comme peut en attester le cas de Livourne, et du reste l'on se souvient à Venise que le fondateur de l'escale de Spolète fut un Juif et que l'escale est depuis lors devenue la plaque tournante de tous les échanges à destination de l'Orient. » La stabilité politique de la République favorise l'investissement de capitaux provenant des familles de ses ressortissants, résidant dans d'autres villes et qui désirent placer leur argent en lieu sûr. Les Juifs, qui ne cultivent pas de terres, ne possèdent pas de vaisseaux, sont poussés au commerce par les conditions mêmes de leur existence : plus que tout autre, le Juif vénitien éprouve le besoin de faire voyager ses capitaux à travers le monde, non point uniquement vers les escales accessibles aux Vénitiens, mais surtout vers celles où justement ils n'arrivent pas car elles sont sous la domination turque et que les

Juifs sont souvent les seuls à pouvoir gagner la confiance des marchands d'en face, car ils sont, pour la plupart, juifs eux aussi.

La cinquième considération traite de l'obéissance des Juifs : « La nation juive est dispersée dans le monde entier, dépourvue d'un commandement, de toute protection, et se conforme promptement aux exigences formulées à son endroit. Lourdement imposée, elle ne proteste jamais, ni même n'exprime la moindre amertume. » Louant encore une fois la République vénitienne « mieux dirigée que toute autre », Simone Luzzatto observe que cette stratification interne si rigide et cette division stricte entre le petit peuple, les bourgeois et les nobles, ainsi qu'entre les diverses corporations et les arts de la ville, comporte de nombreux avantages : les arts maintiennent leur perfection et sont même améliorés de père en fils, atteignant une spécialisation toujours plus poussée ; la concorde règne parmi les gens du peuple car chacun connaît sa place et s'y maintient, et qu'il ne vient à l'idée de personne d'excercer le métier d'un autre, ce qui contribue à éviter la jalousie et le ressentiment ; divisé, le peuple est également plus soumis envers ses chefs, plus prompt à accepter leurs ordres et moins enclin à conspirer et à se soulever.

Comment est-il donc possible d'insérer dans une structure aussi parfaitement ordonnée que celle de l'État vénitien un corps potentiellement étranger, comme la communauté juive ne manquera pas d'apparaître à certains ? Les Juifs aussi, affirme Luzzatto, excercent une profession particulière, ils sont différents des artisans, des bourgeois ; de plus, ils ne sont pas habilités à posséder de biens immobiliers, il ne leur est donc pas possible de convertir leurs capitaux et, du reste, ils en ont constamment besoin afin de les investir dans leurs voyages.

« Dans le corps social, écrit le rabbin, le Juif peut être assimilé à cette partie du pied qui foule le sol, et qui, étant inférieure à tous les autres membres, ne pèse sur aucun d'entre eux mais, bien au contraire, les soutient. » Luzzatto insiste à plusieurs reprises sur le fait que les Juifs ne jouissent d'aucune autorité politique et, pour prouver ses dires, nous présente quelques chiffres, particulièrement fiables : « J'estime que la population juive à Venise se situe autour de six mille personnes. » Il calcule que les droits de douane acquittés pour les importations d'aliments est de quarante-huit mille ducats (soit huit ducats par personne). Il considère en outre que la présence juive à Venise a des retombées économiques, évaluées à trente-deux mille ducats, du fait des taxes acquittées indirectement par quatre mille personnes, soumises d'autre part à un impôt direct de l'ordre de soixante-dix mille ducats. A tout cela il faut ajouter l'impôt sur les banques, les impôts extraordinaires, les obligations afférentes aux logements des ambassadeurs et « l'on pourrait encore adjoindre quelques détails, comme la consommation du sel, quatre fois plus importante chez les Juifs, en raison de leur rite consistant à saler la viande pour en extraire le sang, qui leur est interdit... » Luzzatto parvient ainsi à une somme globale de deux cent cinq mille ducats, dont il essayera cependant, effrayé par son importance, d'atténuer l'impact ; il écrit ainsi : « Je ne prétends pas que mon calcul soit à l'abri de toute réserve ou critique, les questions politiques sont toujours sujettes à controverse... » Il n'en démord pas pour autant. A la somme précédente il faut ajouter l'impôt extraordinaire et l'impôt de 25 p. 100 sur les loyers « qui semble bien lourd aux Juifs si l'on considère l'étroitesse de leurs logements et leur situation dans l'enceinte fort restreinte du Ghetto ». Ledit loyer s'élevait en fait au triple de ce qui était pratiqué dans les autres quartiers de la ville. Voilà donc qui constitue un apport de quelques milliers de ducats supplémentaires et qui nous permet d'atteindre la somme de deux cent vingt mille ducats prélevée sans frais et constituant pour les caisses de la République un revenu net.

Ravid notera, en faisant l'analyse du bilan proposé par Luzzato, que la somme de deux cent vingt mille ducats était supérieure aux revenus nets globaux de toute autre ville située sur la terre ferme vénitienne, jusqu'en 1663 en tout cas, et en a tiré la conclusion que les revenus nets imputables à la communauté juive étaient de très loin supérieurs aux revenus analogues de chacun des territoires vénitiens considérés séparément, que ce soit sur la terre ferme, en Orient ou en Crète. Cette dernière colonie et, quelques années plus tard, l'ensemble des territoires d'outre-mer allaient se révéler une charge pour Venise, en raison justement des dépenses militaires toujours croissantes que leur rattachement à la République exigeait. Le bénéfice de deux cent vingt mille ducats nets provenant des Juifs de Venise ne demandait en revanche aucun effort particulier : « Le Ghetto n'a pas besoin de gouverneur pour le diriger, ni d'armée pour le défendre, ou au contraire pour en modérer les visées, ni d'une flotte pour tenir en respect de redoutables corsaires ; il est abri de la jalousie des princes et de toute sédition intérieure ; il ne craint guère d'être inondé par la mer ou submergé par quelque fleuve impétueux ; il n'a nullement besoin d'être continuellement entretenu, ni ses murailles protégées, et ne requiert pas l'installation de coûteux engins de guerre ; il ne court pas non plus le risque de manquer de vivres... la nation juive se soumet volontiers à l'autorité de son prince et fait preuve de la plus grande diligence lorsqu'il s'agit d'effectuer les paiements publics qui lui sont demandés... » et, ajoute Luzzatto, elle regrette fort de ne posséder aucune expérience du maniement des armes car, de même qu'elle verse son argent, elle serait disposée à verser son sang pour la Sérénissime.

Le *Discorso* de Luzzatto a attiré l'attention et suscité l'intérêt, bien au-delà de Venise, de nombreuses personnalités de l'époque. Certains historiens en ont retrouvé des échos dans l'œuvre de Menasseh ben Israel, célèbre rabbin d'Amsterdam, publiée à Londres en 1655, et en latin, sous le titre *De fidelitate et utilitate Judaicae gentis libellus anglicus*, traduite en anglais sous le titre : « A son altesse, lord protecteur du Commonwealth d'Angleterre, Écosse et Irlande, appel en faveur de la nation juive. » Luzzatto défendait par son ouvrage le droit des Juifs de résider à Venise ; ben Israel, pour sa part, tentait d'accélérer le retour des Juifs en Angleterre après une expulsion de trois cent cinquante années. Leur effort était cependant commun et les arguments développés extraordinairement similaires, au point qu'on retrouve dans les deux textes des passages pratiquement identiques, bien que le rabbin n'ait jamais reconnu l'influence de Luzzatto.

Luzzatto inspira également James Harrington, un noble anglais qui se rendit en visite à Venise vers les années 1630. Son livre, *Oceana*, imprimé à Venise en 1656, traite abondamment de la constitution vénitienne, de la surprenante stabilité politique de sa République, de sa capacité à résister à l'usure des siècles.

Luzzatto, tout en prenant en compte les problèmes spécifiques au microcosme du ghetto vénitien, était fortement imprégné des tendances culturelles qui traversaient l'Europe et que d'illustres voyageurs véhiculaient jusqu'à Venise.

En dehors de Harrington et de ben Israel, on rencontre, dans l'orbite de Luzzatto, Isaac Cardoso, et plus tard, au XVIIIe siècle, ben Zion Frizzi. John Toland, dont nous nous souvenons qu'il avait lutté en 1714 pour la naturalisation des Juifs anglais, utilisa les mêmes arguments qui avaient également fait impression sur Harrington.

16

Giulio Morosini,
alias Samuel Nahmias :
l'identité imparfaite
et la polémique antijuive

Via della fede : *un itinéraire spirituel, en équilibre
entre la réfutation des rites et les crises de nostal-
gie.* — *Léon de Modène : l'ancien maître, l'interlocuteur fantôme.* — *La circoncision, la fête de
Simchat Torah, le carnaval juif, ou Purim, le vin
casher et le Sabbat.*

Le chemin de la foi (Derekh Emunah) *indiqué
aux Juifs par Giulio Morosini, citoyen vénitien,
rédacteur en langue hébraïque de la Bibliothèque
du Vatican et lecteur au* College de propaganda
fide, *œuvre aussi curieuse qu'utile pour celui qui
converse avec les Juifs ou prêche devant eux :* tel
est le frontispice d'un livre publié à Rome le 1ᵉʳ août
1683 et considéré, à juste titre, comme l'une des
sources d'information les plus riches sur la vie et les
coutumes des Juifs de l'époque, de ceux du Ghetto
de Venise en particulier.

Morosini, dont le véritable nom était Samuel
Nahmias, adopta ce nouveau patronyme vénitien au
moment de sa conversion, en 1649. Son *Derekh
Emunah* (« Chemin de la foi »), ouvrage de quelque

cinq cents pages, est un texte de polémique antijuive fort minutieux, qui semble pourtant renfermer de nombreuses contradictions, comme si Morosini-Nahmias n'était jamais parvenu à résoudre le problème de son identité et s'était continuellement débattu, tout au moins au niveau inconscient, dans une sorte d'équilibre instable.

Après avoir annoncé, en guise d'introduction, ses intentions officielles, l'auteur rappelle sa conversion au Christ et déclare vouloir démontrer aux Juifs incrédules qu'il n'a nullement changé d'idée et qu'il entend bien mourir en bon chrétien ; il juge sa profession de foi utile aux lecteurs car les Juifs prétendent que tous les convertis meurent néanmoins en gardant au fond de leur cœur la loi de Moïse. Son espoir est aussi d'éclairer certains Juifs et de leur faire connaître la religion du Christ. Sa troisième raison d'écrire consiste enfin à vouloir faire un exposé des rites hébraïques « à l'usage des prêcheurs de l'Évangile ».

Morosini-Nahmias rappelle les origines marranes de sa famille : son bisaïeul David, baptisé de force et qui ne voulait pas avoir à déguiser sa véritable foi, avait quitté la vieille Castille au temps de Ferdinand le Catholique en direction des ports albanais. Il décida de revenir de façon manifeste au judaïsme, de se faire circoncire et se rendit à Salonique où il élut domicile pendant plus de quarante ans et exerça la profession de commerçant. Isaac, fils de David, était venu à Venise en tant que marchand levantin ambulant. Il s'était enrichi et avait légué à ses successeurs une fortune considérable. Morosini insiste sur ce point, soulignant que sa conversion n'a pu être dictée par l'opportunisme ou la nécessité économique. Il précise, pour donner encore plus de crédibilité à ses propos, que la langue hébraïque lui est très familière. Il faut en effet reconnaître que sa culture juive, telle qu'elle émerge de ces pages très denses, est aussi vaste que profonde.

Giulio Morosini resta dix ans à Venise, avant de se transporter à Rome, où il connut Alexandre VII, Clément IX et Clément X, sous l'influence desquels il devint capucin. Le « Chemin de la foi » est un témoignage sur son itinéraire spirituel.

L'intérêt de l'œuvre réside dans le conflit intérieur qui agite un homme ayant renié une foi à laquelle il fut profondément attaché ; elle nous fournit en outre, comme nous l'avons déjà dit, une large description et une profusion de détails concernant la vie du Ghetto. Sa condamnation, en dehors de certaines pages de polémique antijuive traditionnelle, est étroitement entremêlée de passages descriptifs, si bien qu'il est impossible de l'isoler et de la traiter séparément.

Morosini soutient que les péchés commis par le peuple d'Israël lors « de la caducité de la loi mosaïque en raison de la venue du Messie Jésus-Christ Notre-Seigneur dont les mystères sont prouvés » ont été à l'origine de sa dispersion durant des siècles et de sa situation présente d'esclavage.

Il attaque Léon de Modène à propos des préceptes religieux, faisant remarquer que la finalité de *L'Historia de' Riti Hebraici* était de rendre les rites en question acceptables aux yeux des chrétiens, et que l'ouvrage ne fait que mettre en évidence « ces pages de dévotion religieuse qui peuvent concilier estime et dignité, occultant ce qui prête réellement à dérision ». Les liens affectifs à l'égard de son ancien maître ne sont pas entièrement rompus. Morosini écrit : « Au cours de conversations privées il disait à ses disciples que le Christ était un homme de bien et qu'il était probablement le Messie promis, car trop de temps s'était écoulé depuis le moment annoncé par les prophètes. Sa seule difficulté était d'admettre qu'il s'agissait véritablement de Dieu en chair et en os. Ce furent entre autres ces mots, réitérés à plusieurs reprises, qui contribuèrent à lui faire embrasser la foi chrétienne. » Morosini-Nahmias conclut ainsi : « Je ne dirai pas, pour ma part, uniquement les choses agréables, comme le faisait Léon de Modène, en taisant les autres, et, ayant vécu comme un Juif pendant trente-sept années, personne ne pourra prétendre que mes dires sont erronés. » Conscient de l'importance du lien quotidien, non formel, entre les Juifs et leurs rites, il tente de creuser le fossé, de briser ce lien, convaincu qu'alors seulement un Juif pourrait envisager de se convertir, conviction partagée du reste par de nombreux rabbins qui soutenaient, pour des motifs inverses, que la force du judaïsme réside justement dans la pratique quotidienne et que substance et forme religieuses sont deux aspects d'une même idée juive. Afin de les démolir de façon efficace, Morosini analyse donc les différents rites qui accompagnent la vie des Juifs : le rachat des enfants, les façons d'observer les fêtes, les jeûnes, tout cela afin de mettre en évidence leur caractère superstitieux. « La caractéristique première de la superstition consiste à rendre un culte indû. Vous êtes superstitieux car vous pratiquez toujours des cérémonies du Pentateuque et de l'Ancien Testament qui n'ont plus cours. Vous êtes superstitieux car vos cérémonies dépendent du Temple, que vous n'avez plus, et d'un gouvernement que vous n'avez pas... Dieu ne vous demande plus ces choses-là. »

La description de la cérémonie de la circoncision est une page mémorable. La nuit précédent le huitième jour, consacré à la circoncision, se réunissent autour de l'enfant tous les parents et les amis invités pour l'occasion, de même que le parrain qui devra maintenir l'enfant pendant le circoncision, exécutée par le *mohel*. Tous veillent autour du nouveau-né et le protègent des sorts que pourraient lui jeter les sorcières. Autour de la mère, qui garde l'enfant sur ses genoux, se tiennent les parents les plus proches : ils ne laisseront approcher personne si ce n'est quelqu'un de connu et en qui on a une confiance aveugle. On dansera toute la nuit afin d'éloigner le sommeil, partageant les offrandes de chacun et buvant du vin. « Le lendemain matin, au huitième jour de la naissance, on lavera l'enfant comme à l'habitude dans un bain où l'on aura mis divers parfums et puis on le plongera trois fois dans un baquet rempli d'eau tiède et propre, ensuite de quoi on l'emmaillotera dans des langes extrêmement fins, brodés, et on le recouvrira d'un manteau broché de soie... et puis on le remettra à la marraine qui le mènera à la circoncision. On aura installé dans la synagogue, ou chez soi, ou en tout autre endroit où se déroulera la cérémonie, deux chaises, dont l'une est réservée à Elie et sur laquelle est déposée une bible ouverte : "Ceci est la chaise d'Elie. Personne d'autre que lui ne peut y prendre place", disent-ils en l'installant, persuadés que le Prophète assiste, invisible, à toutes les circoncisions, dans tous les endroits du monde. L'autre chaise est destinée au parrain, qui tiendra l'enfant sur ses genoux pendant la circoncision... Tous les présents s'écrient *Baruch*

298

Habbà, qui signifie : Béni soit celui qui est venu. Ces mots ne sont pas aussi transparents qu'il y paraît : ils recèlent un mystère que je m'apprête à vous dévoiler. Selon les cabalistes, le mot *Habbà* (celui qui est venu) contient virtuellement trois autres mots, à savoir " Voici Elie est venu " : en prenant chaque lettre de *Habbà* pour un mot on obtient " Elie est venu ". Ils considèrent ainsi qu'Elie est intervenu durant toute la circoncision. »

Au sujet des synagogues, Morosini écrit : « On trouve à Venise sept synagogues dont une, très célèbre, tenue par les Espagnols et les Portugais, et une autre par les Levantins dont les rites ne diffèrent guère de ceux des premiers. Les cinq restantes sont fréquentées par les Italiens et les Allemands qui perpétuent les traditions de leurs pays. A Constantinople, à Salonique et dans d'autres villes semblables, il existe des synagogues grecques, aragonaises, ou encore lisbonnaises. Les variantes que l'on peut observer entre ces diverses communautés résident en des choses non essentielles, comme nous l'avons déjà dit, et sont dues principalement aux caprices des rabbins. Chacune d'elle entretient à ses frais son propre Talmud Torah où les maîtres enseignent et interprètent les Écritures dans leur langue. »

Dans une partie plus généralement consacrée à l'examen des livres sacrés et des prières, Morosini se livre à une description minutieuse du *Sefer Torah* (livre de la Loi). « Il contient l'intégralité du Pentateuque rédigé sur des parchemins reliés bout à bout et formant un rouleau d'une longueur considérable, d'une grande épaisseur et d'une hauteur d'environ un bras. Les Juifs ornent ce livre en faisant fabriquer deux bâtons aux extrémités arrondies, dûment polis, et dont les dimensions sont celles du parchemin à enrouler, et en même temps qu'ils le déroulent d'un côté, ils l'enroulent de l'autre... ils décorent le *Sefer Torah* d'un taffetas vert ou d'une autre couleur joyeuse afin qu'on ne puisse voir, par derrière, le parchemin dénudé ; un autre tissu, aux dimensions plus réduites, vient recouvrir l'ouverture du Livre lorsque celui-ci n'est pas lu et qu'il n'est pas montré au peuple : ils considèrent en effet qu'il est illicite d'ouvrir les Saintes Écritures sans les lire. Une fois le *Sefer* enroulé, on l'enveloppe dans une étoffe brodée... puis on le recouvre d'un très long manteau. »

Morosini poursuit sa description détaillée des rituels et des fêtes juifs, comme s'il voulait exorciser la foule des souvenirs impétueux qui l'assaillent.

Il écrit ainsi à propos de la fête de Simchat Torah (la Joie de la Torah) : « Et si tant il est vrai que ce sentiment existe chez les Juifs, c'est en cette occasion qu'il se manifeste. La raison en est que, cette semaine-là, ils terminent la lecture de toute la Torah, puisque les cinq livres de la Loi ont été divisés en autant de *parashot*, ou leçons, qu'il y a de semaines dans l'année et qu'ils en lisent à la synagogue une par semaine, si bien qu'au bout d'une année ils ont terminé leur lecture. Ils attachent une très grande importance à ces parashot qu'ils notent dans leurs calendriers lunaires... ils organisent donc une fête très spéciale, car ayant terminé la lecture du Pentateuque, ils s'apprêtent à la recommencer. » On choisit dans toutes les synagogues deux Juifs, dont un sera désigné pour lire la dernière et l'autre la première « leçon du Pentateuque ». On les appelle *chatanim* (époux) : époux de la Loi et époux du *Bereshit*, ou commencement (car la première leçon

300

débute par le mot « commencement » ou *Bereshit*).
Les deux sabbats où la lecture est achevée, puis
recommencée, ils seront couverts d'honneurs, entourés
de tous leurs parents et amis qui auront pour eux
les plus grands égards. On expose alors tous les
livres de la Loi, déposés dans l'*échal*, ou aron, l'un
près de l'autre, tous aussi richement recouverts
d'étoffes de soie brochées d'or, ornés de pièces
d'orfèverie pyramidales et de couronnes d'or et
d'argent, pendant qu'éclatera la joie au milieu du
vacarme des clochettes et que seront déployés de
grands fastes. Aux époux de la Torah seront rendus
des honneurs répétés : « Lorsqu'ils vont à la synagogue ils y sont accueillis par l'ensemble des présents. A l'heure habituelle des prières principales ils
sortiront de la synagogue, en compagnie des dirigeants de la communauté et des rabbins ; tous ceux
qui souhaitent honorer les époux formeront alors
une procession et porteront les Livres jusque dans
les maisons desdits époux, qu'ils raccompagneront
ensuite à la synagogue chacun de son côté. Pendant
ces deux jours, ce sont eux qui ont le privilège de
s'asseoir près des Livres, précédant en cela même
les rabbins. La même chose se reproduit à la fin des
prières : ils seront suivis de tous jusqu'aux portes de
leurs maisons, tandis que de jeunes enfants chante-
ront devant le cortège hymnes et psaumes ; les amis
les plus proches, ainsi que les parents, pénétreront
jusque dans la maison, comme le veut la coutume
d'Orient, où on leur servira des pâtisseries et de
l'eau-de-vie, avant le repas auquel nombre d'entre
eux seront conviés. »

Ce qui frappe avant tout, dans l'écriture de
Morosini, c'est son extraordinaire mémoire filmique,
sa vivacité qui semble cacher une participation

toujours active. Sa critique religieuse prend des tons âpres qui ne parviennent à se modérer que lorsque l'envie de décrire se fait plus forte, presque irrésistible. Ses pages semblent scander et refléter un terrible débat intérieur, une contradiction profonde, que le converti d'origine marrane ne réussit pas à résoudre, qu'il devra subir comme une malédiction. L'efficacité de sa description est telle qu'aujourd'hui encore des centaines d'années plus tard, il nous semble assister à une lente cérémonie juive.

« La fête de Simchat Torah », poursuit Morosini, passant à la description d'un office à la synagogue espagnole du Vieux Ghetto, « est parmi les plus attendues des jeunes enfants juifs de Venise, qui sont, à ce moment-là, comblés de cadeaux et de friandises. L'après-midi on se rend à la prière *Mincha* (de l'après-midi) pendant laquelle on procède à la mise aux enchères de tous les rouleaux exposés, au nombre de huit ou de dix ; ils seront confiés aux plus offrants à l'exception des deux premiers qui seront remis aux deux époux. Pourra ensuite commencer la procession : on tournera plusieurs fois devant la synagogue et chacun des époux pourra prêter sa Torah à ses amis pour qu'ils la portent durant quelques pas, leur permettant ainsi de participer aux honneurs. Cette manifestation, pleine de pompe, se déroule par ailleurs dans le plus grand vacarme : les jeunes chanteurs et les chantres ouvrent en effet la voie, accompagnés des gens du peuple qui, convaincus de posséder une voix mélodieuse et juste, chantent tous ensemble des hymnes et des compositions rimées à la louange du Seigneur, priant pour la reconstruction du temple de Jérusalem, pour la venue d'Elie et du Messie ; ils ne mêlent cependant pas leurs chants sacrés aux vers de chansons profanes à la façon espagnole ou turque, que par souci de concision je n'exposerai pas ici. Je me contenterai simplement d'affirmer qu'à la vue d'un tel spectacle (ils prétendent que ce tintamarre exprime leur joie devant la Loi), courant aussi bien chez les Espagnols, les Levantins, les Portugais, les Grecs que chez les Allemands, les Italiens et d'autres encore, tous chantant suivant leurs coutumes, chacun pourra se rendre compte à quel point ils sont éloignés du véritable culte de Dieu. Comme on n'utilise pas d'instruments, certains frappent dans leurs mains, levant les bras au ciel, d'autres se frappent les cuisses, ou jouent des castagnettes avec leurs doigts, d'autres encore jouent de la guitare en grattant leurs pourpoints, et ils font des sauts et des pas de danse, accompagnés de certains mouvements du visage, de la bouche, des bras et de tous leurs membres, tant et si bien que tout cela ressemble fort, en vérité, à une scène de carnaval. En divers endroits du Levant j'ai vu qu'on jouait des cymbales, mais la manière que je viens d'indiquer reste la plus commune. Ils tournent ainsi au moins sept fois devant la synagogue, et tous embrassent, de manière répétée, les livres de la Loi avec une grande démonstration de joie mais aussi avec beaucoup d'affectation. Au bout du septième tour, les chantres reviennent dans la synagogue, montent sur la tribune, suivis de tous les livres de la Loi qu'ils exposent à la ronde afin que chacun puisse les voir. »

La description de la fête de Purim n'est pas moins vivante : « Hors de la synagogue, les jeunes s'adonnent à des jeux semblables à des poursuites de taureaux, qu'ils remplacent par des chapons ou d'autres animaux ; les jeunes époux, ainsi que les jeunes filles, se déguisent le soir et se rendent chez leurs parents et leurs amis où ils danseront et festoyeront autour d'une table. Cette fête est appelée à Venise le carnaval juif, et ne diffère pas réellement du carnaval chrétien qui se déroule environ à la même époque. Un jour avant Purim, c'est-à-dire le 13 Adar, qui survient en février ou en mars, les juifs jeûnent de façon habituelle... en mémoire du jeûne fait par Esther au moment de la persécution d'Aman et qui s'est terminé tragiquement, ainsi qu'on peut le lire dans l'histoire sainte, à la louange perpétuelle de cette glorieuse reine, libératrice de son peuple. En certains endroits il est des femmes qui, pour paraître encore plus dévotes, jeûnent pendant trois jours et trois nuits sans absorber la moindre goutte d'eau. »

Les règles alimentaires juives, objet traditionnel de discussion et de controverses aussi bien au sein du groupe juif qu'en dehors, entre Juifs et chrétiens, offrent au polémiste un terrain fertile pour ses diatribes : il s'étend longuement sur la répartition des ustensiles de cuisine, sur le fait qu'il est interdit aux Juifs d'utiliser les mêmes récipients, de quelque nature qu'ils soient, à la fois pour contenir de la viande et des aliments à base de lait. Une nouvelle fois, c'est à son ancien maître, Léon de Modène, que s'en prend Morosini : « Si encore les Juifs se contentaient de laver les récipients ou de les briser lorsqu'ils sont souillés pour les raisons sus-mentionnées, cela pourrait être toléré, car le précepte de laver les récipients impurs ou de les détruire est inscrit dans la Loi, mais eux ils tiennent à faire la même chose dès qu'ils ont le moindre doute, si minime soit-il, comme l'atteste Léon de Modène lui-même. Si le récipient est en terre et a contenu une substance chaude, poursuit Morosini, ils le jettent aussitôt, de crainte qu'il n'ait contenu de la nourriture interdite et que celle-ci n'ait pénétré dans les porosités. S'il n'a pas contenu d'aliments chauds, mais que d'autres s'en sont servis, ils font de même. Le pot au lait ne peut contenir de viande. La vaisselle de cuisine est proscrite à table. Celle dont on se sert pour la Pâque, à la cuisine, ou à table, ne saurait être employée en d'autres occasions. Je ne prétends pas, ô Juifs, vous attribuer des usages qui ne sont pas les vôtres. Tout ce que je viens de dire à été publié par Léon de Modène lui-même. Mais dites-moi, en vérité, ne voyez-vous donc pas toutes les dépenses auxquelles vous contraignent les rabbins pour suivre des préceptes dont aucun n'est contenu dans les Écritures et qui ne sont là que du fait de leurs caprices ? »

Sa polémique avec Léon de Modène, loin de se tarir, est toujours prête, tel un fleuve souterrain, à affleurer. Il commente ainsi, à propos de la boisson, sujet traité par Léon de Modène dans l'*Historia de'Riti Hebraici* : « D'aucuns croient, suivant les instructions d'anciens rabbins, qu'il est interdit aux Juifs de boire du vin fait ou touché par des non-Juifs : il en est ainsi pour les Allemands et pour les Levantins mais les Italiens ne respectent guère cette règle... » Morosini précise que c'est bien le vin fait par les chrétiens qui est refusé par les Juifs. En effet en Orient, où les Levantins observent scrupuleusement la même coutume, ils acceptent que leur vin casher soit touché par les musulmans. Il soutient que les Juifs levantins ne cessent de répéter à leurs enfants : « Si jamais il vous prenait de changer de religion, devenez plutôt musulmans que chrétiens. » Morosini poursuit : « Rabbi Léon enseigne qu'en Italie les Juifs ne respectent guère cette coutume, instituée sans doute par les rabbins d'autres contrées afin d'interdire tout commerce du vin avec les idolâtres. Je ne sais, ni ne peux imaginer pour quelles raisons ou sur quelle base un si grand homme peut affirmer de telles choses contre son propre peuple, sachant fort bien qu'il n'est pas de ville en Italie où les Juifs ne font pas, en public ou en privé, leur propre vin casher, ne serait-ce que pour s'en servir dans leurs cérémonies sacrées. Ainsi, dans les ghettos de la ville de Venise, il existe toujours un grand magasin de vin casher, fait par les Juifs eux-mêmes, à l'usage exclusif de leurs coreligionaires. »

Le récit de Morosini prend parfois des accents de fable orientale : « Alors que je me trouvais dans la ville de Constantinople en 1635, Amurat, le Seigneur qui y régnait en ce temps, fit publier un édit condamnant à mort toute personne surprise en possession de vin ou en train d'en boire : pour s'approvisionner en vin casher il était donc nécessaire de se rendre jusqu'à Pera, ou plus loin encore, de l'autre côté de la mer, où vivaient de nombreux Juifs, avec leurs magasins et leurs tavernes ; les Juifs de Constantinople en rapportaient au péril de leur vie, et à prix d'or, le vin indispensable au déroulement de leurs cérémonies. Ils résolurent donc, après de nombreuses concertations, de comparaître devant le Grand Vizir, auquel ils apportèrent de précieuses offrandes et devant qui ils présentèrent la supplique suivante : ils avaient été acceptés à Constantinople par les souverains précédents, qui leur avaient accordé le privilège d'observer leurs lois et leurs rites selon leurs coutumes ; or sa majesté le roi Amurat avait interdit l'usage du vin avec lequel ils célébraient leurs principaux offices : ils ne savaient plus à présent comment procéder ; la majeure partie d'entre eux songeait à quitter ces terres pour d'autres États. Le Grand Vizir, trouvant les présents à son goût, donna l'ordre de ne pas inquiéter les Juifs qui se présenteraient aux portes de la ville avec du vin, à condition que celui-ci soit dissimulé et qu'on ne puisse immédiatement le reconnaître. L'ordre fut suivi pendant quelques mois ; puis, les Juifs offrant des dons toujours plus riches et plus précieux, le même seigneur leur accorda de consommer du vin à leur guise. Il était fort intéressant de voir à quelles astuces et à quels stratagèmes ils avaient jusque-là eu recours pour introduire en secret le vin à Constantinople ; que ce fût pour le déroulement des cérémonies religieuses ou pour la simple satisfaction de ceux qui voulaient en boire. »

L'itinéraire de Morosini, entre Constantinople et Venise, nous est ainsi dévoilé, dans de savantes pages pleines de références bibliques et théologiques, entrecoupées de vivantes descriptions du Ghetto de Venise et des événements qui s'y déroulèrent : « Le vendredi, jusque tard le soir, les rabbins se promènent dans les rues du Ghetto et font fermer les boutiques, frappant aux portes afin que cesse toute activité, que soient allumées les bougies et que commence le Sabbat. A Venise on fait en outre venir dans une maison située au milieu du Ghetto, deux heures avant le début du Sabbat, un joueur de trompette chrétien, chargé, moyennant finances, de jouer trois airs, à une demi-heure d'intervalle environ. Le troisième air se termine d'une façon particulière comme si la trompette disait : Bonsoir, bonsoir, et indique ainsi le commencement du Sabbat ; toutes les femmes allument les lampes à huile dans leur maison ; le Sabbat commence, tout travail cesse. La trompette est ainsi bien commode et leur évite de laisser passer l'heure : ceux qui sont éloignés du Ghetto peuvent demander à ceux qui en viennent si le premier et le deuxième air ont déjà été joués afin de se tenir prêts à délaisser leurs occupations au troisième... Les femmes, après avoir préparé lampes et bougies, dressent la table de ce vendredi soir, somptueusement parée d'une nappe toute blanche ; au milieu, la salière et deux pains... enveloppés dans une serviette pour rappeler la manne, qui tombait du ciel chaque jour, sauf le Sabbat, recouverte de rosée. Les hommes se rendent ensuite à la synagogue où ils feront la " réception du Sabbat " ou *Kabalat Shabbat*... Ils réciteront des prières, parmi lesquelles le cantique " Viens, ô mon aimé, retrouver l'épouse : les visages du Sabbat nous recevront " est le plus propre à accueillir le Sabbat. Au lieu de : Bonsoir, ils disent : Bon Sabbat. Les enfants se rendent auprès de leurs parents, de leurs frères et sœurs aînés, dont ils baisent la main et reçoivent la bénédiction. De retour à la maison ils trouvent la table mise comme nous l'avons décrit et dînent copieusement, non sans avoir auparavant récité le *Kiddush* (consécration, ou sanctification), les trois premiers versets du second chapitre de la Genèse et d'autres, trempant les lèvres dans un seul calice de vin, auparavant béni par le chef de famille, et rendant grâce à Dieu qui a créé le fruit de la vie et sanctifié le Sabbat... »

Peu de Juifs convaincus et religieux auraient dépeint un tableau aussi idyllique et touchant : Morosini ne semble cependant pas avoir conscience de revivre des souvenirs d'enfance aussi émouvants.

Le ton devient tout autre, en revanche, lorsqu'il réfute les arguments de Simone Luzzatto, envers qui il ne semble guère éprouver le respect profond et cette affection qui le lient à son maître, Léon de Modène. Il rappelle les phrases de Luzzatto selon qui un agriculteur ne renonce pas à cultiver son terrain parce qu'il s'y trouve de la mauvaise herbe, cette métaphore étant destinée à rappeler les bénéfices que tirait la communauté chrétienne de la présence des Juifs, même si certains d'entre eux ne respectaient pas toujours les lois ; mais, observe Morosini, les Juifs sont tous méchants, et il faudrait les punir tous ; du reste bien des souverains les ont avec raison chassés de leurs territoires. En vérité, les Juifs font preuve de bien peu de sagesse, car s'ils en possédaient ne serait-ce qu'un soupçon, ils embrasseraient la foi chrétienne. Ce n'est pas à l'ivraie qu'il faut les comparer, mais bien davantage à un marécage bitumineux, dont s'échappent des effluves nocifs.

A la fin de son ouvrage, Morosini aborde un thème classique, traitant de « l'interdiction qui est faite aux Juifs de prêter à usure, contenu dans le huitième précepte, et de la façon dont celui-ci est respecté par les Juifs. » : « Tout le monde sait que ce précepte n'est guère observé par les Juifs : il n'est qu'un moyen d'obtenir de l'argent de ces gens-là, qui en possèdent en quantité, c'est d'avoir un gage en main. Et ils sont persuadés de ne pas enfreindre le précepte interdisant de voler, comme nous disons, nous. » C'est le début d'un long réquisitoire. Morosini rappelle l'observation de Simone Luzzatto affirmant que les Juifs n'avaient pas d'autre moyen de subvenir à leurs besoins, puisque « les arts mécaniques, les terres, les biens immobiliers leur étaient interdits et que d'autre part ils étaient soumis à de lourds impôts. Mais n'est-ce pas là un argument de catin, qui, ne pouvant vivre autrement n'en est pas pour autant excusée ? Il est injustifiable de faire du mal pour en retirer quelque bien que ce soit. » L'invective de Morosini contre Luzzatto suit les sentiers battus de la polémique antijuive. Morosini pas plus que les autres ne tient compte de la spécificité de l'œuvre de Luzzatto consistant à mettre en relief l'importance de la communauté juive dans l'économie de la ville.

D'autres livres de polémique antijuive continuèrent d'être publiés jusqu'à la seconde moitié du XVIIIᵉ siècle : le plus connu d'entre eux fut publié par Paolo Sebastiano de'Medici, un Juif florentin, sous le titre *Riti e costumi degli Ebrei* (1746) ; aucun de ces traités ne soutient cependant la comparaison avec l'œuvre de Morosini, que ce soit par ses dimensions, par la profusion des détails ou encore par la vivacité de l'exposition.

17

Venise et le Ghetto au XVIIᵉ siècle : de l'opulence à la décadence

Les communautés ashkénaze, levantine et ibérique face à la magistrature des Sopraconsoli, des Cinq Sages, des cattaveri.

La peste qui frappa Venise en 1630 fit cinquante mille victimes, c'est-à-dire un tiers de la population totale, modifiant ainsi radicalement les conditions socio-économiques de la ville. Les marchands juifs furent particulièrement atteints sur le plan économique : alors qu'ils avaient jusque-là bénéficié d'une conjoncture internationale favorable et de bons rapports avec les Turcs, ils furent soudainement contraints de suspendre toutes leurs importations et exportations. Ils perdirent d'énormes quantités de marchandise, plus de mille balles infectées ayant dû être brûlées, et furent en outre astreints à acquitter quelque cent vingt mille ducats d'impôts extraordinaires.

Après de tels événements, le Ghetto semblait promis à une décadence économique rapide et à une diminution progressive de ses habitants, que ce fût en raison des décès causés par la peste ou du fait de

311

l'émigration de tous ceux qui avaient cherché refuge dans d'autres villes. Il n'en fut pas ainsi. Le mythe de Venise, son extraordinaire force d'attraction, n'avaient en rien été entamés. De nombreux Juifs, en provenance de l'est ou de l'ouest, chassés par de continuelles persécutions, continuèrent de tourner vers cette ville leurs espérances et leurs destinées.

Certains documents témoignent très clairement de ce nouvel état de choses. En mars 1633, les dirigeants de la communauté levantine et ibérique informèrent les Cinq Sages chargés du commerce que si elles pouvaient disposer d'habitations confortables et de nouveaux magasins pour entreposer leurs marchandises, certaines familles de Juifs étrangers étaient disposées à venir habiter et faire du commerce à Venise. Le Sénat, après avoir consulté les Cinq Sages, les chargea de recenser une vingtaine de maisons qui pourraient héberger les marchands juifs, « à condition que ceux-ci n'aient pas séjourné à Venise au cours des deux dernières années, et qu'ils n'aient pas non plus, durant cette même période, vécu sur le territoire de la République... Il appartiendra aux Cinq Sages de définir les modalités de cette extension du Ghetto, compte tenu des règlements en vigueur et de la nécessité d'entourer les nouvelles maisons d'une enceinte avant que les Juifs ne puissent les habiter ; ils devront également faire procéder à la construction d'un pont au-dessus du canal sans que cela ne comporte aucune dépense pour notre ville. » Les dirigeants levantins et ibériques s'engageaient de leur côté à faire en sorte que les vingt familles promises arrivent effectivement, « sous peine d'une amende de trois mille ducats variable en fonction du nombre de familles manquantes ». Ces dispositions, comme les précédentes, étaient placées sous le contrôle des Cinq Sages. La motion fut votée à une très large majorité. Naissait ainsi la dernière partie du Ghetto, le Ghetto Novissimo.

Les efforts consentis pour attirer de nouvelles familles en ville semblent constituer une indication quant aux difficultés économiques dans lesquelles se débattait la République, dont le rôle en Méditerranée ne cessait de s'affaiblir. Les nobles qui présidaient au sort de la Sérénissime, conscients de ces problèmes, tentèrent de mettre en place une politique résolument protectionniste à l'égard de tous les autres ports de l'Adriatique. La situation ainsi créée n'était pas pour déplaire aux marchands vénitiens : les Cinq Sages recommandaient que de telles mesures ne s'appliquent pas à l'escale de Spolète, « qui rend de grands services », et suggéraient en outre que Joseph Penso, successeur de Rodriga, soit récompensé par l'attribution de deux maisons et d'une licence de vente dans le Ghetto ; un exemple de la gratitude dont la République savait user envers tous ceux qui la servaient avec loyauté.

A la fin du mois de décembre 1634, le Sénat consulta toutes les principales magistratures intéressées : Cinq Sages, cattaveri, Sopraconsoli, magistrats aux Rason Vecchie, et décida de renouveler pour cinq ans le statut des Juifs ashkénazes aux conditions fixées en 1624 et en 1629. Les Juifs ne manquèrent pas, en cette occasion, de protester à propos de l'obligation qui leur était faite de fournir matériaux et main-d'œuvre pour la construction de maisons destinées à recevoir des hôtes de marque, princes et ambassadeurs, qui passaient par Venise : ils se plaignaient du fait qu'on leur demandait de fournir plus de chambres qu'il n'y en avait effectivement besoin et que celles-ci étaient aussi affectées aux personnes de basse condition. Le Sénat ne se montra pas insensible à leur requête, et donna l'ordre au magistrat des Rason Vecchie, qui avait compétence en ce domaine, de veiller plus attentivement.

Certaines phrases de cette délibération présentent un intérêt particulier car elles attestent une certaine évolution quant à l'attitude traditionnelle du pouvoir politique vénitien, consistant jusque-là à exacerber les différences existant entre les diverses communautés, selon la devise bien connue : « Diviser pour régner. » Ces mêmes différences s'estompaient à présent aux yeux du pouvoir : « Les Cinq Sages ont dorénavant toute latitude pour donner aux marchands juifs ashkénazes, conformément à leurs vœux, l'autorisation de négocier avec l'Orient, ainsi que cela a été accordé aux Levantins et aux Ibériques ; ils seront astreints aux mêmes règles, et devront utiliser leurs propres capitaux exclusivement ; ils dépendront des Cinq Sages, qui veilleront au respect des règlements et leur prodigueront leurs conseils. Il ne fait guère de doute que les finances de la République en tireront grand bénéfice. » Le document ouvrait en outre une brèche inédite dans un domaine où les Juifs avaient toujours connu des difficultés : il leur était officiellement permis de « réviser eux-mêmes les livres imprimés pour les besoins de leurs rites », « en accord avec les disposition de l'Inquisition, des Réformateurs de l'Étude de Padoue, du magistrat au Cattaver. »

Ashkénazes, Levantins et Ibériques étaient même parvenus à s'entendre sur un sujet qui avait traditionnellement constitué une source de discorde : la contribution de chaque communauté à l'impôt exigé par l'État vénitien.

En novembre 1636, le Sénat dut intervenir à nouveau dans les affaires du Ghetto, en raison, cette fois, d'une plainte introduite par la corporation des joailliers et des diamantaires de la ville qui s'estimaient lésés, en tant que corporation, par la concurrence que leur livraient les artisans juifs, à Venise mais surtout à Padoue où ils possédaient des tailleries. La délibération qui en résulta interdit toute production et toute vente, en particulier dans la Ruga Centrale degli Orefici, près du Rialto, à tous ceux qui n'étaient pas inscrits au registre du métier en question, étant entendu que les Juifs ne pouvaient, en aucun cas, s'y inscrire.

Le Sénat respecta l'opinion des Cinq Sages lorsqu'ils affirmèrent qu'il leur paraissait impossible d'augmenter la charge fiscale supportée par les Levantins et les Ibériques, déjà soumis à des impôts extrêmement lourds. On ne tarda pas, cependant, à élire à leur place des nobles qui se seraient montrés plus sensibles aux intérêts des groupes patriciens de Venise et moins hésitants à pénaliser le commerce juif qui, après la crise de 1630, s'était repris et connaissait un nouvel essor. Ils proposèrent aussitôt de rétablir certaines taxes abolies par leurs prédécesseurs. Pris sans doute d'un accès de myopie protectionniste, ils déclarèrent : « Nous constatons que les Juifs ont pris possession, nous pouvons l'affirmer, de tous les leviers du commerce, qu'ils ont chassé de leurs maisons les citoyens vénitiens, et que le Ghetto ne cesse de s'agrandir [exagération consécutive à l'arrivée des vingt familles dans le Ghetto Novissimo]. Tous savent qu'en pratique le commerce avec l'Orient est entre leurs mains et l'on peut affirmer la même chose pour ce qui concerne le commerce avec l'Occident. »

Les Levantins et les Ibériques ne se contentèrent pas, de leur côté, d'exprimer leur résignation et opposèrent de nombreuses objections, tant sur le plan formel que sur le plan économique ; le rapport avec la Sérénissime n'était cependant pas un rapport d'égal à égal : Asher Meshullam l'avait bien affirmé, lorsqu'il avait été contraint, par une lointaine matinée de 1516, de gagner le Ghetto : « Le vouloir est bien peu de chose lorsqu'il se mesure au pouvoir. »

Les Juifs vénitiens, exclus de toutes les activités de production artisanale, tentèrent souvent de contourner les obstacles placés sur leur chemin. En septembre 1638, le noble Bembo se fit le porte-parole de nouvelles plaintes de la part des commerçants vénitiens en pierres précieuses, proposant de nouvelles mesures visant à restreindre l'influence des Juifs dans ce secteur. Bembo reconnaissait que les commerçants juifs n'étaient pas les seuls à poser des problèmes aux Vénitiens, et que le commerce des pierres précieuses était toujours davantage ouvert à d'autres pays. Il estimait cependant que les Juifs aggravaient la situation. Le Sénat accepta les indications de Bembo et approuva, en mai 1638, une loi leur interdisant le commerce des pierres taillées, « dans le but de faire revenir le commerce des joyaux à son ancienne grandeur ». Les Cinq Sages soutinrent de telles mesures, affirmant que les Juifs jouissaient de conditions de monopole inacceptables.

Le Ghetto devenait entre-temps toujours plus étroit et ne suffisait plus à satisfaire certaines exigences de production : Nachman Giuda demanda ainsi aux Cinq Sages l'autorisation de transférer hors des limites du Ghetto sa fabrique de produits chimiques, demande qui, en dépit de certaines réserves, reçut un accueil favorable.

L'influence des Cinq Sages n'était pas limitée au seul Ghetto ni même à la seule ville de Venise ; elle s'était progressivement étendue à toutes les terres appartenant à Venise : à Zante, en 1639, éclata un conflit entre certains marchands levantins et le gouverneur local, coupable d'avoir commis un abus en saisissant certaines marchandises. L'incident provoqua l'intervention des Cinq Sages. Ces nouveaux pouvoirs n'étaient pas sans exacerber la rivalité traditionnelle opposant cette institution à la magistrature du Cattaver qui se mit à intenter procès sur procès à tous les Juifs surpris hors du Ghetto à des heures non autorisées ; ceux-ci protestèrent, demandant des dérogations sans lesquelles ils n'étaient plus en mesure de s'occuper de leurs affaires. En septembre 1639, les Cinq Sages prirent le parti des Juifs et recommandèrent que les horaires ne soient pas imposés avec une rigueur excessive, faisant remarquer que cela gênait considérablement les affaires des Levantins, notant par ailleurs que « les lois régissant les horaires dataient de 1516, époque où il n'y avait à Venise ni Levantins ni Juifs ibériques, mais uniquement des Juifs ashkénazes ». On admet ainsi la possibilité de rythmer différemment le temps du Ghetto : temps des prêteurs, régulier et uniforme d'une part, temps des marchands, semé d'imprévus, de l'autre.

Comme cela s'était produit à de nombreuses reprises, par le passé, de nouveaux signes avant-coureurs annonçaient des hostilités imminentes entre Venise et l'État Turc, alors que la sécurité en Méditerranée ne cessait de se dégrader. Certains rapports établis par les Cinq Sages font état de ces troubles : en septembre 1641, ils avaient donné une suite favorable à une requête présentée par des marchands juifs dont le chargement avait été perdu lors de la capture d'un navire vénitien par des corsaires maltais ; en revanche, afin d'éviter de créer un précédent, ces mêmes Sages avaient refusé, en mars 1643, d'employer des navires de guerre pour le transport de marchandises.

Le regain de tension entre Venise et les Turcs affaiblit considérablement le niveau des échanges en Méditerranée. Les marchands juifs tentèrent bien de faire parvenir des chargements par voie de terre, usant d'expédients pour échapper au blocus : ils affrétaient ainsi à Livourne ou à Ancône des navires anglais qui partaient ensuite vers l'Orient. Le subterfuge ne fut pas long à être éventé, et l'ambassadeur vénitien à Constantinople, s'apercevant avec stupeur que des marchandises vénitiennes arrivaient de Livourne sur des navires anglais, en informa aussitôt le gouvernement de la Sérénissime.

Venise et les Turcs allaient une nouvelle fois s'affronter ouvertement à partir de 1645 et, cette fois, les hostilités ne cesseraient pas avant un quart de siècle, avec des périodes alternées de combats plus ou moins intenses, de batailles et d'escarmouches dont le point culminant fut la lutte pour l'île de Crète, qui eut à subir pendant vingt longues années le siège turc. Le traité de paix signé en 1699 ratifia son passage aux mains des Turcs ; pour Venise, ce fut plus qu'une simple défaite : la fin d'un cycle historique.

Cette longue période de crise eut de profondes répercussions sur Venise, sur ses finances, ses échanges commerciaux, sur la vie du Ghetto. Les Juifs virent encore s'accentuer le poids des taxes et des gabelles alors que se réduisait d'autre part le niveau de leur activité commerciale, et qu'ils étaient ainsi déchus de leur fonction d'intermédiaires naturels. La pauvreté commença à sévir sur la ville, et les banques en subirent à leur tour les effets.

Les interventions du conseil des Dix, en décembre 1659, quelques années à peine après les délibérations du Sénat sur le chapitre six du statut des Ashkénazes, les décrets des Sopraconsoli de septembre 1665, de mai et de juillet 1666, ressemblaient fort à des mises en garde : la gestion des banques, étant donné l'abaissement général du niveau de l'économie vénitienne, posait des problèmes sérieux, qui ne pouvaient que s'aggraver. Levantins et Ashkénazes proposèrent un versement de cinquante mille ducats, comptants, ou de soixante-dix mille ducats en plusieurs versements, à condition que leurs autorisations de séjour décennales soient rendues perpétuelles et que soient abolis les paiements annuels de trois mille ducats. Quatre familles de Juifs ibériques proposèrent de leur côté une très forte somme d'argent contre une exonération de tout impôt pour les banques, ainsi que la permission de porter un couvre-chef noir et certaines exemptions des droits de douane. Si la première proposition pouvait présenter une certaine continuité avec la ligne de conduite suivie par les différentes communautés juives depuis la fondation du Ghetto, et tendant à stabiliser leur condition, la seconde apparaît plutôt comme un étalage de l'opulence de certaines familles, entièrement dépourvu de toute perspective politique. Les Cinq Sages réservèrent à une telle proposition un accueil pondéré : son acceptation « pourrait faire apparaître de graves différends entre les communautés du Ghetto qui se trouveraient alors dans de graves difficultés et ne pourraient plus assurer le fonctionnement des banques, de même qu'elles ne seraient plus à même d'acquitter leurs impôts, puisqu'elles ne recevraient plus les contributions des familles les plus fortunées ; c'est en effet grâce à l'aide de l'une de ces familles que la communauté juive a pu continuer à faire fonctionner une banque en difficulté. » Ils ajoutaient en outre qu'offrir des privilèges à un petit groupe de Juifs ibériques pouvait revenir à pervertir les règles de la libre concurrence et comporter plus d'inconvénients que d'avantages, de graves doutes pouvant s'emparer de tous ceux qui se verraient exclus. Ces discussions montrent en tout cas à l'évidence qu'il existait dans le Ghetto un nombre restreint de familles particulièrement puissantes.

En février 1681, le pouvoir politique vénitien réunit les chefs de la communauté juive vénitienne, ainsi que ses membres les plus riches, afin de leur notifier la décision qui venait d'être prise de leur imposer de consentir une avance de cent cinquante mille ducats, qui viendrait s'ajouter au prêt de cent cinquante mille ducats exigé lors du renouvellement de la concession de 1669. La même opération fut reconduite, selon les mêmes modalités, en 1681 : on veilla une nouvelle fois à employer « les termes et les formules les plus propres à ne pas heurter la sensibilité des chefs de la communauté juive ».

Ces mesures ne suffisaient pas, cependant, à renflouer les caisses de l'État vénitien, désespérément vides : en 1684, Venise, après avoir formé une coalition avec l'Autriche, se lançait dans une nouvelle guerre contre son ennemi héréditaire ; les pressions fiscales encore accentuées, ainsi que les dangers de la navigation finirent pas mettre à mal jusqu'aux finances du Ghetto. Ces tensions déclenchèrent de graves conflits entre les diverses communautés juives, qui éprouvaient des difficultés toujours croissantes à rassembler les capitaux exigés par la Sérénissime. Au bord du précipice, la cité faisait face par un pragmatisme sans scrupules, pressurant à l'extrême chacun de ses habitants. On décida, entre autres mesures, que n'importe quel citoyen pouvait acquérir un titre de noblesse moyennant un versement de cent mille ducats. Quarante-sept familles accédèrent ainsi à la noblesse.

Le problème le plus pressant qui se posait dans le Ghetto était de définir un système équitable de répartition des impôts. La méthode jusque-là en vigueur (les contribuables élisaient les percepteurs, s'engageant à accepter leurs décisions) fut remplacée par une autre, en 1685, sur proposition des Cinq Sages : auparavant les taxes étaient réparties entre les différentes communautés qui procédaient ensuite, en leur sein, à une subdivision ultérieure. Ce choix obéissait à la conviction qu'un groupe plus restreint avait davantage d'autorité et était mieux susceptible d'effectuer une répartition réellement équitable.

La fréquence des décrets émis par le pouvoir vénitien concernant les banques nous donne une idée de l'aggravation du malaise économique. La magistrature vénitienne prit acte, en 1682, de réclamations émanant de personnes ayant déposé des gages et qui, au moment du retrait, ne retrouvaient pas leurs biens dans leur état initial. On mit donc les banquiers en garde contre la tentation de « troquer lesdits gages sous quelque prétexte que ce fût » et d'ouvrir les ballots contenant les gages en présence des intéressés, en dénombrant pièce par pièce les articles remis à leurs propriétaires... De nouveaux décrets furent publiés en octobre 1683, novembre 1684 et septembre 1685.

En juillet 1689, le Sénat décida d'accorder un permis de séjour de dix ans à tout Juif, levantin ou ibérique, qui acceptait de s'installer à Venise avec sa famille, où il « vivrait librement dans le Nouveau Ghetto, avec les autres Juifs », astreint comme eux au port du béret jaune. Les anciennes tolérances restaient en vigueur : « Ils pourront librement naviguer, au même titre que les marchands juifs levantins ambulants. En cas de guerre contre quelque État que ce soit, aucun desdits marchands ni leurs familles ne pourront être inquiétés de quelque manière que ce soit... » L'extension de ces privilèges était limitée aux Juifs levantins et ibériques résidant à Venise de façon permanente, appartenant officiellement à la communauté et ayant reçu l'approbation des Cinq Sages.

Les exigences de la guerre contre les Turcs ne laissaient aucun répit, ni aux autorités vénitiennes ni, par conséquent, aux Juifs. A nouveau en 1691, le Sénat demanda que soient étudiées les possibilités de mettre les Juifs à contribution sur le plan financier...

En novembre 1696 les Pregadi, les Cinq Sages et les officiers du Cattaver, convoqués pour une habituelle séance consultative, soulignèrent le caractère critique qu'étaient en train de prendre les problèmes liés à la perception de l'impôt. Le Sénat, après les avoir entendus, décida de confier cette affaire aux Juifs, qui, seuls, « possédaient une connaissance sûre » des fortunes de chaque contribuable. Les difficultés économiques semblaient entre-temps inciter un certain nombre de Juifs à délaisser progressivement le Ghetto de Venise, et ce en dépit du fait que, pour être autorisés à quitter la ville, ils devaient, en accord avec les décrets de 1630, 1669 et 1695, verser aux dirigeants de leur communauté des « impôts ordinaires et extraordinaires » ou convenir, en apportant des garanties précises, des moyens de paiement ultérieur.

Nous étions désormais proches de la fin d'un siècle qui s'était révélé particulièrement éprouvant. En décembre 1696, la concession aux Ashkénazes fut une nouvelle fois renouvelée pour cinq ans sur la base des accords conclus en 1658 et amendés en 1668. Les chefs de la communauté juive étaient alors Moïsé Coen, alias Simone dal Medico, Jacob de Samuel Baruch, l'« excellent docteur » Salomon Conegliano, Moïsé Alfarin, Isach Mugnon Soares, Emmanuel Levi dal Banco, Emmanuel Lunel. Voici le procès-verbal de la réunion à laquelle ils participèrent le 6 Adar 5457 (février 1697) : « En raison du déclin du commerce et de la raréfaction des capitaux dans notre ville, des dettes importantes qu'est astreinte à rembourser notre communauté ainsi que des ordres suprêmes émanant de l'Excellent Sénat relatifs à la perception sans délai des nombreux impôts courants, répartis entre un nombre de contribuables de plus en plus restreint, de nombreuses familles ayant malheureusement vu leur fortune décliner ou ayant quitté la ville, les charges auxquelles nous sommes soumis ont atteint la limite de ce qui paraît supportable. »

Convaincus pour des raisons tant extérieures qu'intérieures qu'une plus grande modération était de mise, étant donné les difficultés du moment, les chefs de la communauté interdirent, sous peine d'excommunication, à « toute personne juive, quels que soient son sexe, son âge, sa condition, de porter des vêtements brodés d'or ou d'argent, ou des vêtements de soie, sans aucune exception. Toute broderie et tout ornement sont interdits aussi bien sur les vêtements que sur les ceintures et autres accessoires. Étant entendu que dans le terme vêtement sont compris autant les manteaux que les sous-vêtements, les bas et les chaussettes, les chaussures, les coiffures, les gants, les voilettes... » Leur décision devait faire en sorte que chacun à l'intérieur du Ghetto modère ses goûts de luxe et fasse en revanche les efforts nécessaires pour rembourser les dettes de la communauté « afin que nos fils n'aient pas à supporter une si lourde charge ».

Une nouvelle fois, en 1699, la communauté juive fut contrainte de consentir un prêt de cent cinquante mille ducats. La paix avec les Turcs venait d'être signée mais à Venise la situation financière était toujours aussi précaire. Quinze années de guerre avaient meurtri la ville : la conquête de la Morée n'était que le chant du cygne d'une ancienne splendeur ; elle marquait le début d'une décadence irréversible.

18

L'enfer, le vent du Messie
et un bonnet blanc

*Mosé Zacuto, le Dante juif. — Le Ghetto des Juifs
et les frissons messianiques. — Un nouveau-né, la
nuit, aux pieds des Scale Matte.*

La première moitié du XVIIe siècle, nous l'avons
vu, fut pour le Ghetto une période faste, tant du
point de vue économique qu'intellectuel : le commerce
avec l'Orient était florissant ; le monde culturel, où
brillaient des personnalités telles que Léon de Modène,
Sara Coppio Sullam, Simone Luzzatto, était un
monde vivant et raffiné.

Il n'en fut pas de même pour la seconde moitié
du XVIIe siècle. En raison des interminables conflits
avec les Turcs, l'atmosphère commença à s'altérer
et en premier lieu sur le terrain économique, autant
à Venise, dont les finances étaient ruinées, qu'à
l'intérieur du Ghetto, dont les marchands avaient
beaucoup souffert de l'interruption des circuits
commerciaux classiques ainsi que des pressions fiscales auxquelles les soumettait un État vénitien
tenaillé par les nécessités de la guerre. L'atmosphère

religieuse et culturelle ne tarda pas à en être à son tour affectée.

Les divergences entre Venise et Rome s'étaient progressivement estompées, et ce rapprochement n'était certes pas fait pour profiter à la communauté juive vénitienne. La communauté ibérique, qui s'était rapidement accrue, connaissait une période d'opulence et sa synagogue était la plus grande et la plus somptueuse du Ghetto. Certains témoignages attestent de cet accroissement : le curé d'une paroisse voisine assurait catégoriquement qu'en 1651 un grand nombre de Juifs ibériques avaient vécu au Portugal en tant que chrétiens. Quelques années auparavant, un Juif espagnol resté inconnu, mais certainement fort malicieux, s'était amusé à scandaliser un moine vénitien en lui affirmant qu'en Espagne, l'Église était infiltrée par un judaïsme occulte ; de nombreuses pratiques religieuses étaient ainsi dictées par des Juifs, déguisés en prêtres ou en moines ; de nombreux baptêmes n'étaient pas valides car conférés par des Juifs, et il concluait ainsi : « Ces perversités et désordres résultent de la volonté de faire de nous des chrétiens sous la contrainte et de nous priver ainsi de notre liberté de conscience. » Les retours au judaïsme étaient souvent spectaculaires, lorsqu'ils étaient le fait de personnages en vue et honorés à la cour d'Espagne qui, débarqués en Italie, rejoignaient le Ghetto et prenaient une nouvelle identité. Duarte Pereira devint ainsi Jehudà Lombroso, Andrea Falliero, Emmanuel Aboad, Daniel Ribeiro Enriques adopta le nom de Samuel Mocatta, Alonzo Nunez da Errera celui de Abraham Cohen Errera.

On vit arriver à Venise les Caravaglio, famille très remarquée autant pour ses moyens financiers non négligeables, que pour son goût du litige et de la procédure, les deux frères Abraham et Isaac Cardoso, ainsi que Roderigo (Jacob) Mendes da Silva. Isaac Cardoso, figure de premier plan, fut l'auteur de *Excellentias das Hebreos*, un des essais apologétiques les plus intéressants de la fin du XVIIe siècle. Il observa qu'à Venise « chaque communauté était une minuscule république qui se gouvernait elle-même avec les lois que Dieu lui avait données ». Roderigo Mendes da Silva, historiographe officiel de la cour d'Espagne, arriva, quant à lui, en Italie à l'âge de soixante ans. Il se fit circoncire, adopta le judaïsme sous le nom de Jacob, épousa une jeune fille de dix-huit ans sans jamais réellement fréquenter la synagogue, exprima sur la Bible des idées modernes tout en conservant un comportement souvent ambigu et qui laissa perplexes la plupart des habitants du Ghetto : il se découvrait chaque fois qu'il entendait le nom de Jésus et de Marie et baisait même l'habit d'un moine de ses amis, suscitant l'indignation des Juifs les plus pratiquants.

Il nous faut rappeler, parmi les marranes illustres qui vécurent à Venise durant cette partie du siècle, Mosé Zacuto, surnommé le Dante des Juifs. Né en Espagne en 1625, il s'était d'abord transporté à Amsterdam où il avait été l'élève de Benjamin Levi, lui-même disciple de Chaim Vital de Safed. Zacuto se pencha longuement sur l'étude de la Cabale puis écrivit à Venise entre 1645 et 1673 avant de se rendre à Mantoue où il mourut en 1692. Il a laissé deux ouvrages, *Jesod Olam* (« Les fondements du monde ») et *Tofteh 'Aruch* (« Prélude à l'enfer »), tous deux publiés après sa mort. Ce fut le deuxième, un poème dont le titre est tiré d'un vers d'Isaïe, qui lui valut son surnom.

Ce poème opère en fait une bien singulière synthèse : en même temps qu'il procède d'une vision sombre et pessimiste de l'outre-tombe reflétant la conception catholique du XVIIe siècle et qu'il renvoie certains échos dantesques, il contient des réminiscences du Talmud, du Zohar et de la Cabale, ainsi que certaines influences marranes et espagnoles évoquant Calderon de la Barca.

Zacuto fut aussi le protagoniste, au sein du Ghetto, des événements liés à l'enseignement de Sabbatai Zvi, le messie traître, et à l'arrivée à Venise de son bras droit, Nathan de Gaza. Sabbatai Zvi, originaire d'Izmir, s'était en effet proclamé messie en 1665, et avait rassemblé autour de lui de nombreux fidèles, donnant naissance au mouvement religieux qui prit son nom, puisant ses forces dans le renouveau de l'espérance messianique juive ; il était en lutte ouverte contre l'orthodoxie rabbinique. Ce mouvement eut une influence notable dans tout le bassin méditerranéen et fut très long à s'éteindre, alors même que Sabbatai s'était converti à l'islam. Une fois de plus les rabbins vénitiens jouèrent un rôle particulièrement important dans toute l'affaire, chargée de tensions et de pulsions émotives. Le mouvement messianique soutenait la nécessité d'une conduite religieuse et morale plus rigoureuse, pratiquait le repentir, exaltait la piété et l'ascèse.

Vers les années 1660, arrivèrent en Italie de nombreux messagers venant de Safed, centre de la culture mystique de Palestine, et de Jérusalem ; ils suscitaient de nouveaux espoirs, ravivaient les enthousiasmes et faisaient naître bien des sentiments contradictoires, car, malgré la constance de l'idée messianique tout au long de l'histoire juive, nombreux étaient les sceptiques. Une nouvelle ferveur religieuse embrasa en tout cas la totalité du bassin méditerranéen.

A Venise, selon le témoignage d'un voyageur, ce réveil des consciences se manifesta concrètement par la renonciation, en 1666, à la fête de Purim, c'est-à-dire au carnaval juif : on annula toutes les célébrations, les déguisements, les représentations théâtrales qui avaient habituellement lieu à cette occasion. Les rabbins n'eurent pas l'audace de contrecarrer ce zèle, inhabituel et tout à fait cohérent avec leur enseignement ; ils se contentèrent de procéder avec prudence. Ils interdirent, par exemple, la publication de livres annonçant la rédemption, autorisée à Amsterdam et à Livourne. L'affaire du faux messie eut pour effet d'attiser les luttes intestines toujours latentes entre les chefs laïques de la communauté et les rabbins locaux, qui, divisés entre eux par d'importantes divergences, étaient cependant unis par le souci de ne pas perdre le contrôle d'une communauté conservatrice et aristocratique, que la nouvelle de la rédemption toute proche avait mis en état d'effervescence. La réaction du Ghetto fut loin d'être unanime et laissa au contraire apparaître de profonds clivages aggravés par l'enthousiasme des uns, le profond scepticisme des autres.

Baruch d'Arezzo, un contemporain de Sabbatai, figurant parmi ses partisans, nous apporte son témoignage : « La majorité des gens croyait effectivement que Dieu était venu apporter à son peuple le pain du salut. » Il est indéniable que les Juifs du Ghetto ne pouvaient qu'être séduits par une perspective aussi alléchante. Baruch d'Arezzo rapporte que les sages et les dirigeants laïques, réunis en session extraordinaire, décidèrent d'organiser une cérémonie du repentir, comme on n'en avait jamais vu dans le Ghetto, qui avait plutôt joyeuse réputation. Les autorités spirituelles encouragèrent ces manifestations de ferveur et de repentir, en tentant toutefois d'éviter les excès. Le rabbin Samuel Aboab, d'origine marrane, polyglotte érudit et estimé de tous, conserva une attitude prudente : il ne croyait ni au faux messie ni à toutes ces annonces de miracles ; il se garda cependant de prendre parti. Il était d'avis qu'un grand repentir collectif ne pouvait certes pas nuire au peuple d'Israël. Au rabbin de Vérone qui lui demandait son avis à ce propos, Aboab manifestait une certaine inquiétude, craignant d'éventuels soulèvements ou une recrudescence de la polémique antijuive ; il conseillait la discrétion et insistait sur la nécessité de calmer les esprits de ses coreligionnaires, car leurs attentes surnaturelles étaient dangereuses et susceptibles d'irriter les non-Juifs. Rappelant les débordements dont avaient été la cause d'autres faux messies, il concluait en conseillant un silence prudent. Les chefs du conseil restreint, convoqué par les autorités vénitiennes, avaient justement adopté cette ligne de conduite, minimisant les faits et prétendant n'être au courant de rien. Aboab ne souhaitait pas que soit engagée contre le faux messie une lutte qui aurait pu provoquer des dissensions au sein de la communauté, voire des fractures irrémédiables. Il fit part de ses préoccupations au rabbin de Vérone, Sasportas, qui lui demandait éclaircissements et conseils. Il ne voulait cependant pas créer les conditions favorables à un schisme. Le temps allait sans doute avoir raison de tous les excès ; la nouvelle ferveur ravivait réellement les espoirs de rédemption : une mauvaise cause pouvait après tout avoir des résultats positifs. La position attentiste des rabbins vénitiens, l'absence d'informations en provenance de Constantinople ou de Jérusalem décuplaient les effets d'une attente qui se faisait de jour en jour plus fébrile et cet immobilisme apparent ne faisait qu'alimenter les rumeurs de toute sorte. Les multiples échanges de correspondance entre rabbins se révélaient stériles. Le rabbin Saraval de Venise demandait à son collègue de Prague, Israel Isserles, de ne pas manquer de l'informer même si les nouvelles pouvaient être amères. Mosè Zacutto, avec d'autres rabbins du Ghetto, Jacob Mosè Treves, Salomone Hai Saraval, Joseph Valensi, avaient rédigé certaines lettres faisant appel au bon sens et à la modération, même si probablement ils n'avaient pas d'identité de vues. Aboab, au contraire, ne signa aucune lettre, persistant dans son idée qu'il suffisait d'attendre. Zacuto, considéré comme le chef des cabalistes italiens, et qui croyait en Sabbataï Zvi, refusa cependant d'intervenir en faveur de certaines modifications du rituel proposées par ses disciples, refusant ainsi de devenir leur chef de file dans le Ghetto.

Ces positions relativement prudentes contrastaient de manière frappante avec l'attitude des couches plus modestes de la population juive, en proie à de mirobolantes expectatives. L'un des rares témoignages sur ces événements confus nous est proposé par le rabbin Isaac ben Jacob de Levita, neveu de Léon de Modène, farouche opposant au mouvement messianique et auteur d'un petit traité autobiographique contenant certaines pages sur l'affaire du faux messie, dont il ne cite pas même le nom. Ce rabbin, qui n'était pas des plus influents mais dont les choix étaient bien arrêtés, rapporte avoir beaucoup parlé sans toutefois parvenir à se faire entendre de ses fidèles. Isaac de Levita décrit encore une réunion tumultueuse entre le conseil restreint et les rabbins, tenue le 2 juillet 1666, et dans laquelle il aurait principalement été question d'une lettre chiffrée venant de Constantinople et se prononçant en faveur de Sabbatai. Les anciens, avec à leur tête Simone Parenzo, souhaitaient que la missive soit tenue secrète ; il y eut cependant une fuite qui porta la discussion au grand jour. Parmi les éléments semant la discorde, certains ordres donnés par Sabbatai afin que soit aboli le jeûne de Tamuz contribuèrent plus particulièrement à rallumer la querelle entre dirigeants laïques et rabbins. Les premiers entendaient limiter l'influence des seconds à des questions d'ordre strictement religieux ; les rabbins revendiquaient leur totale autonomie. Ils rédigèrent en conséquence une proclamation « au nom de la yeshivà » qui fut affichée le 2 Tamuz (4 juillet) à l'heure de la fermeture des portes du Ghetto. La proclamation, adressée aux Juifs du Ghetto, reflétait les préoccupations d'Aboab : il était demandé à tous de faire preuve de discrétion vis-à-vis des chrétiens, de prendre le temps de réfléchir.

Le silence ne pouvait cependant être que factice : en réalité la venue du Messie était sur toutes les bouches, sous toutes les plumes. Aboab lui-même se rendit compte que la mesure était insuffisante. Les chrétiens exprimaient curiosité et malaise : que se passait-il dans le Ghetto ? et si Sabbataï était réellement le Rédempteur ?

Rabbins et chefs de la communauté continuèrent à se disputer furieusement. Les seconds annulèrent la proclamation des premiers et en publièrent une nouvelle proférant des menaces d'excommunication.

La présence d'un rédempteur, possible autant qu'improbable, ne modifiait en rien les vices des hommes. Isaac Levita, qui nous fait part de ses réflexions, observe que la dispute entre croyants et non-croyants s'était transformée en litige entre laïques et religieux, dont les différends n'étaient certes pas nouveaux.

Entre-temps était parvenue à Venise une lettre de Samuele Primo, secrétaire de Sabbataï. Son contenu ne fit qu'envenimer la discorde : le présumé messie, emprisonné à Constantinople, envoyait, dans une lettre signée de sa main, des ordres souverains et des suggestions sur la façon de punir les infidèles, ajoutant de nombreuses considérations politiques et spirituelles. Si le but recherché avait été celui d'enflammer les esprits, l'opération avait parfaitement réussi : on ne compta plus les incidents et les violences de toute sorte perpétrées dans le Ghetto ; la situation contraignit les véritables opposants au mouvement messianique, parmi lesquels Jacob et Emmanuel ben David, à sortir de leur réserve.

La nouvelle de la conversion de Sabbataï à l'Islam s'abattit sur les malheureux juifs du Ghetto comme une véritable douche froide, glaçant aussitôt tous les enthousiasmes, même si on ne manqua pas de trouver tel ou tel irréductible qui, dans la confusion générale, songea à se tourner vers un messie marrane (certains Espagnols reportaient sur cette affaire des expériences personnelles). D'autres en appelaient, avec un dévouement admirable, à l'exemple d'Esther, qui avait feint de ne pas être juive afin de sauver son peuple. Mais Sabbataï était loin de mériter autant de foi et les rabbins, bien que tardivement, comprirent que le moment était venu pour eux de reprendre la situation en main. Ils ordonnèrent, pathétiquement, que soient suspendues toutes les pénitences et décidèrent de brûler tous les documents se rapportant à l'affaire, montrant par leur zèle quel pouvait être leur embarras et leur désir d'effacer d'un seul coup toute trace de leur compromission ; l'heure était revenue à la triste réalité qu'était la condition du Juif sans messie, même si l'espérance éternelle de voir arriver un jour le véritable Rédempteur n'était certes pas éteinte. Samuel Aboab écrivit dans un *responsum* rédigé huit ans plus tard que tous reconnurent leur erreur et confirme qu'ils brûlèrent les documents pour guérir la blessure que leur avait infligé Sabbataï.

En 1668 arriva à Venise, peu avant la Pâque, Nathan de Gaza et, comme cela n'était que trop prévisible, sa visite eut pour effet d'exacerber les passions, si tant est qu'elles pouvaient encore l'être. Les partisans de Nathan accusèrent ses détracteurs de ne pas vouloir l'autoriser à pénétrer dans le Ghetto et ce ne fut que grâce à l'intervention de certains nobles vénitiens que la situation fut débloquée. Baruch d'Arezzo, dont nous avons déjà cité le témoignage, rapporte dans sa chronique que les rabbins tentèrent par tous les moyens de créer le vide autour de Nathan de Gaza, menaçant d'excommunication toute personne qui lui aurait procuré un logement ou simplement adressé la parole. Seul Samuel Aboab, rabbin modéré, inspirant unanimement le respect, se rendit auprès de Nathan pour lui signifier qu'il n'était pas admis dans le Ghetto afin d'éviter de nouveaux désordres. Il semble que Nathan n'ait guère accordé d'importance à ses propos et qu'il se soit proclamé « vagabond divin ». Baruch d'Arezzo, partisan de Nathan, rapporte que le prophète accepta de ne pas entrer dans le Ghetto puisqu'il n'y était pas le bienvenu. La visite de Mosè

Zacuto à Nathan la veille même de la Pâque et sa déclaration affirmant que malgré trente-huit années d'étude du Zohar, sa connaissance de la Cabale était inférieure à celle de Nathan de Gaza, mettent bien en évidence les profondes divergences qui persistaient entre les rabbins, en dépit du volte face de Sabbataï.

Nathan entra dans le Ghetto, sur ordre de deux magistrats vénitiens. Il y séjourna pendant deux semaines et souleva une intense curiosité, établissant, malgré les mises en garde des rabbins, des contacts nombreux et répétés.

Aboab, Treves et Saraval furent placés devant l'obligation de rétablir leur crédibilité, tant aux yeux de leurs coreligionaires qu'à ceux des gentils : la tâche s'annonçait ingrate. Il leur fallait à tout prix détruire ne serait-ce que l'image dont bénéficiait Nathan de Gaza. Ils le convoquèrent donc, le 9 avril 1668, devant leur tribunal et le soumirent à un examen. Ils constatèrent son manque de préparation en matière religieuse et lui firent avouer qu'il avait été possédé par un esprit malin et que, par conséquent, toutes ses affirmations étaient le fait d'un esprit troublé et malade. Ils décidèrent cependant de faire preuve d'une totale bienveillance à son égard et ne prononcèrent aucune sanction : « Puisse Dieu pardonner, conclurent-ils, à ceux qui eussent pu élever leur voix contre lui dès le début. » Ils faisaient allusion aux rabbins de Jérusalem dont le silence avait selon eux grandement profité à Nathan. Nathan de Gaza ne fut donc pas excommunié : on se contenta de lui ôter tout charisme. L'entretien a été interprété de façon tout à fait contraire par Nathan : « Ils m'ont demandé un miracle et je leur ai dit que je n'avais pas le pouvoir d'en faire. »

Baruch d'Arezzo et Mosè Zacuto confirmèrent toutes l'ambiguïté de l'affaire. La déclaration des rabbins, mettant en cause le prophète, provoqua la réaction véhémente de ses partisans, parmi lesquels Meir de Mestre, qui exhorta les fidèles déçus par les faux messies à ne pas cesser leurs pénitences, et poursuivit son combat sur le terrain religieux, délaissant celui, plus contingent, de la polémique entre individus. Meir de Mestre se montra implacable envers Mosè Zacuto, à qui il reprochait de n'avoir rompu avec les partisans de Sabbataï qu'au moment de la conversion du faux messie. Cabaliste, Zacuto partageait instinctivement la ferveur religieuse des nouveaux croyants, bien que sa mentalité conservatrice l'ait plutôt incliné à s'éloigner du prophète, animé par un esprit résolument novateur ; Nathan quitta le Ghetto de Venise sur une défaite, laissant le champ libre aux rabbins. Zacuto ne tarda guère à l'imiter : il partit pour Mantoue.

Aboab demeura à Venise jusque vers les années 1680. Une obscure persécution le contraignit alors à se réfugier dans une ville de l'intérieur, et il ne put regagner Venise avant plusieurs années. Sentant l'approche de sa mort, Samuel Aboab rappela, durant l'été 1694, ses enfants à son chevet, leur prodiguant ses ultimes conseils. Il leur demanda de ne jamais prononcer en vain le nom de Dieu, de se conduire en toute circonstance avec honnêteté, de veiller à l'éducation des plus jeunes et de fréquenter la synagogue avec assiduité et ponctualité. Sa mort, survenue le 12 août 1694, attrista profondément le Ghetto, dont tous les magasins fermèrent en signe de deuil. Ses funérailles furent d'une grande solennité.

Vers la fin du XVIIᵉ siècle, une bien curieuse affaire mit aux prises les cattaveri et les chefs de la communauté. Il s'agit d'un épisode secondaire, qui a néanmoins le mérite de mettre en évidence la nature très particulière des relations entre la ville de Venise et son Ghetto. Le document dont nous empruntons le témoignage est conservé aux archives d'État de Venise dans le fonds « Magistratura dell' Inquisitorato sopra l'Università degli Ebrei. »

La scène se déroule un soir d'été, le 5 juillet 1691. Une dame d'âge mûr, Simcà, épouse de Manele Todesco, rentrait chez elle lorsqu'elle découvrit un étrange colis. Voici sa déposition devant les cattaveri, quatre jours plus tard : « Jeudi soir, vers la troisième heure, alors que j'allais vers ma maison, située devant la synagogue levantine, au-dessus des Scale Matte, après m'être séparée de mon gendre, qui est vendeur dans le Ghetto, je pris une lampe pour aller chercher du pain et dîner ensuite avec mon mari, et, lorsque je suis passée la première fois, je n'ai rien remarqué sous le porche ; ce n'est qu'en revenant avec mon pain que j'ai remarqué, sur un côté dudit porche, une corbeille recouverte d'un drap ; je me suis écriée : "Seman Israel, qu'est-ce que c'est ?" Aboaf qui était chez lui m'a entendue et est sorti aussitôt ; nous avons alors soulevé le drap et nous nous sommes aperçus que c'était un enfant. Aboaf m'a alors dit : "Prends-le, toi, moi je ne peux pas." Alors nous l'avons sorti et nous avons décidé, avec Aboaf, de chercher une nourrice pour que la créature ne souffre pas... Lorsque nous lui avons ôté ses langes nous avons trouvé une copie de notre Loi sur parchemin, et la date de sa naissance, sur du papier ordinaire. » Isaac Aboaf, autre témoin, raconte que le jeudi soir, vers la troisième heure, il se trouvait dans un magasin près de la synagogue levantine, lorsqu'il vit Simcà Todesca et Jacobo Abaof, une corbeille à la main près d'un lieu dit Scale Matte. Tous trois se rendirent sous les escaliers de la synagogue italienne. Ricca da Bolzan, épouse de Moisè Coen Tedesco, confirma aux cattaveri que Simcà et les deux Aboaf lui demandèrent de garder l'enfant cette nuit-là afin de l'allaiter. Le lendemain, ils devaient se mettre à la recherche des parents.

Le 6 juillet 1691, après avoir écouté les avis des sept chefs de la Communauté, les cattaveri convinrent de le confier provisoirement à une nourrice juive et d'ouvrir une enquête.

Israel Lamno, gardien à la porte de la Cannareggio, fit sa déposition le 13 juillet. Il confirma que le soir du 5 juillet, les portes de Cannareggio avaient été fermées à clé peu avant 2 heures. On lui demanda si, après la deuxième heure, certaines personnes auraient pu passer par ces portes. Il répondit : « Non, mon Seigneur, sauf Dame Pauvreté qui parcourt le Ghetto, tous les soirs, pour quémander de l'huile et les autres choses dont elle a besoin. »

Les chefs de la communauté adressèrent aux cattaveri une requête afin que leur soit confié l'enfant trouvé près des Scale Matte. Ils écrivaient notamment : « Pourquoi donc, sur trois mille âmes de tout âge et de tout sexe, ne pourrait-il pas naître quelques bâtards que la sauvegarde d'une réputation pourrait obliger à tenir secrets... en pareil circonstance c'est toujours la charité des chefs du Ghetto qui a pourvu à leurs besoins, ces enfants ayant été hébergés et nourris aux frais de la communauté. Il existe dans le Ghetto de nombreuses personnes qui ne connaissent pas leur père et qui ont été élevées par la charité publique ; il en a toujours été ainsi, et c'est encore le cas aujourd'hui ; si on supprimait cette possibilité, les choses ne pourraient qu'empirer : certaines mères pourraient en être réduites à étrangler leurs enfants, à les jeter dans les canaux ; une jeune fille ayant subi des violences, une femme mariée adultère... pourraient être amenées à se donner la mort plutôt que de dévoiler leur état... Que Vos Excellences veuillent bien supposer qu'il s'est agi d'une femme juive tombée dans l'erreur : que pouvait-elle faire d'autre pour se protéger et conserver son fils à notre religion... que ce qu'a fait celle-ci ? Elle dépose l'enfant dans une corbeille, la nuit, alors que le Ghetto est fermé, en haut ou en bas d'un escalier, près des résidences de deux chefs, elle lui attache un parchemin qu'on appelle encore *mezuzah*, témoignant de son appartenance à la religion juive, elle écrit quelques mots en langue hébraïque qu'elle dépose entre les langes, afin de faire connaître sa date de naissance, le 7 du mois de Tamuz, précision importante pour que la circoncision se fasse dans les délais que prévoit notre Loi... Pourrait-on douter du fait qu'il soit juif ? Si le père avait été chrétien, il l'aurait immanquablement conduit à l'assistance publique, il n'aurait pas joint les informations dont nous avons parlé... Pourquoi aurait-il laissé dans le Ghetto, lieu de misère, un enfant qui aurait pu vivre de façon autrement plus confortable ? Il ne fait donc aucun doute que le père est juif. Et il n'est pas moins certain que la mère l'est également. Serait-il possible en effet que la mère soit chrétienne et le père juif ? Vos Seigneuries ne peuvent ignorer que les Juifs sont aussi fermes dans l'observation de leur religion que peu soucieux de la faire partager à d'autres. Or, si la mère était chrétienne, quand bien même le père serait juif, l'enfant ne serait pas considéré comme juif. Cela coupe court à toute controverse et ôte toute probabilité que cet enfant ait pu être transporté ici... car, conformément à nos rites, tout enfant procréé avec une femme étrangère est exclu de notre religion et conserve la religion de sa mère... Il s'agit bien d'un enfant du Ghetto... Il ne subsiste aucune possibilité pour qu'il en soit différemment... »

Soucieux d'établir la vérité sur cette affaire, les rabbins firent publier une déclaration dans laquelle ils menaçaient d'excommunication toute personne qui, possédant des informations sur l'affaire, s'abstiendrait de les communiquer. Quelques jours plus tard, la nouvelle se propagea dans toutes les communautés de Vénétie, grandes et petites. Un Juif de Castelfranco se présenta enfin devant le grand rabbin de Padoue, avouant la vérité : le père était un Juif répondant au nom de Rieti de Castelfranco Veneto, une bourgade près de Trévise. Le rabbin de Padoue dépêcha auprès des rabbins vénitiens un messager porteur des dépositions qu'il avait recueillies. Celui-ci fut convoqué le 19 juillet par les cattaveri Bolani et Mocenigo, auxquels il confia les informations en sa possession : l'enfant était né dans la maison d'Ercole Zacaria Rieti, un Juif de Castelfranco, et la mère était une dénommée Corona Levi. Ercole Rieti, appelé à déposer, apporta certains détails encore inconnus : « Un de mes cousins germains, nommé Sansone da Nomi, me demanda si je pouvais lui rendre le service de prendre chez moi une de ses servantes, juive, qu'il avait engrossée ; il ajouta qu'il prendrait tous les frais à sa charge et que cela ne me causerait aucun tort. » Rieti avait accepté de témoigner en raison de la menace d'excommunication publiée par les rabbins.

On fit ensuite déposer la mère de l'enfant, Corona Levi, devant un notaire. Elle dit qu'elle était venue à Castelfranco pour entrer au service de Sanson Sacerdote, huit ans auparavant. «Pour mon malheur je suis restée enceinte de cet homme et, afin que mes parents n'apprennent pas la chose, il m'a fait conduire jusqu'à Strigno où habitent certains de ses parents et de là on m'a ensuite amenée, à cheval, chez un neveu de M. Sanson et puis chez M. Ercole Rieti. » Elle reconnut qu'elle était la mère de l'enfant et que l'enfant était né quinze jours auparavant. Elle ajouta qu'on lui avait laissé entendre que le bébé était une fille et que seulement plus tard on lui avait avoué que c'était un garçon. Qu'était-il arrivé à l'enfant ? «Le soir de mon accouchement, le père de l'enfant, M. Sanson, est venu chez moi ; il est revenu le lendemain soir ; il a pris l'enfant et je ne sais pas très bien ce qu'il en a fait... J'ai récité tant de prières, afin de savoir où il était ; puis, lorsque M. Sanson est revenu, je lui ai demandé ce qu'il avait fait de l'enfant, il a répondu, en colère : " J'ai fait ce que bon m'a semblé " ; je ne peux rien vous dire d'autre. » Pourquoi pleurez-vous sans arrêt ? «Comment pourrais-je éviter de pleurer, puisqu'on m'a enlevé mon enfant... puisse Dieu rétablir la justice... » Reconnaissez-vous les bandes, les langes ? Le bonnet ? «Oui, car c'est moi qui l'ai brodé... Oui, c'est bien la lingerie qu'il portait le jour où on me l'a enlevé. »

Gregorio Bellotto, qui avait accompagné Sacerdote à Venise, rapporta : «... Sanson est allé acheter une corbeille dans laquelle il a déposé l'enfant et nous sommes allés dans le Ghetto, dans une petite impasse, devant une église juive, et il a déposé la corbeille contenant l'enfant sous un porche. Je lui dis : " Prends garde, Sanson, il ne faudrait pas que l'enfant meure " et il me répondit qu'il n'y avait aucun danger, que comme il était à côté de plusieurs entrées on ne pouvait manquer de le voir, et nous avons déposé l'enfant près d'un mur et nous sommes allés retrouver un de mes frères à San Cascian... »

Le 24 juillet 1691, les cattaveri Nicolò Bolani et Alvise Mocenigo rendirent le jugement suivant : « Les Illustrissimes et Excellentissimes Seigneurs Cattaveri Nicolò Bolani et Alvise Mocenigo, après examen des faits concernant la découverte dans le Ghetto, le 5 du mois courant, d'un nouveau-né de sexe masculin, ordonnent unanimement et à la suite d'une réflexion approfondie, que la responsabilité de cet enfant sera confiée à *qui de droit, au sein du Ghetto.* »

19

La banqueroute de la communauté : chronique de 1700 à 1750

Les dettes du Ghetto. — Les cattaveri et la moralité publique. — Le problème des impôts. — Une nouvelle magistrature : les Inquisiteurs chargés de la communauté juive. — Les plans de redressement des finances du Ghetto. — Le renouvellement de 1738.

La longue et ruineuse campagne contre les Turcs, entre 1684 et 1699, bien que conclue par le traité de Carlowitz qui garantissait la Morée, ne profita pas beaucoup à Venise : les caisses étaient vides et la relance économique tant espérée tardait à venir. Les Vénitiens parvinrent à conserver, pour quelque temps encore, leur hégémonie sur l'Adriatique, devenue désormais une mer périphérique, exclue des nouvelles routes commerciales. La Sérénissime était engagée sur la pente d'une décadence lente mais irréversible, à laquelle ne put échapper, du reste, son ennemi de toujours : l'Empire ottoman : l'Autriche, les Pays-Bas, l'Allemagne ne cessaient en revanche d'accroître leur influence et leur puissance commerciale. Bientôt Venise perdit aussi l'Adriatique : les Turcs attaquèrent en 1714, dépossédant la République de tous ses avant-postes sur la mer Égée et la contraignant à faire cause commune avec l'Autriche. La paix de Passarowitz sanctionna, en juillet 1718, cette défaite, la disparition de Venise de la mer Égée et l'abandon de la Morée, tout en sonnant en même temps le glas de la domination turque. La Sérénissime vécut dès lors un déclin doré, étrangère aux grandes crises européennes, mais de plus en plus isolée. Lord Chesterfield annonça prophétiquement : « La liberté vénitienne durera aussi longtemps que se maintiendra en Italie l'équilibre des grandes puissances. »

Comme cela s'était déjà vu par le passé, une nouvelle fois les destins de Venise et de la communauté juive s'entremêlèrent, palpitèrent ensemble pendant presque un siècle, jusqu'à ce que l'expérience du ghetto arrivât à son terme.

Entre les années 1669 et 1700, le Ghetto fut contraint par les décrets du Sénat de verser dans les caisses du Prince Sérénissime la somme exorbitante de huit cent mille ducats.

Le 6 janvier 1700, le Sénat, à nouveau pressé par les contraintes économiques, et malgré le prêt imposé l'année précédente, décréta, après avoir constaté « la prompte et dévote résignation » des chefs de la communauté, un nouveau versement obligatoire de cent cinquante mille ducats.

C'est le début d'un cycle historique paradoxal, aux caractéristiques multiples, inaugurant des rapports entre Venise et les Juifs d'un type jusque-là inédit. L'une d'entre elles, parmi les plus évidentes, réside dans la masse considérable de lois, de dispositions, de décrets, d'injonctions, et de délibérations, concernant les Juifs, émise par les différentes magistratures et par les organes gouvernementaux de la Sérénissime. L'augmentation de cette masse est en effet directement proportionnelle à l'absence d'efficacité dans l'application desdites lois.

La crise, particulièrement celle des banques et plus généralement celle des finances de la communauté, saignée à blanc au cours des trente dernières années du XVIIᵉ siècle, allait en effet se muer en une nouvelle constante de la vie politique vénitienne et créer des situations paradoxales, impensables à peine quelques années auparavant. Les Juifs, écrasés de dettes, dépourvus de tout bien immobilier, ne couraient plus aucun danger d'expulsion : leur nouvelle situation économique se révéla un bouclier plus solide que bien des richesses passées.

Naturellement les discriminations d'usage restèrent en vigueur : les Exécuteurs contre le blasphème proclamèrent édit sur édit : il était strictement défendu « à tous les chrétiens âgés de moins de seize ans de pénétrer dans les maisons des Juifs ». La proclamation, affichée aux portes du Ghetto, précisait que « les jeunes filles et les femmes chrétiennes ne pouvaient en aucun cas passer la nuit dans le Ghetto, ni même travailler au service de quelque personne juive que ce fût, homme ou femme ». Un avertissement spécial était même réservé aux Juifs, « qui s'étaient faits chrétiens » : « qu'il leur soit rigoureusement interdit de fréquenter le Ghetto de cette ville, ou même de s'y rendre ponctuellement, sous quelque prétexte que ce soit... ou encore de pénétrer dans la demeure privée de quelque Juif que ce soit, sous peine d'encourir les plus sévères sanctions. » Parmi les châtiments prévus étaient mentionnés la corde, la prison, les galères, le fouet et le pilori.

La cause majeure des soucis des autorités vénitiennes restait cependant, encore et toujours, la situation fort précaire des finances du Ghetto.

En octobre 1706 les chefs de la communauté ashkénaze présentèrent devant le Sénat une requête demandant que soient autorisés à séjourner dans le Ghetto, pour des périodes limitées, des Juifs étrangers, dont on pourrait ainsi obtenir une contribution à l'impôt. Estimant que la proposition méritait que l'on s'y attarde, le Sénat consulta les avogadori di Comun, ainsi que les Cinq Sages et les cattaveri qui, tous, émirent des avis en substance favorables.

Bien que l'état financier désastreux de la communauté, institution officielle, ne reflétât pas réellement la situation des ménages — les fortunes familiales jouissant d'une meilleure santé que les collectives —, force était de constater que les familles les plus riches, refusant d'assumer à elles seules l'essentiel du fardeau fiscal, prenaient de plus en plus fréquemment la décision d'émigrer. Le Sénat multiplia les efforts pour freiner cette tendance : en 1630, il décréta que seuls pouvaient partir du Ghetto ceux qui avaient acquitté aussi bien l'impôt ordinaire que les impôts extraordinaires, et qui avaient en outre obtenu l'autorisation des chefs de la communauté et des sénateurs. Ceux-ci intervinrent à nouveau en 1669, comme il ressort des registres de la communauté, pour rappeler que personne n'était autorisé à partir sans l'accord préalable des responsables juifs. Les délibérations sénatoriales sur le même thème ne firent du reste que se multiplier : on ne cessait de rappeler, en 1695, 1696, 1697, l'opposition de principe à tout départ ; les dérogations ne pouvaient être accordées qu'à ceux qui garantissaient, en même temps que le versement de leur impôt, la prise en charge de leur part indivi-

346

duelle de la dette totale, à présent fort importante. Au début du XVIIIe siècle, le Sénat confia à l'un de ses magistrats une enquête qui devait « déterminer les causes véritables qui pouvaient conduire les familles à de telles résolutions » ; la situation était donc, nous le voyons bien, complètement renversée : les Juifs jusqu'alors constamment menacés d'expulsion et contraints d'acquitter des droits exorbitants afin de ne pas en arriver là, étaient à présent retenus sous n'importe quel prétexte et leur départ contrarié.

La crise financière du Ghetto eut des répercussions multiples : bien sûr, elle exaspéra les conflits entre ses trois communautés, ce qui en soi n'était pas un fait nouveau, mais elle fit également naître des divergences entre les individus et les instances dirigeantes, dont les décisions furent dès lors de moins en moins respectées ; les relations n'étaient guère plus avenantes avec les prêteurs chrétiens, en raison des sommes disproportionnées exigées par l'État vénitien, que les Juifs n'étaient plus en mesure de rembourser.

Au même moment les cattaveri soulevèrent des problèmes ayant trait à la moralité publique : ils dénoncèrent tout particulièrement « l'abus scandaleux constaté dans le Ghetto de la ville, où un nombre de plus en plus important de chrétiens de tout âge et des deux sexes était admis dans les maisons des Juifs dont ils partageaient les repas, buvaient le vin, accomplissant bien d'autres choses encore contraires au décrets religieux, en violation de tous les accords stipulés ». Des documents complémentaires nous permettent par ailleurs d'affirmer que les rapports entre Juifs et chrétiens étaient en effet bien plus étroits que ne l'eussent souhaité les autorités, comme ce rapport des Cinq

Sages, daté du 18 septembre 1720, rappelant que le vin produit suivant l'usage et le rite juif, exclusivement réservé aux Juifs, ne pouvait être vendu à des chrétiens.

De telles mesures ne pouvaient toutefois suffire à diviser des gens dont les existences quotidiennes étaient par ailleurs fort semblables. Venise, ville de tentation permanente, le fut encore plus durant le XVIIIe siècle : pendant le carnaval de 1720, s'imaginant sans doute que les masques et l'obscurité suffiraient à garantir leur impunité, certains Juifs résolurent de passer outre à certains édits et de se mêler à la foule en liesse. Ils furent découverts, arrêtés, jugés et, en dépit du caractère ludique de leur acte, condamnés. Leurs noms, Abram Foniga, Vita Sachi, Samuel Zevi, Iseppo Almeda, Salomon Conegliano, se gravèrent dans toutes les mémoires.

En 1716, au moment où la guerre avec l'État turc était à son point culminant, le conseil de la Quarantia al Criminal dut s'occuper du « très grave désordre constaté dans le traitement des gages » et de nouveaux règlements furent affichés sur les portes de chaque banque « afin que tous en prennent clairement connaissance ».

Malgré les interventions répétées des sopraconsoli et de la Quarantia al Criminal, dans les années allant de 1718 à 1721, le problème posé par la gestion des banques n'était toujours pas résolu : en juin 1721 le Sénat autorisa une légère augmentation de 0,5 p. 100 du taux d'intérêt ; des difficultés financières toujours plus sérieuses incitèrent cependant les chefs de la communauté, Joseph Pincas Calvo, Abram Abenacar, David de Salomon Valenzin, Isach Hai di Moise Baruc Carvaglio, Aron di David Uziel,

Haim Hai di Bignamin, Baru Alfarin, à assumer des responsabilités plus grandes et des pouvoirs de décision accrus.

La situation financière de la communauté ne s'améliorait pas pour autant. Un document déposé aux archives d'État de la magistrature chargée du commerce, et datant presque certainement du 4 août 1722, fait état des efforts déployés par les Cinq Sages pour tenter de procéder à une analyse de la situation financière dans le Ghetto : ils convoquèrent les chefs de la communauté ainsi que ceux des trois groupes, leur demandant de fournir des rapports détaillés sur leurs sources de revenu, leurs frais et leur méthode de répartition de l'impôt. C'est sur ce dernier aspect que se penchèrent plus particulièrement les Sages. La méthode jusque-là suivie avait été celle des *tansadori universali e nazionali*, percepteurs désignés par la communauté et par chacun des trois groupes séparément, et qui avaient pour tâche de taxer chaque habitant du Ghetto en fonction de sa condition et de sa fortune. Cette méthode fut remplacée, à partir de l'année 1698, par celle dite des « livrets secrets », aussi originale qu'élaborée : on préparait autant de sachets et de livrets qu'il y avait de contribuables inscrits. Chaque sachet contenait un livret scellé et chaque contribuable devait jouer le rôle du tansador (et fixer ainsi le montant de l'impôt). On ne prenait en compte que sept livrets, marqués secrètement à l'avance, à l'aide desquels on déterminait la *tansa* de chacun. Tous les inscrits avaient l'obligation de prendre part à l'opération, afin d'augmenter le sens des responsabilités, et de maintenir secret le nom des sept tansadori. Chacun remplissait son livret imputant aux autres l'impôt qu'en son âme et conscience il estimait approprié. Les livrets étaient ensuite replacés dans les sachets scellés et confiés à quelques délégués qui les ouvraient, repéraient les septs livrets marqués, éliminaient celui où les impôts étaient les plus élevés et celui où ils étaient les plus bas, et puis calculaient la moyenne, contribuable par contribuable, à partir des cinq livrets restants. Le résultat de ce calcul déterminait l'impôt pendant les trente mois suivants.

Cette pratique fut cependant abandonnée en 1720, lorsqu'on passa au système de la *cassella*, adopté dans un premier temps par les Juifs ibériques, puis par les Ashkénazes et les Levantins.

Les Cinq Sages, après avoir analysé les comptes que leur présentèrent les chefs de la communauté, manifestèrent de sérieuses inquiétudes : ils remarquaient que le Ghetto procédait bien au remboursement des vieilles dettes, mais que, pour ce faire, il en était réduit à en contracter de nouvelles, que les banques représentaient une charge considérable, qu'il fallait ajouter aux dettes de la communauté, de l'ordre de six cent mille ducats, celles contractées par les institutions ibérique, levantine et ashkénaze séparément, et que le total ainsi atteint s'élevait à un million de ducats, voire, selon certaines sources, un million deux cent mille ducats.

En septembre 1722, le Sénat prit acte du rapport des cattaveri, des Cinq Sages, des délégués à la Trésorerie, qui l'avait informé « d'une matière fort grave et fort importante, à savoir l'état inquiétant des finances de la communauté juive de cette ville », et rendit public le fait que les finances du ghetto étaient obérées. La situation exigeait des mesures d'exception : on nomma une magistrature spéciale, qui aurait autorité sur toutes celles précédentes, celle des Inquisiteurs chargés de la communauté juive. Pouvaient être nommés à cette fonction, renouvelable annuellement, tous les nobles appartenant au Sénat. Les Juifs allaient devoir leur rendre compte du moindre détail concernant leur situation économique, et les Inquisiteurs, après un examen global de toutes les questions relatives aux dettes, aux impôts, à leur mode de perception, à la gestion des banques, effectueraient un inventaire des mesures possibles et trouveraient un administrateur chargé de gérer toutes les affaires du Ghetto. Forts de pouvoirs étendus, ils pouvaient ainsi jeter les bases d'un assainissement réel de la situation.

Les Inquisiteurs parvinrent effectivement à mettre au point un plan de redressement, mais sans doute était-il déjà trop tard. Plus la Sérénissime et la communauté déployaient d'efforts pour tenter de réamorcer le fragile mécanisme enrayé et plus celui-ci se détériorait : les nobles vénitiens, auxquels les remboursements ne parvenaient plus, commencèrent à manifester quelque méfiance et d'autre part, les Juifs, las de porter le fardeau que leur imposait l'organisation communautaire, tentèrent d'exploiter à des fins strictement individuelles les privilèges jusque-là obtenus.

La nouvelle législation sur les Juifs étrangers, qui avait paru, dans un premier temps, une mesure propre à attirer des hommes neufs et des capitaux frais, ne donna à l'usage aucun des résultats escomptés et son seul effet fut au contraire de durcir les divisions au sein du Ghetto. Certains individus virent immédiatement le parti qu'ils pouvaient tirer de certaines imperfections de cette loi, comme le montre cette requête adresse au *Maamad* de la communauté ashkénaze par Isaac di Mandolin Treves, originaire de Padoue, qui demanda que lui soient appliquées, ainsi qu'à sa famille, les dispositions relatives aux Juifs étrangers : il ne fut ainsi astreint qu'à l'impôt triennal. Nombreux furent ceux qui utilisèrent ce biais pour tenter de payer moins d'impôts.

Les Inquisiteurs ne négligèrent pas de distribuer largement exonérations et privilèges afin de tenter d'instaurer un processus d'émulation. La Quarantia intervint à son tour, mais ses hésitations ne firent que témoigner du caractère hautement conflictuel de la situation. Le 11 septembre, ils revenaient ainsi sur une décision prise un mois auparavant, à laquelle ils substituaient deux nouvelles ordonnances.

Une nouvelle fois, en août 1729, la Quarantia souligna le fonctionnement désordonné des banques et entreprit de redéfinir leur réglementation dans son ensemble. La communication faite par le Sénat en mai 1730 est plus éloquente que tout commentaire : « Il est demandé aux présidents du conseil de la Quarantia de nous informer diligemment sur l'état des fonds présentement disponibles dans les différentes banques du Ghetto, sur la façon dont ils sont gérés, ainsi que sur l'identité des arbitres autres que les banquiers eux-mêmes ; au cas où vos enquêtes permettraient de constater la pratique de taux excessifs, vos suggestions sur les mesures les plus indiquées seront les bienvenues. » Le sens de cette intervention est évident : en dépit de tous les efforts, la situation restait alarmante et le Sénat, malgré les enquêtes innombrables, ne disposait pas de la moindre idée sur l'action à entreprendre.

Cette situation alla en se dégradant durant les années 1730 : il suffit de constater, pour s'en rendre compte, l'augmentation sensible des rapports adressés au Sénat par les Inquisiteurs. On relevait une accentuation marquée de la tendance à changer de statut : le nombre des Juifs étrangers augmentait de manière spectaculaire, un mouvement qui ne pouvait qu'exaspérer les créanciers et confirmer leurs inquiétudes, fort justifiées du reste : l'écrasante charge des impôts communautaires était portée par un nombre de personnes de plus en plus restreint.

En avril 1732, les cattaveri s'adressèrent au Prince Sérénissime, déplorant que la communauté juive, jadis soumise à des règles strictes, soit parvenue, avec le temps, à arracher des concessions toujours plus importantes : « On constate aujourd'hui avec émerveillement qu'il n'est plus guère possible de distinguer un chrétien d'un Juif. » Leur rapport fait apparaître que les Juifs ne respectaient ni les règles de confinement au Ghetto, ni l'interdiction d'acquisition de biens immobiliers, qu'ils possédaient, de ce fait, des terres, louaient leurs biens et employaient de surcroît des domestiques chrétiens d'âge tendre. Les cattaveri rappelèrent que l'impression des livres avait longtemps été interdite aux Juifs, mais qu'« à présent il existe ouvertement une imprimerie en langue hébraïque » où on soupçonnait qu'ils imprimaient, sans restriction aucune, leurs ouvrages religieux, au point que la papauté en avait été réduite à intervenir pour signaler aux autorités vénitiennes cet abus. Au poste du réviseur Benetelli, resté en place jusqu'en 1724, avait succédé un certain Serafin Serati, Juif converti, choisi très probablement par les Juifs eux-mêmes. Les magistrats affirmaient avoir pleinement confiance en Benetelli qui accomplissait sa tâche scrupuleusement et vérifiait effectivement qu'aucun des livres publiés ne contenait d'offenses contre la religion chrétienne. Ils ne se montraient pas aussi sûrs de Serafin Serati. « C'est un individu de très basse condition, écrivaient-ils, très peu cultivé. » Ils émettaient les plus grandes réserves sur la qualité de son travail, considérant qu'il s'agissait d'un homme aisément corruptible. Ils concluaient de la façon suivante : « Si l'imprimerie est bien tenue par des nobles, le compositeur est juif et le réviseur l'a été... quels scandales ont pu y être commis cela Dieu seul le sait. » Ils lui avaient adressé des réprimandes, auxquelles Serati avait répondu que les Juifs avaient le droit d'écrire ce que bon leur semblait. Ils estimaient par conséquent qu'il était nécessaire de nommer un nouveau censeur, car « la langue hébraïque se prête particulièrement à la tromperie, et à la malice de ce peuple impie qui peut ainsi donner libre cours à ses rancœurs. »

En août de la même année, Jacob Levi Muia, rédacteur de la communauté juive, fit parvenir aux Inquisiteurs un document élaboré par les chefs du Ghetto ; il contenait un plan de redressement détaillé, censé réduire la dette de neuf cent mille ducats et permettant de réunir une somme de six cent mille ducats grâce à de nouvelles formes de dépôts publics rémunérés à 2 p. 100. Tout cela était présenté comme parfaitement réalisable en dépit de l'affaiblissement des ressources causé par les départs ; le plan concernait aussi les communautés de Vérone et de Padoue. Après consultation de toutes les magistratures compétentes, le Sénat ratifia le projet et afin de permettre sa mise en œuvre, suspendit, pour une durée de six mois, toutes les mesures précédentes, dans l'espoir que les prêteurs chrétiens retrouveraient ainsi au moins une part des capitaux qu'ils avaient confiés aux Juifs du Ghetto.

En mars et en avril 1737, le Sénat examina certains rapports établis par le conseil de la Quarantia et les sopraconsoli, concernant la situation financière du Ghetto, ainsi qu'un recours présenté par la communauté juive demandant la fermeture d'au moins l'une des banques. Le Sénat opposa son refus, soutenant qu'une telle disposition ne pouvait entraîner qu'un allégement provisoire : les autres banques du Ghetto s'en trouveraient en effet rapidement saturées et les tensions liées à l'accroissement de la pauvreté en ville renaîtraient aussitôt.

En septembre, les Inquisiteurs décrétèrent une nouvelle mesure visant à rétablir une situation de normalité par la réduction des privilèges et des dérogations jusque-là accordées à certains Juifs du Ghetto et par l'instauration de pratiques égalitaires : les Juifs seraient désormais tous traités de la même façon, tant par les institutions communautaires que par les magistratures vénitiennes. Les Inquisiteurs soulignèrent cependant la « grave erreur de jugement que commettraient tous ceux qui, détournant l'esprit de la loi, se hâteraient d'acquitter leurs dettes pour simuler un départ, destiné en réalité à leur valoir les traitements de faveur réservés aux Juifs étrangers ». Toute personne séjournant en ville après une opération de cette nature était en tout état de cause considérée comme membre de la communauté juive de Venise. La proclamation fut ratifiée par le Sénat douze jours plus tard : le gouvernement de la Sérénissime prenait acte de la diminution du nombre des familles du Ghetto, rendant plus difficile le prélèvement des sommes jusque-là exigées et manifestait une fois de plus son inquiétude quant à la situation financière générale. Malgré des lois pléthoriques, les résultats tangibles restaient en effet fort modestes.

En avril 1738 le Sénat entérina la reconduction du statut des Juifs. La nouvelle charte comprenait soixante-six chapitres, dont trente-trois exclusivement consacrés au financement des banques. Le Sénat émettait le vœu de ne plus avoir à revenir sur la question. Pour la première fois de son histoire, la structure du Ghetto subissait une modification en profondeur : les différences de traitement entre les divers groupes de la communauté étaient annulées ; celle-ci était néanmoins toujours tenue d'assurer la gestion des banques : « Tous les Juifs résidents dans le Ghetto de Venise ainsi que ceux qui habitent, ou habiteront, dans les territoires de l'intérieur, participeront aux coûts de fonctionnement. »

En 1739, après une très longue parenthèse, revint à l'ordre du jour la question des monts-de-piété : les pertes subies par les banques étaient désormais jugées irrémédiables. Le Sénat chargea les présidents de la Quarantia et les Inquisiteurs d'effectuer les études et les enquêtes préliminaires. Toutes les mesures susceptibles de réduire l'impact de la crise financière des banques et de la communauté furent envisagées : en décembre 1742, les Inquisiteurs réquisitionnèrent jusqu'au fonds de secours de l'Association pour le rachat des esclaves, l'une des œuvres de bienfaisance du Ghetto, obligeant les responsables communautaires à verser dans les caisses des banques la somme de deux mille cinq cents ducats prélevée sur ledit fonds. L'opération suscita de vives réactions : elle ôtait en effet à la communauté toute possibilité de payer les rançons éventuelles et de libérer ses membres tombés entre des mains ennemies.

Si durant cette période, en raison de la situation économique du Ghetto, les premiers rôles furent essentiellement tenus par les Inquisiteurs et les sopraconsoli, l'attention portée par les cattaveri à la moralité publique ne s'en relâcha pas pour autant. Leurs interventions furent en effet fréquentes et, bien que portant sur des cas relativement secondaires, elles n'en donnent pas moins la mesure de la vigilance exercée : David Jacob Cholona de Rovigo, autorisé à porter le béret noir pendant une période de huit jours, n'ayant pas respecté cette limite, eut maille à partir avec eux. Une femme chrétienne, Luceta Dorsi, après avoir vécu quatorze ans en concubinage avec un commerçant d'huile de Zante, déclara aux juges n'avoir jamais soupçonné que l'homme, Constantin Cona, était juif : elle eut à se justifier devant un tribunal. En 1749 les cattaveri inculpèrent Jacob Alpron et Abraam Posteler. Le premier avait ouvert une teinturerie dans le quartier de Piove di Sacco, le second avait fait une promesse de mariage à une jeune femme, puis avait été reconnu comme juif : il avait alors déclaré vouloir se convertir, mais avait disparu de la Maison des catéchumènes sans laisser de traces.

20

Mosè Chaim Luzzatto
et Simone Calimani :
deux rabbins très différents

« Dans le domaine de la culture universelle et de l'étude de la langue italienne, le XVIIIe siècle a été, pour les Juifs de la péninsule, une période de stagnation, voire de régression. » C'est ainsi que s'exprimait l'historien vénitien spécialiste des questions juives Lelio dalla Torre, dans un article paru en 1866 dans le *Corriere israelitico*. Il observait en outre que les rabbins, qui s'étaient distingués, durant le siècle précédent, autant par leurs travaux de recherche que par leur création littéraire en langue italienne, s'étaient à présent retranchés dans l'étude du rituel juif, moins du reste par aversion de la littérature vulgaire et de la science que par crainte de succomber aux idées nouvelles qu'elles véhiculaient. Ils pratiquaient l'art poétique en hébreu, étudiaient la Bible et le Talmud, mais prêchaient en italien, dans un style désuet, redondant, parsemé de métaphores absurdes, de jeux de mots puérils, de termes ampoulés. En dépit de cela, écrit Lelio dalla Torre, « l'Italie ne connut sans doute jamais de rabbins aussi brillants qu'en cette période, ni d'esprits aussi lucides, aussi versés dans la casuistique, prônant une éducation religieuse aussi sage et modérée ».

Deux rabbins se distinguèrent plus particulièrement à Venise et dans toute la Vénétie, dont le plus célèbre, le plus controversé, fut sans contexte Mosè Chaim Luzzatto. Né à Padoue en 1707 d'une famille vénitienne, il disparut prématurément à l'âge de trente-neuf ans en Palestine. Il eut pour maîtres des personnages aussi illustres que Chaim Cohen Cantarini, mystique et cabaliste, et le talmudiste Isaia Bissan. Rav Mosè Chaim Luzzatto (Ramchal) ne tarda pas à être unanimement reconnu comme poète et dramaturge. Il consacra toute son énergie à l'étude du Zohar, réunissant autour de lui nombre d'admirateurs et de disciples fidèles, dont Israel Treves, Isaac Marini, Jacob Israel Forti, Shelomoh Dina, Jacob Chaim. S'étant imposé de ne jamais interrompre l'étude du Zohar, les membres de ce cénacle se relayaient vingt-quatre heures par jour. Leur but mystique : guérir les maux d'Israël et permettre ainsi l'avènement, sur un monde rendu moins imparfait, de l'harmonie divine. Leur règle était d'une grande austérité, prescrivant un silence uniquement rompu par de laconiques salutations. Astreints à des pratiques ascétiques, ils s'étaient engagés à ne jamais prononcer que le vrai, à jeûner tous les dix jours. Ils employaient quotidiennement des formules cabalistiques destinées à favoriser le retour à une unité cosmique originelle, rendue possible grâce à des noces mystiques entre le ciel et la terre.

Baignant dans cette atmosphère de grande tension spirituelle, Luzzatto crut entendre des voix étranges ; il en fit part au rabbin Benjamin Coen au cours du moins de sivan 5487 (1727) : « J'étais en train de penser à une formule cabalistique lorsque je m'assoupis. A mon réveil j'entendis une voix qui me disait en araméen : " Je suis descendu te révéler les secrets du Roi Saint ". Je m'assis, tremblant, mais repris aussitôt courage ; la voix continua de me révéler des choses mystérieuses. Le jour suivant, à la même heure, je pris la précaution de m'isoler ; la voix descendit de nouveau et me confia d'autres secrets célestes. Puis un jour elle me dit qu'elle était un *maggid* envoyé du paradis et me transmit un certain nombre de formules qu'il me fallait garder en mémoire jusqu'à son retour. A aucun moment je ne le vis. Mais j'entendais sa voix qui sortait de ma bouche. Puis il m'autorisa à lui soumettre quelques questions. Environ trois mois plus tard, il me communiqua de nouvelles formules que je devais répéter tous les jours, afin de me rendre digne d'être visité par le prophète Elie ; il m'ordonna de rédiger un commentaire au Kohelet selon les explications cabalistiques de chaque verset qu'il me donnait ; puis est descendu Elie. Il m'apprit les secrets célestes. Il me dit que Metatron, le grand prince du paradis, allait venir. Je sus que c'était lui car c'est Elie lui-même qui me l'a dit. Je sais depuis reconnaître chacun d'entre eux. Viennent également certaines âmes saintes dont je ne connais pas les noms, et qui m'apprennent de nouvelles choses que je note aussitôt. Je fais tout cela le visage contre le sol, et pendant ce temps je vois dans mes rêves les âmes saintes sous des traits humains. » Ce type de visions n'était pas nouveau chez les mystiques juifs. A Safed, centre d'études mystiques, Joseph Caro, l'auteur du *Shulkhan Aruch*, et Chaim Vital en avaient eu de semblables.

Naturellement, Luzzatto fit part de ses expériences à ses disciples. L'un d'eux, Jequtiel Gordon, diplômé de l'université de Padoue en 1732, où il reçut à cette occasion le titre de *dominus* (maître) se refusa à garder un tel secret et il adressa un courrier aux rabbins de Vilna ainsi qu'à Mordechai Yaffe, disciple de Sabbataï Zvi, résidant à Vienne. Une indiscrétion qui allait déclencher bien des passions.

Sa lettre aboutit entre les mains du rabbin de Jérusalem, Moshe Hagiz, résidant temporairement à Altona, près de Hambourg. C'était le fils de ce même Moshe Hagiz qui avait résolument combattu le mouvement de Sabbataï Zvi. Il écrivit, sans perdre un instant, aux rabbins vénitiens : « Ô monts d'Israël, mes maîtres et mes disciples, hommes sages, rabbins et chef de la communauté ! C'est à vous qu'il appartient, après avoir lacéré vos vêtements en signe de deuil, d'enquêter et d'extirper les racines de cette association maléfique avant qu'elle ne répande son venin dans la foule et qu'elle ne fasse de tous ses membres des ennemis d'Israël. J'aurai, pour ma part, sauvé mon âme. C'est ainsi que parle, humblement, Moshe Hagiz de Jérusalem. » Indigné, le rabbin fit parvenir à ses pairs vénitiens une copie de la lettre incriminée : les faits ayant été constatés à l'intérieur de leur juridiction territoriale, c'était à eux qu'incombait la tâche d'intervenir et de réfréner une ferveur ambiguë autant que potentiellement dangereuse. En quête d'informations complémentaires, les rabbins vénitiens envoyèrent la lettre de Hagiz et de Gordon au rabbin Bassan, qui avait entre-temps quitté Padoue pour Reggio Emilia. Il fallait à tout prix éviter que l'affaire ne s'ébruite et ne parvienne jusqu'à des oreilles chrétiennes : personne n'avait oublié l'amère désillusion provoquée par l'hérésie sabbataïque. Dans une lettre aux rabbins vénitiens datée du 24 janvier 1730, le rabbin Bassan défendit son disciple, dont il garantissait la pureté d'esprit. Luzzatto fit tout d'abord front à la campagne engagée contre lui sans se départir de sa sérénité, et poursuivant, en dépit de son jeune âge — il avait vingt-trois ans — leçons et rencontres avec ses élèves. « Le mal, répétait-il, n'existe que parce que Dieu le permet ; si j'en subis les effets c'est donc qu'il devait en être ainsi. » Il ne pouvait envisager de se rétracter. Il écrivit au rabbin Katzellenbogen de Hambourg, un ami de Hagiz, expliquant qu'il ne se sentait ni messie ni prophète. Il envoya à Hagiz lui-même une lettre en termes modérés, où il défendait la même thèse et expliquait que son disciple Gordon avait rédigé un message privé, qui n'aurait jamais dû être rendu public. Il exprimait le plus profond respect à l'égard des rabbins et de leur enseignement, se contentant de demander un minimum d'indépendance. Son autodéfense, loin d'atteindre les effets escomptés, ne fit que susciter de nouvelles et violentes réactions. Il se laissa convaincre d'accepter un compromis et fit parvenir ses écrits au rabbin Bassan. Il poursuivit néanmoins ses études en secret et rédigea un texte où il condamnait les attaques de Léon de Modène contre le Zohar.

Les rabbins de Venise, outrés par son obstination, l'excommunièrent en 1734 : Mosè Chaim Luzzatto accepta une telle sanction, et apposa sa signature au bas du document qui la lui signifiait. Son opinion était en effet que tous les Juifs devaient obéissance à leurs maîtres, « même lorsqu'ils prétendent que la gauche est à droite et vice versa ». Il accepta de rédiger ses œuvres en hébreu et de ne les faire imprimer qu'après avoir reçu l'approbation de son ami et maître Bassan. Celui-ci reçut toutes ses œuvres, pour la plupart des écrits cabalistiques, qu'il enferma dans un coffre, confié à l'un des personnages les plus influents de la communauté juive de Padoue.

Son excommunication, suivie d'autres déconvenues, contraignit Luzzatto à s'exiler. Il partit pour Francfort, puis gagna Amsterdam. Il avait accepté deux autres lourdes contraintes : il ne pouvait reprendre l'étude du Zohar qu'après son quarantième anniversaire et uniquement en Terre sainte.

A Amsterdam il se fit de nombreux amis, qui lui manifestèrent leur estime et se remit au travail avec un enthousiasme renouvelé. Il écrivit *Dialogo tra un filosofo e un cabbalista* (« Dialogue entre un philosophe et un cabaliste »), apologie de l'ésotérisme, et fit parvenir ses écrits au rabbin Bassan qui, après une longue hésitation, donna son approbation.

La polémique et les accusations contre le rabbin mystique reprirent avec une vigueur nouvelle. Le rabbin vénitien fut alors convaincu qu'il était impératif d'exercer sur son disciple un contrôle directe et de le faire renoncer aux études ésotériques ; il lui demanda de s'engager, sous serment, à ne publier aucun livre avant de le faire examiner par le rabbinat. Cette fois, Luzzatto regimba, contestant aux rabbins vénitiens toute autorité sur un rabbin de Padoue. Il fut alors accusé de pratiques magiques et d'exorcisme et excommunié par tous les rabbins d'Italie, d'Allemagne, de Pologne, de Hollande et du Danemark. Luzzatto prit connaissance de la nouvelle décision arrêtée à son égard à son arrivée à Amsterdam. La communauté portugaise lui fit malgré tout bon accueil ; il fut hébergé avec sa famille et put poursuivre son enseignement et ses études. C'est ainsi qu'il écrivit le traité d'éthique *Mesillath Jes-*

harim (« Le sentier des justes ») considéré comme son chef-d'œuvre, qui bénéficia d'une très large diffusion et d'une grande popularité : Gaon Elia di Vilna (1720-1797), talmudiste et adversaire de la Cabale, en loua la valeur.

Des groupes hassidiques de Pologne et de Lituanie donnèrent à leur cercle le nom de *Mesillath Jesharim*. Le plus célèbre poète juif contempain, Chaim Bialik (1873-1934), s'exprima au sujet de Mosè Chaim Luzzatto avec ferveur, comparant son nom à une mezuzah que l'on fixerait sur la glorieuse porte de la création juive.

A l'approche de son quarantième anniversaire, Luzzatto décida de se rendre en Palestine, où il allait pouvoir, sans aucune contrainte et dans le respect des engagements pris, se consacrer à la réflexion mystique. Il mourut avec toute sa famille quelques jours après son arrivée, dans une épidémie de peste. De Tibériade la bouleversante nouvelle atteignit Venise et se répandit bientôt dans toute l'Italie. L'une des principales figures de tout le XVIIIe siècle venait de disparaître.

Lelio dalla Torre, qui émit un jugement fort négatif sur le niveau de la culture juive au XVIIIe siècle, apporta néanmoins quelques nuances : « Certaines lueurs éclaircirent toutefois ce ciel bien sombre. Certains esprits élus firent mieux que de s'approprier une littérature italienne généralement négligée par leurs coreligionnaires, ils se forgèrent une réputation d'écrivains. » Dalla Torre rappela particulièrement Giacobbe Saraval, rabbin vénitien mort en 1782, et Simone Calimani, mort en 1784. Les deux rabbins traduisirent ensemble, dans leur jeunesse, le *Pirké Avot* (« Maxime des pères ») ; ce fut la seule traduction en italien jusqu'à la moitié du XIXe siècle.

Les jugements critiques sur Simone Calimani sont loin de faire l'unanimité : s'ils concordent sur son œuvre d'enseignant et d'éducateur, ils sont moins enthousiastes quant à son œuvre poétique.

Les informations concernant sa vie n'abondent guère. Il descendait d'une famille ashkénaze établie selon toute probabilité à Venise au début du XVIᵉ siècle, peu avant la constitution du Ghetto. Poète, écrivain et rabbin, il naquit en 1699 et mourut à Venise à l'âge de quatre-vingt-cinq ans. Enseignant au Talmud Torah (les écoles locales) de la communauté, il consacra l'essentiel de ses efforts à rédiger des ouvrages pédagogiques. En dehors du Ghetto, Calimani eut également des élèves non juifs ainsi que quelques nobles vénitiens (on compte parmi eux Gallicciolli). Il composa de nombreuses œuvres poétiques à l'occasion de mariages et d'événements heureux, qu'il signait Kol Simkhà, littéralement la « voix de la joie », jouant sur la traduction en hébreu de son prénom, Simon, en Simkha. D'autres élégies furent signées Oté-Sak, littéralement « qui recouvre un sac ». Il s'aggissait là d'une abréviation du nom Simone Calimani (SAC).

Éloigné des bouillonnantes préoccupations idéologiques de Luzzatto, Calimani fut un rabbin érudit, mesuré, qui passa sa vie entière dans le Ghetto, sans remous et sans susciter de polémiques, tout en faisant preuve d'une grande culture : il œuvra à une édition critique de la Bible et publia des livres de grammaire et de poésie.

Si Luzzatto fut irrésistiblement attiré par la mystique, Calimani, dans le respect rigoureux de l'orthodoxie rabbinique, et des mitzvoth petites et grandes, s'intéressa aux nouveaux ferments de la philosophie des Lumières qui se répandaient dans toute l'Europe, atteignant le monde juif et plus particulièrement le monde juif hollandais, dont le représentant majeur fut David Franco Mendes. Calimani écrivit même un ouvrage de polémique anticabalistique, *Tokhachat Magulla* (« Avertissement manifeste »), dialogue entre deux illuminés, Kalkol et Darda, qui débattent des vices répandus dans la société de leur époque, tels que l'hypocrisie, l'arrogance, la méchanceté.

L'esame ad un giovane Israelita (« L'examen d'un jeune israélite »), dialogue entre un maître et son élève rédigé par le rabbin à l'âge mûr, en 1782, deux ans avant sa mort, reflète fidèlement l'atmosphère du Ghetto vénitien au XVIIIe siècle tout en exprimant les préoccupations pédagogiques constantes de l'auteur et propose une synthèse des règles essentielles et des moments cruciaux de la formation religieuse du Juif.

Toute son œuvre trahit le besoin de se défendre contre les préjugés, fréquents chez les Juifs qui écrivent pour être lus par d'autres Juifs, tout en sachant que nombre de leurs lecteurs, sinon la plupart, ne seront pas des coreligionnaires. Ce souci est particulièrement présent chez Calimani lorsqu'il explique, par exemple, la raison pour laquelle les chrétiens sont appelés *goim*, et la différence entre cette dénomination et celle d'*arelim* également utilisée à leur égard.

Si *L'Esame ad un giovane Israelita* constitue un témoignage direct d'une manière de communiquer entre maîtres et élèves à la fin du XVIIIe siècle, d'autres documents ne sont pas moins utiles à la compréhension de l'univers pédagogique dans lequel vécut Simone Calimani, en parfait accord avec ses idées, et, contrairement à Mosè Chaim Luzzatto, sans difficultés existentielles particulières.

Ainsi, dans les statuts de la Fraternelle Talmud Torah des Juifs ashkénazes, figurent une série de normes remontant à 1714 et illustrant parfaitement les exigences éducatives des Juifs vénitiens de ce siècle. Simone Calimani, comme du reste sa famille pendant des générations, vécut dans le Ghetto, dont il ne sortit jamais, s'adaptant très bien à ce milieu. Comme tout enfant juif il étudia, lui aussi, à la Fraternelle Talmud Torah. Les statuts de la Fraterna, fruit d'un débat interne, mûri au cours des siècles, traitent en particulier de la formation culturelle et morale du jeune enfant. Le but : donner au jeune Juif une éducation religieuse complète, susceptible d'apporter une réponse à chacune de ses questions, le former, le fortifier, lui permettre, en un mot, de résister avec maturité, et malgré son appartenance à un groupe minoritaire, aux pressions et aux attaques du monde extérieur. Le modèle éducatif est donc strict, sans relâchement, très codifié, jusque dans l'attention minutieuse portée à des détails en apparence banals. Il émane de ces statuts une rigueur formelle, visant à assurer un contrôle du comportement de tous les membres de l'école, applicable tant aux maîtres, de quelque niveau qu'ils fussent, qu'aux élèves. Les châtiments prévus étaient proportionnels à la gravité de la faute et allaient jusqu'à l'expulsion. Les maîtres des petites classes étaient supervisés par ceux des niveaux supérieurs, dont les devoirs étaient strictement définis ; les rapports internes de tout ce petit monde scolaire étaient donc régis par une hiérarchie omniprésente. Les compétences et les devoirs étaient tous exactement fixés : les maîtres d'école avaient l'obligation de fréquenter la synagogue le matin et de surveiller les prières collectives des élèves. École et enseignement religieux étaient indissociables. Les matières étudiées étaient très nombreuses : italien, hébreu, géographie, arithmétique, mais surtout la Bible, la Mishna, le Talmud. Dans les cours supérieurs, les programmes étaient plus spécifiques et comprenaient le *Pirké Avot*, la lecture de l'Haggadah, le rituel des fêtes juives, l'étude du Talmud et de ses commentaires.

Le souci principal que révèlent ces règles est, encore une fois, celui de donner aux enfants une solide identité juive leur permettant de soutenir les attaques et les critiques des non-Juifs ; elles témoignent en outre de la peur que suscitait le contact toujours plus étroit avec les autres citoyens de Venise. La première failles dans le mur du Ghetto commençaient à apparaître.

21

L'extinction du Ghetto :
chronique des années 1750-1797

*Les difficultés économiques de la communauté. —
L'affrontement entre physiocrates et mercantilistes. — La concession de 1777.*

En 1751 les « graves désordres » des finances du
Ghetto n'avaient guère cessé de causer du souci aux
organes officiels de la République. Les créanciers,
principalement des nobles, tentaient par tous les
moyens de récupérer leurs deniers, mais leurs exigences, certes légitimes, se heurtaient à la dure
réalité des faits : de par la volonté même des
Vénitiens, les Juifs ne possédaient aucun bien immobilier et tous leurs avoirs étaient en liquide. Il n'y
avait donc rien à saisir et il ne pouvait guère être
question de mesures brutales qui, loin de guérir,
auraient tué le patient, au grand détriment de toutes
les parties concernées : les nobles auraient vu tous
leurs espoirs s'envoler et la fermeture des banques
aurait durement frappé les couches les plus modestes
de la ville.

Le Sénat, conscient de cet état de fait, continuait
de légiférer, tout en cherchant un compromis qui

eût pu avoir quelques chances de succès si les fortunes de la République, au XVIIIe siècle, avaient été meilleures et si le processus de décadence, inéluctable, n'avait rendu toute chose infiniment plus compliquée.

En mars 1760, les sénateurs ordonnaient la énième enquête approfondie sur la santé financière de la communauté, manifestant, cette fois — fait inédit depuis bien des décennies —, un certain optimisme. Les lignes directrices de la concession suivante furent esquissées : on envisageait, par exemple, d'autoriser les Juifs à exercer d'autres activités que la vente de vêtements usagés sans que cela ne cause de tort aux chrétiens. Le renouvellement fut ratifié en août pour une durée de dix ans. Ce fut l'une des seules occasions où les sénateurs manifestèrent quelque approbation quant à la gestion du Ghetto, reconnaissant du bout des lèvres qu'un semblant de régularité paraissait avoir succédé, sur le plan économique, au chaos qui avait sévi des dizaines d'années durant. Naturellement le contrôle restait très strict. Le Sénat insistait pour que soient mis au point de nouveaux mécanismes financiers susceptibles d'attirer les Juifs étrangers à Venise et de renforcer la communauté juive, ne serait-ce que numériquement, soulignant les conditions avantageuses qui leur étaient offertes.

Le renouvellement de la concession de 1758 accordait aux Juifs certains privilèges jusque-là refusés : ils bénéficiaient désormais d'une liberté accrue de naviguer et de faire du commerce, de droits inédits dans le domaine religieux ; des modifications furent encore apportées aux horaires d'ouverture et de fermeture du Ghetto ainsi qu'à la législation sur les domestiques chrétiens, dont les employeurs pouvaient désormais être juifs, bien que ce fût une tolérance limitée aux cas de nécessité absolue.

Le droit d'exercer de nouveaux métiers fut en revanche soumis à une étude préalable des Cinq Sages.

Le 9 décembre 1760, la communauté publia un communiqué à usage interne, traitant des questions afférantes aux Juifs étrangers, des contributions à verser par les deux communautés privilégiées que constituaient les Corfiotes et les Juifs levantins itinérants, des échéances fiscales à venir, des peines prescrites pour le non-respect des règlements internes, des devoirs et des prérogatives des dirigeants communautaires, dont le pouvoir d'excommunication.

L'optimisme affiché par le Sénat fut de bien courte durée : en septembre 1761 les sénateurs se rendaient compte que la situation du Ghetto n'était pas aussi engourageante qu'ils l'avaient cru et décidèrent donc de prolonger de deux ans le mandat des chefs de la communauté, afin que le processus de redressement ne souffre d'aucune discontinuité.

En 1762 les conclusions du trésorier et des Inquisiteurs évaluaient les dettes de la communauté à trois cent mille ducats et constataient qu'il n'était plus guère possible de prélever d'autres fonds.

Les sujets d'inquiétude fournis par le Ghetto n'étaient pourtant pas tous d'ordre financier : les incendies étaient ainsi très fréquents, en raison, notamment, de la concentration des maisons, très hautes, dont la plus grande partie était en bois, et qui formaient un entassement inextricable. De nombreux contrôles préventifs étaient donc effectués afin d'éviter les conséquences désastreuses que pouvait avoir le feu dans ce quartier. En février 1764, les présidents du conseil de la Quarantia firent part au Sénat des résultats d'une visite sur les lieux. Troublés, les sénateurs ordonnèrent aussitôt que soient mis à disposition des autorités du Ghetto une machine hydraulique et d'autres moyens de lutte contre les incendies, qui pouvaient également servir pour les quartiers environnants.

Le déclin généralisé des échanges commerciaux et du trafic en Méditerranée multipliait toutefois les obstacles et les conflits de toute nature : certaines thèses protectionnistes étaient en train de resurgir. Soutenues par des nobles tels que Francesco Tron ou Zuan Alvise Emo, elles visaient à interdire aux marchands juifs tout commerce de denrées alimentaires avec Corfou et les États dépendants de la République, et plus particulièrement celui de l'huile, afin de les obliger à importer de l'étranger. Le Sénat entérina de telles thèses, fixant leur mise en pratique au mois de janvier 1771. Le marché, désorganisé dans un premier temps, réagit ensuite par une brutale augmentation des prix.

En août 1772, les marchands juifs écartés, la contrebande d'huile allait bon train, atteignant des proportions démesurées, alors que, parallèlement, éclataient à Corfou des conflits provoqués par la disparition brutale des subventions traditionnellement apportées aux agriculteurs locaux par les marchands juifs. De tels effets avaient été prévus de longue date par des représentants du pouvoir vénitien, comme Andrea Querini.

Le Sénat, averti du problème, chargea, suivant son habitude, les autorités compétentes d'approfondir l'étude de la question ; les rapports ne furent guère unanimes, certaines personnalités telles que Vincenzo Barsiza et Agostin Sagredo, fonctionnaires du Provveditorato agli Olii (chargé de réglementer le commerce des huiles) ainsi que deux Sages, Prospero Valmarana et Sebastian Zustiniani, étaient hostiles aux dispositions antijuives et se prononçaient en faveur de la libre concurrence ; proches des tendances des physiocrates, ils estimaient dangereux de séparer le commerce de la consommation. Le dynamisme juif pouvait suppléer aux carences des marchands vénitiens de moins en moins enclins à prendre des risques et dépourvus de toute véritable initiative. Zuan Alvise Emo, autre fonctionnaire du Provveditorato agli Olii, et les trois Sages Antonio Zulian, Andrea Giulio Corner, Lorenzo Alessandro Marcello, soutenaient au contraire les décisions approuvées en novembre 1770 et juin 1771, convaincus que l'augmentation des prix était à imputer principalement aux marchands juifs. Tout en acceptant le principe de la libre concurrence, ils rappelaient que certaines mesures protectionnistes avaient été prises par le passé, telles que l'interdiction d'achat ou de vente des fourrages, afin de favoriser les marchands de Vénétie aux dépens des Juifs. Cet affrontement n'était cependant que le prélude à celui, bien plus âpre, qui déchira la noblesse vénitienne en 1777 et en 1779, lorsque fut abordé le problème de la déréglementation de la profession d'armateur et qu'il fut question d'accorder des licences de navigations à des bâtiments juifs.

Restait à résoudre le problème, fort embarrassant, de la fluctuation des prix de l'huile et ceux posés par l'agitation des agriculteurs corfiotes. Tron et ses partisans présentèrent une motion renforçant les décisions en vigueur. Ils essuyèrent cette fois un cinglant revers : le Sénat reconnut l'inefficacité des décrets de 1770 et se livra à une sorte d'autocritique.

La question fut réétudiée dans toutes ses implications. De nouvelles mesures furent proposées en 1772, suggérant d'accorder tant aux Juifs qu'aux autres étrangers la possibilité de faire du commerce, tout en maintenant une stabilité rigoureuse des prix.

Les années 70 s'annonçaient turbulentes : à nouveau, en 1771, il fut question du désordre des banques, puis, en août 1773, d'irrégularités commises par ces mêmes banques et de leur non-respect des lois. Les divergences se creusaient d'autre part, au sein de la noblesse, sur le problème du commerce. Tron continuait de soutenir son projet protectionniste fondamentalement hostile aux Juifs et aux étrangers tandis que Pesaro, Memo, Sebastiano Foscarini et Gabriel Marcello s'opposaient farouchement à des considérations qu'ils estimaient myopes, et prônaient la mise en œuvre d'une politique plus souple.

Certains documents ont permis de formuler une estimation globale et quantitative de l'activité des marchands juifs entre 1750 et 1775, peu avant les restrictions : ils contrôlaient alors une part de marché représentant entre 6 et 7 p. 100 de la totalité des échanges. Cette estimation est fondée sur les droits de douane versés lors de toute importation ou exportation de marchandise.

En janvier 1776, le Sénat sollicita les propositions des magistrats en vue de la prochaine concession. De nouveau se manifestèrent de profondes divergences entre nobles conservateurs et réformateurs. Ces derniers remportèrent un succès éphémère en obtenant l'abolition de la loi antijuive et la mise en œuvre d'une nouvelle politique économique, plus ouverte aux contributions étrangères. Les cattaveri ne manquèrent cependant pas de rappeler les limites qu'il était hors de question de franchir.

Pressentant que certaines lois antijuives étaient à l'étude, les autorités du Ghetto adressèrent au Sénat, en mars 1776, une seconde requête, demandant à être entendues sur les détails préliminaires de la nouvelle concession avant que ne soient rédigés les rapports officiels. Il semble que la requête n'ait guère été accueillie.

En février 1777 un décret sénatorial rappela la détermination « de ne pas accorder aux Juifs le droit de citoyenneté », confirmant de façon explicite que tout permis de séjour accordé par la Sérénissime était forcément temporaire, régi par les conditions stipulées lors de la reconduction des concessions, et précisant que toutes les dettes contractées par la communauté devaient être prises en charge par ses seuls membres actuels, qui tous devaient, sans distinction de rang, « se soumettre à la discipline et aux impôts communautaires ».

Physiocrates et mercantilistes, les deux âmes divergentes de la noblesse vénitienne s'affrontèrent une nouvelle fois, sans merci, à l'occasion du renouvellement de la concession de 1777. Indépendamment de l'édit ouvertement antisémite de Pie VI, les considérations prédominantes furent d'ordre économique. En dépit de consultations qui avaient duré plusieurs mois, les différentes magistratures en présence, Cattaver, Savi Cassieri, Inquisiteurs, Provvision del Denaro, furent incapables de parvenir à un accord et présentèrent devant le Sénat, le 8 août 1777, deux rapports signés par huit magistrats sur seize. Les uns demandaient l'application des dispositions nécessaires, les autres, cherchant à gagner du temps, exigeaient qu'aucune décision ne soit arrêtée sans la consultation préalable de la conférence des « anciens ambassadeurs », composée de sénateurs ayant représenté la République à Constantinople.

Le Sénat trancha le 23 août, chargeant les cattaveri d'organiser une conférence qui devait élaborer les chapitres de la nouvelle concession. Deux nouveaux rapports furent présentés devant le Sénat avec une rapidité pour le moins inhabituelle. Le premier contenait les quatre-vingt-seize articles de la concession, le second exprimait de très vives réserves, en raison des multiples pressions auxquelles avait été soumise l'opposition. « Nous avons été surpris et scandalisés par la manière étrange dont cette conférence a été appelée à débattre et à statuer sur l'immense masse des quatre-vingt-seize articles. » Les cattaveri avaient en effet présenté et fait approuver un texte préalablement rédigé, sans permettre le moindre amendement, ce qui avait été ressenti comme un véritable coup de main. La minorité était déconcertée autant par la teneur des propositions que par la méthode avec laquelle elles avaient été imposées. Il était impératif que le Sénat fût mis au courant du danger que représentaient, pour le commerce vénitien déjà affaibli, des lois dont les conséquences risquaient d'être irrémédiables.

Il était en effet non seulement question d'imposer aux Juifs de nouvelles restrictions sur le commerce maritime et terrestre, mais aussi de limiter d'une part l'activité des « marchands-fabricants » qui travaillaient en sous-traitants et revendaient leurs articles directement, d'autre part le nombre des manufactures produisant pour le compte de Juifs, que ce fût directement, par suite d'une concession, ou par l'intermédiaire de tierces personnes. Bien que la majorité de la conférence (10 voix contre 7) n'ait pas approuvé les clauses de la nouvelle concession, le Sénat les ratifia dans leur intégralité, le 27 septembre 1777, par 98 voix sur 160. Les catta-veri les rendirent exécutoires dès le lendemain. L'intention des législateurs était de donner naissance à un corps organique de mesures (s'étendant sur une quarantaine de pages) destiné à servir de référence pendant de nombreuses années. Les soixante-trois premiers articles étaient consacrés aux banques et à leur gestion, ainsi qu'aux règles de fonctionnement intérieur du Ghetto (cimetière, habitations, us et coutumes), normes pour les décorations des palais, modalités de paiement des impôts. Cette première partie ne suscita pas de réactions notables au Sénat.

Les articles 64 et suivants traitaient en revanche des problèmes concernant les Juifs de Venise, des territoires de l'intérieur et des territoires d'outre-mer, à l'exception des Juifs de Corfou, privilégiés. Une partie de la noblesse opposa sur ce terrain une résistance plus vive : les nouvelles restrictions impo-sées aux Juifs l'avaient été moins pour des motifs religieux que pour des raisons purement écono-miques et procédaient d'une conception dont le principal inspirateur, Tron, estimait, dans le prolon-gement d'une longue tradition vénitienne, que le corps social devait être structuré en classes bien distinctes, dont chacune devait vaquer à ses propres occupations, sans chercher à envahir le territoire des autres ni à prendre part à leurs profits. Le travailleur ne devait avoir d'autre souci que celui de perfection-ner son art et de dépasser ses pairs. Selon les inspirateurs de la concession de 1777, il existait en effet des fondements d'ordre économique et social, mais encore plus, d'ordre moral, sur lesquels on ne pouvait impunément transiger : fabriquer des marchandises était une chose, les mettre en vente en était une autre ; les Juifs, en tentant de faire la synthèse entre ces deux opérations, bouleversaient l'idée originelle qui avait sous-tendu toute l'histoire de la République.

La concession de 1777 provoqua une certaine évolution des rapports entre les Juifs et leur propres organes officiels, du fait des lourdes contraintes imposées aux activités du commun, et des avantages nouveaux accordés aux marchands importants, affanchis de certaines servitudes et protégés contre toute velléité de taxation de la part des organismes communautaires. Aucun d'eux ne pouvait par exemple être contraint de fournir aux tansadori les renseignements qu'il souhaitait garder secrets. Aucune entreprise ne pouvait être imposée au-delà d'un certain seuil : on reproduisait en un mot au sein du Ghetto le modèle oligarchique vénitien.

Le renouvellement de 1777 fut certes l'occasion d'affrontements entre groupes socio-économiques concurrents, mais la véritable lutte fut celle qui opposa deux mentalités aux antipodes l'une de l'autre et dont aucune n'était plus, vraisemblablement, en phase avec son temps.

Toutes ces restrictions n'eurent cependant guère d'effets notables dans le Ghetto : seule une minorité de Juifs décida de quitter la ville : il y avait à Venise 422 familles juives, en 1766, elles étaient 408 en 1780 : la baisse n'était pas significative ; ces données, confirmées par des recoupements, témoignent de la continuité de la présence juive sur les territoires de la Dominante : on comptait ainsi à Vérone 177 familles en 1700, 172 en 1780 et 165 en 1785 ; à Padoue, 105 familles en 1766, 111 en 1780, et 104 en 1785.

Tron lui-même avait du reste exprimé, devant un ambassadeur accrédité à Venise, l'opinion selon laquelle la rigueur de la nouvelle concession n'allait pas éloigner les Juifs de Venise ; ni les Treves, ni les Bonfil, les familles les plus puissantes du Ghetto et qui représentaient presque à elles seules la communauté entière, n'allaient quitter Venise ; ses prévisions furent en effet confirmées.

Un thème fort délicat n'avait cependant guère été abordé : le droit des Juifs à posséder des navires battant pavillon vénitien. Malgré l'opposition du Sénat, un nombre croissant de navires appartenait à des armateurs juifs. En septembre 1779, profitant de la vague de restrictions, les Savi agli Ordini proposèrent de retirer les patentes accordées aux Juifs. Les divergences qui en résultèrent ne permirent ni l'approbation ni le rejet d'une telle initiative. Les Cinq Sages, après avoir procédé à un certain nombre de consultations, exprimèrent un avis contraire à celui des Savi agli Ordini. Ils rappelèrent au Sénat que les Juifs n'étaient pas considérés comme de véritables ressortissants vénitiens, mais comme des commerçants bénéficiant de la protection de l'État. Ce problème exaspéra encore les oppositions entre factions de la noblesse. Tron écrivit à Francesco Donà le 19 septembre 1779 : « Marcello (Gabriel) ne parvient à se distinguer que par le souci d'accorder des patentes aux Juifs. »

La conférence des Cinq Sages et des anciens ambassadeurs en Orient fut convoquée, malgré l'opposition de Tron et de ses partisans, au mois de mai 1779, afin de réexaminer la situation et de proposer d'éventuelles modifications à la concession de 1777 (qui avait causé de graves perturbations dans les territoires de l'intérieur par suite de la mise en liquidation de tous les établissements industriels gérés par les Juifs). Furent abordées des questions vitales pour la République : l'industrie navale, la liberté du commerce maritime, les privilèges accordés aux ressortissants vénitiens. Les résultats de cette nouvelle session furent spectaculaires puisqu'en dépit de l'âpreté des débats on assista à un renversement pur et simple des positions prises en 1777. Les Juifs vénitiens avaient désormais toute latitude de participer au commerce, mais aussi à l'industrie de l'armement, de même qu'ils pouvaient à présent posséder leurs propres navires marchands. Voici quelques-uns des arguments présentés en leur faveur : « La première patente accordée à un Juif l'a été en 1689 déjà, lorsqu'un certain Aron Oxid, citoyen de la Sérénissime, s'étant porté acquéreur d'un navire portugais, avait demandé l'autorisation de voyager sous le pavillon de saint Marc afin de bénéficier des traitements privilégiés dont jouissaient alors dans cette région les bâtiments vénitiens. Dès ce jour et jusqu'en 1777 une série ininterrompue de patentes délivrées à des marchands juifs a continuellement témoigné de la volonté publique de leur accorder l'autorisation de couvrir leurs bâtiments du pavillon vénitien. »

En juin 1786, le Sénat, après avoir consulté le Sage trésorier et pris en considération la requête des chefs du Ghetto demandant la reconduction de leur statut, convoqua une nouvelle conférence. Nous en possédons certains procès verbaux, qui pour être incomplets n'en reflètent pas moins l'évidente influence de la philosophie des Lumières. Certains membres de la noblesse, dont Nicolò Erizzo, faisaient à présent des déclarations d'une tonalité nouvelle : « Si la question juive devait réellement être débattue en fonction de principes authentiques, il n'y aurait pas lieu de réunir une conférence. » Selon lui, il n'y avait guère de distinction entre les Juifs et tous les autres hommes et « cela n'était guère sensé d'établir des différences en fonction de critères religieux ». Ces propos reflétaient bien l'atmosphère du moment, redevenue bienveillante : de vieilles interdictions furent levées et on accepta les canditatures juives aux appels d'offres lancées par l'État vénitien. Gabriel Marcello, autre membre de la noblesse, fit la déclaration suivante : « Il est de notoriété publique que les Juifs ont de tout temps pris part aux appels d'offres... à l'avantage du plus grand nombre et sans dommage aucun aux particuliers. » Il réaffirma son hostilité à certaines lois récentes, qui avaient causé plus de tort qu'elles n'avaient eu d'utilité et qui, du reste, n'avaient guère été appliquées.

Comme chaque année à la même époque, il fut encore question de la vente des fourrages dans les territoires de l'intérieur. Ceux qui tentaient de maintenir des critères protectionnistes au détriment des Juifs se heurtèrent à l'opposition d'une partie de la noblesse, notamment représentée, comme nous l'avons vu plus haut, par Nicolò Erizzo : « Les cultivateurs vendront leurs produits d'autant mieux que la concurrence pour les leur acheter sera plus vive ; en période d'abondance, ils auront plaisir à l'écouler sans difficulté et, en cas de pénurie ou de monopole, il ne fait nul doute que le grenier du Juif s'ouvrira bien avant celui du chrétien. » Ou encore : « ... L'ancienne législation sur les fourrages est désormais désuète ; auparavant il était interdit de les exporter hors de l'État ; aujourd'hui, on accorde au contraire des primes à l'exportation. » La conférence, adoptant ces thèses libérales, décida qu'il était temps de permettre aux Juifs d'acheter des fourrages dans l'intérieur, mais uniquement pour les exporter hors des limites de l'État vénitien.

La conférence en vue du renouvellement suivant, dont la date de convocation avait cette fois été fixée deux ans à l'avance, aboutit, en juin 1788, à la rédaction d'un accord en quatre-vingt-quatorze chapitres, dont soixante-trois consacrés aux banques et aux questions annexes et trente-trois aux problèmes liés à la présence des Juifs de Venise.

Les derniers rapports officiels entre la Sérénissime et le Ghetto datent de 1797 : l'une comme l'autre n'allaient en effet pas tarder à disparaître. La République vacillait déjà sous les coups de boutoir des armées napoléoniennes ; pour la dernière fois, les Juifs offrirent leurs deniers et leurs objets de culte en argent afin de venir en aide à la Dominante, à bout de forces. Le 6 avril, le Sénat vénitien, dans ce qui fut l'un de ses derniers décrets, exprima sa gratitude en raison « des nombreuses preuves d'attachement et de loyauté envers la République manifestées en tout temps par la communauté juive de cette ville, au moyen de dons considérables ou de prêts, auxquels se joint à présent l'offre spontanée de 6 214 onces d'argent prélevées dans les synagogues de ce Ghetto ».

La révolution éclata le 12 mai. Une nouvelle époque s'ouvrait pour Venise, pour les Juifs vénitiens.

22

Liberté en Contrada della Riunione

Le démantèlement des portes du Ghetto. — Le rapport de Pier Gian Maria Ferrar, chef de bataillon. — La chronique de la Gazzeta Veneta Urbana. — Le discours du citoyen Vivante. — Le recensement de 1797.

« Afin qu'il ne subsiste plus aucune division apparente entre les citoyens de cette ville, nous ordonnons que soient démolies ces portes qui, par le passé, fermaient le Ghetto... » Ces phrases, destinées au Comité de salut public et dont la résonance est exactement l'inverse de celles prononcées par Zaccaria Dolfin en cette lointaine année 1516, sont consignées dans un document de la municipalité provisoire. L'ère du Ghetto était ainsi révolue. Quelques jours plus tard, le 19 messidor (7 juillet), ses portes furent définitivement abattues.

Venise, plongée dans l'émoi, vivait un moment de son histoire aussi singulier que bref. Pressée par les armées françaises, convaincue de la supériorité absolue du général Bonaparte, minée en son sein par les partisans des idées révolutionnaires, la Dominante s'était rendue. Le gouvernement abdiqua le 12 mai, donnant son consentement à l'occupation de la ville par les troupes françaises. Le 17 mai fut créée une municipalité provisoire, gouvernement en réalité dépourvu de tout pouvoir, et qui ne sera qu'un instrument aux mains des occupants.

La République Sérénissime n'était plus. Ce moment historique, particulièrement pénible, fut parfaitement décrit par l'historien Samuel Romanin : « Ce fut le temps de l'humiliation extrême déguisée sous des semblants d'indépendance parfaitement illusoire ; le temps du pillage des richesses publiques autant que privées, camouflé par d'artificielles manifestations de joie... le temps des innovations intempestives où les administrateurs de la chose publique, trompés ou bien trompeurs, faisaient entre eux des concours de déclamation, et où l'acte de gouverner se mua en une vaste mise en scène. »

Au début du mois de juin, la municipalité provisoire reçut la requête « des cinq citoyens membres de la communauté juive qui remplissaient provisoirement la fonction de chefs » et décida de les maintenir à leur poste : ils continueraient pendant tout le mois de juin d'appliquer leurs méthodes habituelles et à accorder des prêts sur gages comme ils l'avaient fait jusque-là, mettant ensuite lesdits gages aux enchères par l'intermédiaire des employés municipaux. « La municipalité se réserve de prendre, aussi rapidement que possible, les mesures qui permettront de concilier ses objectifs de justice et d'égalité avec les réalités publiques. » Le Comité de salut public proposa alors de réunir les citoyens juifs dans les synagogues du Ghetto pour les informer de leur nouveaux droits civils et pour s'assurer en même temps que les banques continueraient bien de fonctionner ; il adressa à la municipalité provisoire le communiqué suivant : « Afin que chacun s'adapte aux principes démocratiques, nous estimons opportun que les susdits chefs de la communauté juive renoncent à leur présente dénomination et adoptent celle de députés des citoyens juifs ; par ailleurs, afin qu'il ne subsiste plus aucune division apparente entre les citoyens de cette ville, nous ordonnons que soient démolies ces portes qui, par le passé, fermaient le Ghetto... »

Les nouveaux citoyens juifs furent convoqués à la synagogue espagnole le « 21 messidor (9 juillet) de l'an 1 de la Liberté italienne ». Voici le paragraphe final du procès-verbal de la réunion, conservé dans un registre d'archives.

« Le citoyen fit un éloquent discours, exposant devant notre communauté ce qu'étaient les droits et les devoirs de tout homme, et nous recommanda les valeurs de l'amour, de la concorde, de la fraternité ainsi que la pratique de l'aumône à tous les indigents. Il proposa que la journée du lendemain, qui allait marquer, avec la démolition des portes du Ghetto, l'abolition d'une ségrégation tant abhorrée, soit solennisée par un don de deux cents ducats à répartir parmi les pauvres des paroisses avoisinantes de San Geremia et de San Marcuola ; la motion fut accueillie avec tant d'enthousiasme que l'ensemble de la collecte atteignit trois cent quatorze ducats — tous donnés aux pauvres... La réunion se termina aux cris de " Vive la Fraternité, la Démocratie et la Nation italienne ". »

Vingt ans ne s'étaient pas écoulés depuis qu'avait été inscrite, parmi les articles de la concession de 1777, la déclaration suivante : « ... Les Juifs de Venise et de son État, ainsi que tout autre Juif, ne pourront jamais prétendre au droit de citoyenneté, ni, en quelque moment et en quelque lieu que ce soit, jouir des privilèges exclusivement réservés aux ressortissants vénitiens, et ne devront jamais par conséquent être considérés comme tels. »

Les rabbins de Venise étaient alors Jacob Emanuel Cracovia, né à Venise en 1746 et mort en 1820, disciple probable de Simone Calimani, et Abramo Jona, originaire de Spolète et arrivé à Venise en 1784, afin d'assurer la succession de Calimani, disparu cette même année. Jona, personnage d'une grande érudition et cabaliste réputé, ne se laissa guère séduire par le vent de liberté qui s'était soudainement levé, ni par le cours inédit que prenaient les événements sous l'impact napoléonien, et dont l'aboutissement fut la convocation du Grand Synode à Paris au début du XIXe siècle. Il fut le héros de bien des légendes, dont l'une nous est contée par le rabbin Ottolenghi, qui s'intéressa à cette période historique. « Quelques jours avant la chute de la République vénitienne et la constitution du nouveau gouvernement démocratique, le bruit courut qu'un groupe de Slaves s'apprêtait à faire irruption dans le Ghetto, ce qui déclencha immédiatement un mouvement de panique. » Le rabbin, dit la légende, après avoir inscrit sur trois mezuzoth spéciales (sans doute les *kemi'ot* habituelles) des signes et des paroles de signification cabalistique, les aurait appliquées contre les portes des trois anciens ghettos, ce qui aurait eu pour effet de faire reculer les agresseurs que l'on avait tant craints. Une autre de ces kemi'ot rédigée par le rabbin Jona a été jalousement conservée par une vieille famille vénitienne et son possesseur actuel, respectant les dernières volontés paternelles, l'a emmurée dans sa maison, si bien qu'il m'a été impossible de l'examiner. Mais, pour en revenir à la légende des Slaves, elle semble bel et bien avoir eu un fondement historique. Romanin nous dit en effet, dans son admirable ouvrage, que le soir du 5 mai 1797, vendredi 14 Yar 5557, un corps de Slaves avait assiégé le Ghetto, non de son propre fait, mais sur les ordres de Morosini, chargé de la sécurité interne de la ville. Le peuple, souvent ignorant des événements, et particulièrement à certains moments, a, semble-t-il, donné libre cours à ses fantasmes : ayant été prompt à craindre le pire il l'a été tout autant à s'apaiser grâce à l'intervention persuasive du vénéré rabbin, accompagnée de cet acte religieux qu'était l'application des mezuzoth, destinées à invoquer la protection du ciel sur ces âmes troublées. C'est ainsi que fut ramené le calme dans le Ghetto.

« La municipalité, organe du gouvernement provisoire qui comptait trois Juifs parmi ses membres, Mosè Luzzatto, Isaac Grego et Vita Vivante, fit parvenir au citoyen Ferrari, chef de bataillon de la garde nationale, l'ordre suivant : "La municipalité provisoire demande par son décret du 9 messidor que soient retirées les portes du Ghetto afin d'éliminer toute marque de séparation entre les citoyens juifs et les autres. Usant des moyens que vous jugerez nécessaires, vous exécuterez ladite opération en veillant toutefois à prendre toutes les précautions afin qu'aucun incident ne se produise..." »

Nous possédons de cette journée, exaltante s'il en fut, deux témoignages directs, dont le premier nous est apporté par Pier Gian Maria de Ferrari, chef du troisième bataillon de la deuxième brigade Bucchia :

« Le 22, je me rendis donc auprès des trois députés de la communauté juive, les citoyens Daniel Levi Polacco, Vidal d'Angeli, Moisè di David Sullam, avec lesquels nous débattîmes des mesures à prendre afin de rendre ce moment de la démolition des portes à la fois solennel et paisible... Un nombre important de sentinelles françaises étaient déjà postées sur la place du Nouveau Ghetto lorsque prit position mon bataillon, suivi des officiers des autres bataillons de la garde nationale et d'un grand nombre de membres de la Société patriotique, sans compter la foule, très dense, que déversaient les ruelles attenantes. Les trois citoyens députés de la communauté juive se présentèrent alors et mon lieutenant, Goldoni, procéda aussitôt à la lecture de vos ordres. Ayant entendu vos volontés, les députés juifs rassemblèrent les clés des quatre portes du Ghetto et les remirent entre mes mains ; à mon tour je les remis aux démolisseurs, parmi lesquels se trouvaient certains ouvriers de l'Arsenal. Il n'est guère possible d'exprimer la joie et le bonheur que laissa éclater la foule rassemblée sur la place : elle n'en finissait plus de hurler les vivats et de fouler au sol ces clés honnies, de bénir l'heure et l'endroit de la Régénération. Il ne fut bientôt plus possible de distinguer l'écho de ces éclatants vivats du fracas des portes qu'on abattait, sous la direction du lieutenant Goldoni qui se distingua par sa ferveur patriotique... Pendant que les portes étaient arrachées, de joyeuses fêtes démocratiques débutèrent au beau milieu de la place, demeurée sous la protection de la garde nationale. Tout le monde y prit part, sans distinction de sexe, et même les rabbins se joignirent au bal en habits mosaïques, ce qui enflamma les citoyens juifs encore davantage.

« Les deux curés de San Geremia et de San Marcuola apportèrent eux aussi leur soutien, applaudis par leurs paroissiens, qui reconnaissaient ainsi l'incompatibilité de leurs préjugés passés avec les principes sacrés d'une pure démocratie.

« Il y eut ensuite plusieurs allocutions populaires certainement dignes d'être mentionnées... Entretemps la foule qui était accourue se saisit des portes à présent brisées, les transporta en délire jusque sur la place du Ghetto, et, devant la garde nationale, les jeta au feu où elles se consumèrent rapidement. Plus tard, les citoyens Goldoni et Grego, ayant proposé, au nom de l'esprit patriotique, de planter en cet endroit un arbre de la Liberté, tous se précipitèrent à la recherche du moyen de réaliser cette idée. La garde s'écarta et, l'instant d'après, un arbre, déterré dans un jardin voisin, fut porté en triomphe au chant d'hymnes patriotiques jusqu'au beau milieu de la place, où il fut planté. Une vertueuse citoyenne offrit son bonnet révolutionnaire pour qu'en soit orné l'arbre de la Liberté. Puis les danses patriotiques reprirent, animées par de fervents élans démocratiques.

« La journée se termina par une magnifique illumination devant la synagogue espagnole où le citoyen Massa, dont nous avons précédemment fait l'éloge, président de la Société patriotique, tint publiquement sa promesse, prononçant devant le peuple un discours digne de son talent...

« Voici le compte rendu le plus minutieux et exact que je puis vous proposer, mes chers concitoyens... il ne vous reste plus à présent qu'à apporter votre propre contribution à l'œuvre accomplie, et à donner un nouveau nom à ce Ghetto, afin de détruire à jamais toute marque de l'ancienne ségrégation et je me permettrais de suggérer, quant à moi, le nom de Contrada della Riunione. Salutations fraternelles.

Venise, le 24 messidor de l'an 1 de la Liberté italienne.

Pier Gian Maria de Ferrari,
Chef du troisième bataillon,
deuxième brigade Bucchia. »

« Feste del ghetto per la sua liberazione dalla schiavitu politica in cui la tenne l'Aristocrazia. »

(« Célébrations dans le Ghetto pour fêter sa libération de l'esclavage politique dans lequel le tint l'artistocratie »), c'est le titre de la chronique que publiait la *Gazzetta Veneta Urbana* du 24 messidor (12 juillet) 1797.

Le corps de la garde civile pénétra dans le Ghetto, formant une troupe du plus bel effet, « et par les uniformes et par l'éclat des armes dégainées ». Il y eut un grand rassemblement de foule en liesse : des soldats français, des Juifs, des chrétiens. La musique emplissait l'air et nombreux étaient ceux qui dansaient. On amena les portes du Ghetto jusqu'au milieu de la place, « où elles furent taillées en pièces et brûlées ». Le chroniqueur décrivait la beauté « du mouvement de la hache qui détruisait gaillardement ces vils symboles de préjugés barbares. Le citoyen Vivante sauta sur un puits et se mit à haranguer la foule. La musique, le bruit des coups de hache, la liesse générale, l'empêchèrent d'être entendu de tous ». La chronique de la *Gazzetta* rappelle enfin qu'il y eut, le soir, un grand rassemblement à l'intérieur de la synagogue espagnole et qu'une fête fut donnée dans la maison de Vivante. La Société d'instruction publique de Venise décida, par acclamation, de faire publier le discours de Vivante.

« Frères,

« Voici finalement venu ce jour de bonheur qui a
vu l'anéantissement du préjugé et de la superstition,
et a vengé tant d'injures et d'offenses si injustement
subies. Les lumières de la philosophie ont resplendi
des rivages bénis de France jusqu'à ce pays, où une
aristocratie au cœur sec maintenait nos liens et nos
ignominieuses chaînes... L'immense fossé qui nous
séparait des autres peuples est finalement comblé et
voici renversées ces portes redoutables qui emprison-
naient notre peuple, renforcées par les mille bar-
reaux inventés par la plus haïssable des arrogances
qui fût. Oui, mes frères, ces mêmes hommes, auparavant indifférents à nos souffrances, nous donnent
à présent les moyens de renaître, de nous éclairer,
de nous améliorer ; ils nous invitent à les aimer, à
cesser de voir en eux des persécuteurs... »

Le président de la Société patriotique, Massa, prit
lui aussi la parole : son discours met l'accent sur la
triste condition des Juifs des autres villes d'Italie :
« Je ne dirai rien des terres étrangères. Je sais qu'au-
delà des montagnes, l'influence du Vatican n'a pas
été aussi grande ; je m'arrêterai à notre pays. Les
Juifs ont été chassés de Naples. Les Juifs sont objet
de dérision. A Rome ils sont insultés et raillés
impunément. Cruelle extravagance ! alors que les
Turcs sont respectés, les Juifs sont vilipendés ! On
leur imprime même la marque de l'infamie. Oui. Les
Juifs sont marqués à Rome comme des bêtes au
marché. Mais tout cela a finalement cédé le pas au
développement de la raison, au progrès de l'esprit
humain... Grâces en soient rendues à l'immortel
Bonaparte, qui a tranché les racines de l'esclavage

italien. » Le lendemain fut prise la décision de changer le nom du Ghetto en *contrada dell' Unione.*

L'enthousiasme des premiers jours passé, la municipalité démocratique dut rapidement faire face à un certain nombre de réquisitions, dont celles imposées par l'armée française, et décréta dès l'été 1797 la levée de nouveaux impôts. On exigea des marchands et des commerçants, tant vénitiens qu'étrangers, la somme de 867 000 ducats, dont un quart environ fut réclamé aux seuls Juifs. Les entreprises Vivante, Treves et Bonfil, taxées à concurrence de 50 000 ducats, acquittèrent la contribution la plus élevée de toute la ville. Seul un autre étranger, un dénommé Racek, fut astreint à verser une somme équivalente. Le Grec Angelo Papadopoli ne paya, pour sa part, que 4 400 ducats. Une telle répartition de l'impôt semble suggérer une aisance matérielle qu'on est loin de constater à la lecture de l'analyse critique de l'état civil commandée le 28 juin 1797 par le Comité de salut public de la municipalité provisoire à Saul Levi Mortera. Celui-ci, qui exerçait la fonction de rédacteur de la communauté juive, remit son rapport aux députés juifs du Comité, le 5 octobre, c'est-à-dire quelques jours à peine avant la fin de l'expérience libérale.

Ce rapport (conservé aux archives d'État de Venise, actes de la municipalité provisoire) constitue une véritable radiographie du Ghetto, de ses habitants ainsi que des étrangers en transit : 820 hommes et 806 femmes au total. Sont indiqués le lieu de résidence de chaque cellule familiale, les rapports de parenté entre ses membres, ainsi que leur situation financière. Levi Mortera établit une classification en onze catégories, quelque peu abstraite, cependant, et qui n'adhère qu'imparfaitement au groupe social étudié :

A. Propriétaires de fonds et de biens : aucun (ce qui ne saurait surprendre si l'on se souvient des lois en vigueur sous la Sérénissime).

B. Possédants aisés, Isaac Todesco.

C. Commerçants aisés, 98.

D. Artisans boutiquiers moyennement pourvus, 121.

E. Ouvriers journaliers, 165.

F. Artisans sans emploi ni ressources, 10.

G. Non-artisans sans emploi ni ressources, 127.

H. Ecclésiastiques propriétaires, 0.

I. Ecclésiastiques non propriétaires, 1.

J. Intermédiaires dans le commerce des vêtements usagés, 133.

K. Étrangers, 20.

En dépit de son caractère incomplet et de sa méthode d'élaboration approximative, ce tableau nous fournit toutefois une description relativement détaillée de la situation socio-économique du Ghetto au moment de sa suppression. Isacco et Giuseppe Treves, banquiers et armateurs réputés, avaient douze personnes à leur service. Leon Vita, Jacob Vita et Lazzaro Vivante, riches commerçants, en employaient dix-sept. Parmi les personnes aisées figuraient Marco et Gabriele Malta, Isacco Morpurgo, Beniamino Errera, Abramo Motte, Salomone Curiel. Le nombre des familles fortunées ne semble pas s'être élevé à plus de 30, ce qui représente environ 200 personnes sur un total de 1 620. Dans la catégorie des artisans moyennement pourvus, sont regroupés des agents d'entreprises commerciales ou de banques, des commerçants en produits alimentaires, un vendeur de livres, un autre de meubles, un mercier, un chirurgien, un « vendeur de lettres », mais surtout des commerçants en vêtements usagés. La catégorie des ouvriers journaliers inclut moins des ouvriers que des salariés ou des employés des différentes institutions juives, chantres, gardiens et maîtres d'école. Parmi les non-artisans sans emploi figurent 127 personnes rassemblées de manière plutôt singulière, comme n'ont pas manqué de le signaler plusieurs historiens : des médecins, des maîtres d'école, des commerçants, un gardien de puits, un agriculteur, un certain Giuseppe Sullam, mémorialiste, et même des mendiants. L'ecclésiastique non possédant est le rabbin Abramo Jona, de Spolète, unique rabbin mentionné malgré le nombre élevé de synagogues. Figuraient en tout 473 chefs de famille et seulement 55 commerçants.

Sont en outre à rattacher à la catégorie des commerçants, petits ou grands, 213 chefs de famille auxquels il faut très probablement ajouter 141 commis. Les artisans ne sont guère nombreux, 8 tailleurs, 3 typographes, 3 peintres, un rempailleur de sièges, un graveur. D'autres chiffres : 15 maîtres d'école, 21 religieux, 5 médecins, 3 chirurgiens, une sage-femme, 5 porteurs, 2 gardiens de l'hospice des pauvres, 3 facteurs. De nombreux domestiques (84, y compris les cuisiniers), 19 journaliers, 29 mendiants, un seul agriculteur, Aron Vita Latis.

Telle était donc, à la fin du XVIIIᵉ siècle, la composition sociale du Ghetto : nous constatons que la population jouissant d'un certain bien-être ne représentait guère plus d'un tiers de l'ensemble ; le reste vivait dans des conditions proches de l'indigence.

La situation politique de Venise évoluait cependant très vite. Napoléon venait de céder la ville à l'Autriche. Le rêve, commencé le 12 mai 1792 avec l'arrivée des Français et le démantèlement des portes du Ghetto, symbole d'oppression, se brisait brutalement. En vertu du traité de Campo-Formio, les troupes autrichiennes pénétraient à Venise le 1er octobre de la même année. Le 18 janvier, le Ghetto reprenait son ancien nom, abandonnant celui, éphémère, de Contrada dell' Unione. Les Juifs perdirent à nouveau leurs droits civils et subirent de nouvelles interdictions de la part du gouvernement autrichien. Toutefois les portes du Ghetto ne furent plus remises en place.

23

Entre Autriche et Italie :
Venise et les Juifs au XIXᵉ siècle

Les Juifs et la République de Manin. — Le procès Castillero-Ravenna. — L'intégration des Juifs à la ville. — Le rattachement de Venise à l'Italie.

La chute de la République Sérénissime et la démolition des portes du Ghetto entraînèrent également la caducité des institutions communautaires. L'histoire du Ghetto arrivait ainsi à son terme. Les Juifs étaient désormais devenus de simples citoyens vénitiens, même si, pour quelque temps encore, ils ne l'étaient pas à part entière. Les anciennes banques pratiquant le prêt sur gages furent liquidées et leur capital versé à l'État : ce fut la contribution juive à la fondation d'un mont-de-piété.

Les troupes autrichiennes envahirent la ville le 18 janvier 1798. L'égalité des droits avait été pour les Juifs un bref rêve éveillé ; à nouveau ils se virent imposer des restrictions qui ne seraient pas levées avant le retour des Français, en 1806. Ils bénéficièrent toutefois d'un degré de liberté bien supérieur à celui connu sous la Sérénissime : ils ne furent plus écrasés d'impôts ni confinés dans le Ghetto. Des choix impensables quelques années auparavant s'offraient désormais à eux : ils pouvaient acquérir des biens immobiliers, exercer les professions libérales, accomplir le service militaire, fréquenter toutes les écoles de l'État et postuler aux emplois de la fonction publique, ils pouvaient devenir membres d'institutions culturelles célèbres, comme l'Ateneo Veneto, l'Instituto Veneto, l'Accademia di Belle Arti. Il subsistait, il est vrai, certaines limitations anachroniques : il leur était interdit d'exercer la profession de pharmacien (ce qui n'était déjà plus le cas pendant les dernières années de la Sérénissime) et ils restaient exclus des assemblées municipales. Les sections réunies de la Fraternelle générale israélite (le conseil restreint de la nouvelle institution juive) tenta à plusieurs reprises, au début du XIXᵉ siècle, d'éliminer cet obstacle à une émancipation totale. Certains illustres représentants de l'époque, Cesare della Vida et Isacco Pesaro Maurogonato, s'adressèrent ainsi, tout au début de l'année 1848, à Daniele Manin, qui jouissait d'une autorité politique incontestée, lui demandant d'user de son prestige au sein de l'Assemblée centrale pour soutenir la cause des Juifs. Manin leur confirma son soutien et, dès le 8 janvier 1848, s'adressant à l'Assemblée centrale de Vénétie, proposa que soient annulées « toutes les injustes et odieuses descriptions établies sur les critères du culte, que soient émancipés tous les Juifs et que leur soit accordée l'intégralité des droits civils dont bénéficient les autres citoyens ». A la rencontre entre Della Vida, Maurogonato et Manin avait assisté, par hasard, Nicolò Tommaseo. Ce dernier, qui avait également épousé la cause juive, avait estimé opportun d'envoyer au gouvernement une requête signée par le plus grand nombre possible de chrétiens, afin d'en renforcer l'impact. Considéré lui-même comme un fervent catholique, il promit d'écrire un texte susceptible de provoquer une large adhésion. Tommaseo et Manin furent cependant accusés de conspiration et arrêtés quelques jours plus tard ; les Autrichiens, ayant découvert sur l'un comme sur l'autre des documents et des annotations en faveur de l'émancipation totale des Juifs, commencèrent à nourrir des soupçons. Manin était en outre d'origine juive, comme en témoigne le registre de la Maison des catéchumènes de Venise d'où il ressort qu'en avril 1759 furent baptisés Samuel Medina, âgé de vingt-quatre ans, et Allegra Moravia, âgée de vingt ans, grands-parents de Manin.

Durant le bref laps de temps écoulé entre son entretien avec Manin et son arrestation par les Autrichiens, Tommaseo écrivit *Il Diritto degli Ebrei alla Civile Uguaglianza* (« Le droit des Juifs à l'égalité civile »), un plaidoyer passionné, étayé par de puissants arguments d'ordre moral autant que religieux. Bien que l'émancipation totale tardât à venir, il faut cependant reconnaître que de nombreux Juifs étaient désormais parfaitement intégrés et jouissaient d'une haute considération dans le monde culturel vénitien ; parmi ceux-ci l'historien Samuele Romanin, de même que certains médecins dont la réputation est parvenue jusqu'à nos jours, comme Giacinto Namias et Michelangelo Asson, ou encore la poétesse Eugenia Pavia Gentilomo, l'avocat Leone Fortis, le baron Treves de Bonfili, le rabbin Abramo Lattes, le propriétaire terrien Girolamo Latis, célèbre pour son action de bonification des terres.

Au même moment, partout en Italie, les agitations populaires tournaient à la révolte : de graves désordres éclatèrent à Naples où des barricades furent érigées le 11 février ; le 4 mars, des émeutes éclatèrent à Turin, puis, le 17, à Florence ; Rome fut atteinte le 18 mars : partie de Paris, la contagion se propageait inexorablement jusqu'à Vienne. A Venise, Manin et Tommaseo furent libérés par une insurrection populaire le 17 mars 1848 et portés en triomphe place Saint-Marc. Cinq jours plus tard, les troupes autrichiennes évacuaient la ville et la *Gazzetta di Venezia* publiait une édition spéciale : le gouvernement autrichien civil et militaire venait de tomber.

Naissait ainsi le gouvernement provisoire de la République de Venise, présidé par Manin. Parmi les sept personnalités qui en avaient ratifié l'acte de naissance, se trouvait un Juif, Léon Pincherle, nommé à la fonction de ministre de l'Agriculture et du Commerce. Le 29 mars (et ce fut là un des premiers actes du nouveau gouvernement) était proclamée l'égalité civile de tous les citoyens vénitiens : les Juifs étaient désormais complètement émancipés.

Motivée par des sentiments d'indépendance et d'italianité très vifs, l'adhésion des Juifs vénitiens à la révolte fut très forte, même si, depuis la disparition de la communauté, institution représentant l'ensemble des Juifs, tout acte politique était avant tout le fruit de choix individuels. Après des siècles de mutisme forcé, les Juifs découvraient en effet la fascination de la politique et du patriotisme. Leur plus illustre représentant, le rabbin Lattes, les invitait le 5 avril à s'engager dans la garde civile, clarifiant à cette occasion sa propre position religieuse vis-à-vis du Sabbat et des jours de fête.

« A mes frères coreligionnaires,
« Il n'est nul besoin de vous exhorter à prendre

votre place dans les rangs de la garde civile, qui a accompli tant de choses pour notre patrie, car dès à présent nombre d'entre vous se sont déjà rassemblés sous son emblème...

« Certains d'entre vous ne manqueront pas de se demander si et dans quelle mesure l'obligation de sainteté du Sabbat et de nos fêtes peut interdire les exercices qu'exige le service militaire ; afin d'apaiser vos consciences et de dissiper toute ombre de doute, je déclare solennellement que non seulement rien ne s'oppose dans notre religion à ce que chacun, pendant ces journées, tienne sa place, remplisse son devoir et obéisse aux ordres reçus, mais qu'au contraire, elle s'en trouvera servie, car nous aurons ainsi donné pour la grandeur de notre patrie le meilleur de nous-mêmes. »

La mobilisation fut totale. Le rabbin Lattes organisa, en mai, une soirée théâtrale chez Girolamo Levi et fit parvenir l'intégralité de la recette au commandement de la garde.

Un fait tout à fait marginal témoigne bien, cependant, de la réalité nouvelle que connaissait la vie juive. Le cardinal Jacopo Monico, patriarche de Venise, avait demandé à la préfecture centrale d'ordre public que soient annulées certaines dispositions autrichiennes visant à rendre plus difficile le baptême des Juifs. Ces règles interdisaient la conversion à tout néophyte n'ayant pas séjourné au moins quatre mois dans la Maison des catéchumènes. Elles rendaient obligatoire un entretien avec la direction de la police ainsi qu'une rencontre préalable avec les parents et le rabbin. Le patriarche demandait la levée pure et simple de toutes ces tracasseries, au nom d'une plus grande liberté religieuse. Tommaseo, s'engageant précisément au nom de la foi chrétienne, lui répondit par une lettre, datée du 16 avril 1848 : « Il est capital, pour la défense de la liberté religieuse, qui ne saurait s'opposer à la propagation du vrai et à la dignité du clergé catholique, que soit levé, lors du baptême des catéchumènes, tout soupçon de violence ou de fraude. Et donc, dans l'attente d'une nouvelle législation, il convient dans cette importante matière, de retenir à la fois toutes les minutieuses dispositions prévues par la loi autrichienne de 1817 ainsi que celles stipulées par la loi italienne de 1803, étant entendu qu'elles seront appliquées avec souplesse et que, pour tout litige, il sera fait appel au gouvernement, qui, en accord avec l'autorité ecclésiastique, penchera toujours pour l'interprétation la plus libérale. »

Siégèrent à la première assemblée permanente, instituée le 3 juin 1848 qui se réunit du 3 juillet 1848 au mois de février 1849, Isacco Pesaro Maurogonato, ministre des Finances, Jacopo Treves de Bonfili, ministre des Postes, et le rabbin Samuele Salomon Olper. Lors de la deuxième assemblée ceux-ci furent rejoints par le rabbin Abramo Lattes, Angelo Levi, fils de Jacob Levi, Angelo Abramo Errera et Leon Pincherle. D'autres membres de la famille Levi se distinguèrent, parmi lesquels les fils d'Abramo, Alessandro et Gabriele.

La ville connut à cette époque une situation économique particulièrement dramatique. La commission d'approvisionnement lança un emprunt d'un million et demi de lires. Angelo Levi, et Regina Greco souscrivirent jusqu'à concurrence de cent mille lires ; Cesare della Vida (fils de Samuel et de Regina Pincherle), apporta à la révolution tant de fonds qu'il y laissa toute sa fortune personnelle. Les familles Errera et Treves ne furent pas en reste. De nombreux jeunes gens s'engagèrent avec enthousiasme parmi les artilleurs de la section Bandiera e Moro : ce fut le cas d'Alessandro Levi et de son frère Gabriel, de Giuseppe Ancona, de Moïse Ravenna, de Leone Todesco, de Isacco Gabriele Finzi, de Giuseppe Bassani.

L'Assemblée nationale vota, le 3 juillet 1848, l'annexion de Venise au Piémont. Manin exprima son désaccord. La défaite militaire de Carlo Alberto à Custoza réduisit pourtant à néant toute autre perspective : le 11 août Venise se trouva à nouveau seule face aux Autrichiens. Les commissaires royaux démissionnèrent le 31 août. Manin fut, dans ces conditions d'exception, proclamé dictateur. La défaite ultérieure de Novara en février 1849 eut raison des dernières illusions, mais n'entama en rien la volonté farouche de résister à l'ennemi par tous les moyens : ce fut la réponse que fit l'Assemblée révolutionnaire, dans son décret du 2 avril 1849, au général autrichien qui lui demandait de déposer les armes.

Pourtant, en dépit des pouvoirs illimités confiés à Manin, la ville n'en fut pas moins, à la fin du mois d'avril, assiégée de toutes parts. Le 1er mai, tomba le jeune Isacco Finzi. Tommaseo dit à son sujet : « C'est l'un des premiers à mourir dignement pour Venise. » La réddition proposée par le maréchal autrichien Radetzki paraissait honorable, mais Venise avait décidé de combattre. Un épisode qui ne manque pas d'originalité illustre bien le caractère désespéré de la lutte menée par ses défenseurs. Parmi les combattants de Marghera se trouvait Alessandro Levi. Il communiquait avec sa mère par l'intermédiaire d'un chien qui faisait la navette entre Marghera et San Felice, où se trouvait son palais, transportant les messages dans son collier. Marghera tomba à la fin du mois de mai. Venise fut isolée dans sa lagune. Enrichetta Levi ne reçut plus aucun message de son fils : le chien avait été intercepté et blessé à mort. Inquiète des nouvelles qui arrivaient du front tout proche, la mère résolut de faire le tour des hôpitaux de la ville : elle retrouva son fils, la tête et le visage entièrement cachés sous les bandages et le reconnut grâce à l'*arba'canfot*, le petit châle de prière qu'elle avait elle-même cousu sous ses vêtements.

Les premières bombes autrichiennes commencèrent à pleuvoir sur la ville. L'une d'entre elles tomba précisément dans la cuisine du palais de San Felice où habitait Enrichetta Levi. Celle-ci préféra se transporter avec sa famille dans un endroit plus sûr, à Saint-Marc, où se trouvait le siège de la banque Jacob Levi et fils, l'une des principales de la ville. La synagogue espagnole fut touchée à son tour. On grava sur l'aron *acodesh* une épigraphe qui, traduite de l'hébreu, donne à peu près ceci : « En cet endroit s'abattit une bombe / s'abîmant sans causer de dommage / elle fit irruption mais avec jugement. » Le rabbin Abramo Lattes consacra à l'événement une prière particulière, destinée à être récitée chaque année, le dernier vendredi soir du mois de av, en souvenir de cet incident survenu, selon certains témoignages, le 17 août 1849. On donna à ce jour le nom de « vendredi de la bombe ». La *Gazzetta* écrivait : « La pluie de feu, loin de s'apaiser, redouble d'intensité... la faim, les maladies, la moitié d'une ville jetée sur l'autre, c'est là un spectacle auquel on ne prêtera plus tard aucune foi. En d'autres temps, que l'on dit pourtant barbares, tant de souffrances eussent ému les Grandes Puissances, les eussent incitées à implorer un arrêt des combats. Aujourd'hui on manifeste à peine de la sympathie, sentiment froid et infécond s'il en fut. »

Quelques jours avant la capitulation, le 13 août, Manin prit la parole ; saisi d'un malaise, il ne put toutefois conclure son discours. La réddition eut lieu le 23 août. Des navires français et anglais prirent à leur bord de nombreux réfugiés que l'Autriche s'était engagée à ne pas retenir. Manin partit le 27 août, s'exilant à Paris. Léon Pincherle se rendit d'abord à Turin, puis gagna Paris à son tour. Samuele Olper erra de Florence à Livourne, pour s'installer finalement à Casale. Pesaro Maurogoǹato choisit Corfou, les cousins Alessandro et Giacomo Levi se réfugièrent à Turin. Quelques-uns d'entre eux revirent Venise, d'autres moururent en exil.

Les Autrichiens n'étaient cependant guère enclins à oublier la collaboration des Juifs à la république de Manin et de Tommaseo. Ils se montrèrent d'une grande rigueur à leur égard : un soldat autrichien assistait même aux offices religieux dans la synagogue. Ceux qui restèrent le firent à leurs risques et périls et subirent de nombreuses tracasseries ; Angelo et Jacob Levi durent ainsi verser une amende de trois mille florins pour délit d'opinion. Jacob, élu conseiller municipal, fut récusé par le gouvernement autrichien, qui le jugeait trop libéral. Cesare della Vida et Abramo connurent eux aussi certains ennuis : Della Vida, en particulier dut faire face à de sérieuses difficultés d'ordre financier qu'il s'était créées par ses généreuses contributions à la République ; Errera quant à lui consacra ses efforts à la communauté juive dont il fut le président pendant plus de trente ans. Manin mourut en exil, en 1867.

Le temps de l'épopée ainsi révolu, les Vénitiens se

réveillèrent une nouvelle fois dans la grisaille. L'Autriche se garda toutefois de pratiquer une politique de répression et profita de l'occasion pour tenter de gagner les minorités à sa cause et faire accréditer, par exemple, la thèse selon laquelle l'antisémitisme, la lutte contre l'Autriche et la Révolution n'étaient que des visages différents de la même entité politique.

Un épisode apparemment secondaire eut cependant un grand retentissement dans les campagnes et les villes de Vénétie. Durant l'été 1855 une paysanne, Giuditta Castillero, accusa un commerçant juif de Badia Polesine, Caliman Ravenna, de l'avoir séquestrée et de lui avoir soutiré du sang afin de l'utiliser lors de cérémonies rituelles. Selon le rapport du directeur de la police : « La rumeur qui s'était répandue, et dont les variantes étaient multiples, suscita une vive indignation à l'égard des Juifs et particulièrement dans les couches inférieures du peuple. » L'affaire déclencha immédiatement des réactions d'antisémitisme virulentes : des lettres anonymes furent envoyées à certains Juifs vénitiens ainsi qu'aux rabbins de la ville. « Mort aux Juifs ! Feu au Ghetto ! Votre race sera éteinte à coups de poignard ! Retournez à votre errance, fuyez la colère des catholiques ! »

La police rechercha activement les auteurs de ces lettres anonymes, soucieuse de rétablir la version exacte des faits par une contre-enquête adéquate ; il semblait en effet certain qu'une campagne parallèle était menée, dont l'objectif était d'« exciter les esprits contre les Juifs ».

Si les patriotes italiens mettaient à profit le moindre incident pour manifester leur haine de l'occupant et n'hésitaient pas à se servir d'une

405

minorité, qui, la rumeur et l'imagination populaire aidant, était devenue particulièrement apte à jouer le rôle de bouc émissaire, les autorités autrichiennes, de leur côté, tout en prenant la défense des Juifs, ne manquaient pas d'en tirer profit sur le plan politique : ils accusaient de subversion tous ceux qui, par de telles calomnies, troublaient de la sorte l'ordre public.

Le rabbin Lattes, ce même rabbin qui s'était battu avec ferveur pour la république de Manin, publia un important article dans *La Gazzetta* du 9 juillet 1855, demandant clairement aux autorités autrichiennes de prendre position en faveur des Juifs, objets de préjugés antisémites et d'une campagne d'une virulence jamais atteinte. En effet, alors que, par le passé, toute mesure antijuive s'était heurtée à la solidité d'un groupe compact, à présent les tensions se déchargeaient sur des personnes et des familles qui, n'étant plus tenues de vivre selon de vieilles habitudes, s'intégraient rapidement à la société de leur temps. Les changements politiques soudains avaient provoqué autant de mutations sociales, dont l'historiographie moderne n'a pas fini de rendre compte. L'émancipation, l'acquisition des droits civils, en incitant les familles les plus riches et les plus puissantes à sortir du ghetto, avaient favorisé la naissance d'un milieu professionnel juif qui, pour la première fois, dans la plénitude de ses droits, apparaissait sur le devant de la scène.

Les Juifs vénitiens, estimés en 1721 à 2 500, étaient au nombre de 2 023 (sur une population totale de 114 164 habitants) selon le recensement autrichien de 1857 et de 2 415 selon le recensement italien de 1869. 64 p. 100 d'entre eux vivaient dans le Ghetto ou dans les paroisses avoisinantes et

23 p. 100 à Saint-Marc. Les Juifs fortunés, appartenant à la haute et à la moyenne bourgeoisie, allèrent donc habiter au centre ; ne restèrent dans le Ghetto que les plus pauvres. A la veille de la Seconde Guerre mondiale la communauté juive de Venise comptait environ 3 000 personnes.

Il n'existait plus, à la fin du XIXᵉ siècle, de groupe juif compact, qui n'avait du reste été tel que sous la contrainte. Il n'y avait plus que des citoyens juifs vénitiens, profondément intégrés à la vie de la cité. Certains d'entre eux associèrent leur nom à de prestigieuses réalisations. Luigi Luzzatti, qui au début du XXᵉ siècle fut le premier chef de gouvernement juif d'Italie, fonda l'Institut commercial supérieur, l'actuel Ca' Foscari ; Moisè Raffaele Levi créa l'hospice Marino. Michele Treves fut à l'origine d'œuvres aussi importantes que la transformation de l'aqueduc et de la compagnie du gaz.

De nombreux témoignages attestent toutefois que, pour réelle qu'elle fût, l'intégration entre Juifs et chrétiens ne s'était guère opérée qu'au niveau des classes bourgeoises. Les couches plus populaires du Ghetto avaient eu des réactions de jalousie et s'étaient montrées bien moins tolérantes ; plus faibles, elles étaient aussi plus démunies devant la propagande antisémite.

Les Autrichiens se contentèrent pour leur part, pendant tout le temps que dura leur tutelle sur Venise et la Vénétie, d'assurer le maintien de l'ordre, essentiellement attentifs à réduire toute tension sur le plan social, à prévenir toute tentation de rassemblement subversif. Ayant sans doute gardé en mémoire l'ardeur antiautrichienne de tant de patriotes Juifs vénitiens, ils s'efforcèrent de gérer le statu quo par une politique modérée.

L'affaire Giuditta Castillero-Caliman Ravenna et les réactions autrichiennes furent autant d'exemples emblématiques d'une situation conflictuelle dépassant largement le cadre du procès. Les débats se déroulèrent devant le tribunal provincial de Rovigo, de septembre à novembre 1856, au milieu des passions les plus vives. Giuditta Castillero fut finalement déclarée coupable des crimes de calomnie et de vol, et condamnée à six ans de prison ferme.

Ce procès, moment de tension sociale exceptionnelle dans toute l'histoire du XIXe siècle, n'est cependant pas le seul cas d'affrontement entre Juifs et chrétiens. Certes, à des niveaux plus modestes, de tels conflits n'en émaillaient pas moins la vie quotidienne de la cité lagunaire. Le curé de San Marcuola, s'inquiétant de l'état moral de sa paroisse, attenante au Ghetto, écrivait en 1850 : « L'existence de familles israélites dans une paroisse chrétienne représente un grave préjudice moral. » Il soulignait le danger potentiel que constituaient certaines amitiés et craignait que l'état d'indigence dans lequel se trouvait une partie de ses paroissiens ne favorisât l'ouverture de larges brèches dans la morale chrétienne. Les confesseurs avaient pour instruction de ne pas donner les sacrements aux femmes chrétiennes vivant en concubinage avec des Juifs, allaitant des enfants juifs, ou vivant selon les coutumes juives. La promiscuité récente inquiétait les curés du fait également de l'augmentation des unions illégitimes, considérées comme un indice de déchéance morale.

Cette désorientation du clergé, à l'origine de nombreuses réactions de repli, débouchait par ailleurs sur un prosélytisme accru à l'égard des Juifs et plus généralement de tous les non-chrétiens. Trois cents ans après sa fondation, la Maison des catéchumènes, toujours très présente dans les fantasmes, ne brillait guère par son efficacité. Le règlement provisoire régissant la conversion des Juifs et constituant une protection supplémentaire contre tout abus éventuel, n'était pas fait pour modifier les choses. Entre 1850 et 1866, Gabriella Cecchetto a relevé sur le registre des Catéchumènes, trente-cinq baptêmes de personnes juives, pour la plupart très pauvres.

La communauté juive était intensément affectée par les cas de conversion individuelle, auxquels elle opposait de vives résistances légales autant que psychologiques. Les Juifs exigeaient ainsi que soient respectées toutes les garanties prévues par le règlement de 1803 et confirmées par la résolution souveraine de 1817 (confrontation avec le rabbin et avec les parents, et délai de quatre mois). Les autorités ecclésiastiques s'efforçaient, de leur côté, de réduire la portée de ces mesures et de rendre les conversions aussi rapides que possible.

Une nouvelle guerre entre le Piémont et l'Autriche s'annonçait en 1859, provoquant des remous et ravivant les passions politiques jusqu'à Venise. De nombreux Juifs partirent rejoindre l'expédition des Mille ; parmi eux Giuseppe Ancona, Enrico Uziel, Davide Cesare Uziel et Alessandro Levi.

Ce dernier, chargé par Garibaldi d'une mission périlleuse, tentait de pénétrer secrètement dans Naples, lorsque sa frêle embarcation fut repérée et aussitôt coulée par les troupes des Bourbons. Il se sortit d'affaire avec l'aide de quelques pêcheurs et, aussitôt remis, poursuivit sa mission, tentant d'entrer à Naples sous un déguisement qu'il leur avait emprunté. Arrêté, il fut emmené au Castello dell' Ovo, où, après un procès expéditif, il fut convaincu d'espionnage et condamné à mort. Il ne fut sauvé que grâce à l'arrivée soudaine des troupes de Garibaldi.

Entre-temps, dans son palais de San Felice, la mère de Levi, Enrichetta, préparait des cocardes tricolores qu'elle dissimulait dans le double fond d'une armoire de sa chambre. La police impériale, en dépit de fréquentes perquisitions, ne trouva jamais rien de suspect.

1866 fut une année cruciale, comme le montre cet échange de courrier entre un Juif originaire de Tripoli, Vita Arbib, Vénitien d'adoption, et Simone Vivante, un Juif vénitien travaillant à la verrerie Bonlini et Arbib.

Arbib, ressortissant turc, disposant d'un passeport sarde, s'était rendu à Tripoli pour rencontrer son oncle et avait été empêché de regagner Venise par le déclenchement des hostilités. Les Autrichiens furent défaits à Sadowa le 3 juillet. Le 11 juillet, Simone Vivante écrivait à son employeur : « La confusion politique est telle qu'il ne semble guère possible d'en sortir un jour. On pensait que tout était terminé et voici qu'aujourd'hui même nous recevons de la part des autorités municipales l'ordre de porter nos réserves à quatre mois au lieu de trois, comme il était initialement prévu. »

L'armistice entre l'Italie et l'Autriche fut signé le 11 août. Giacomo Sarfatti, ami d'Arbib et employé par la même entreprise, écrit à ce dernier, le 26 septembre : « Nous espérons retrouver bientôt un certain degré de normalité, surtout si ce maudit choléra, dont on découvre un nouveau cas tous les jours, nous laisse un peu de répit. Quoi qu'il en soit, on est en train d'organiser ici d'extraordinaires célébrations en l'honneur des troupes italiennes et du roi, que tu ne voudras pas manquer, je pense. » Quelques

jours plus tard, Vivante se montre plus pessimiste.
« On a de plus en plus de raisons de craindre,
puisque au lieu de régresser le choléra ne fait que se
propager davantage. »

L'évacuation des Autrichiens, commencée au début
du mois, prit fin le 19 octobre. Le règne des
Habsbourg à Venise se terminait définitivement. Les
soldats italiens arrivèrent trois jours plus tard. Dans
ses lettres, Simone Vivante raconte que le prix du
riz avait très fortement augmenté, du fait, entre
autres, des besoins de l'armée, et qu'en dépit des
événements, les vapeurs des Lloyd continuaient
d'assurer la liaison entre Venise et Trieste.

Vita Arbib arriva à Venise juste à temps pour
participer aux festivités données le 7 novembre à
l'occasion de la visite de Vittorio Emanuele II. Ce
furent des moments d'ivresse patriotique intenses,
sans doute les plus émouvants qu'il a été donné à
bien des familles juives de vivre. De tels sentiments
sont cependant difficiles à retracer, car, d'une part,
il n'existait plus (il n'est pas vain de le rappeler)
d'organe communautaire prenant des décisions, certes
discutées, mais au nom de tous, et que d'autre part,
la recherche historiographique a bien du mal à
représenter dans un cadre homogène un groupe
social désormais fortement intégré dans le milieu
vénitien.

Jusqu'en 1797, l'histoire dominante avait été celle
de l'ensemble du Ghetto et de ses trois groupes
principaux, celui des Ashkénazes, des Levantins et
des Ibériques. L'émancipation et l'intégration successives provoqueront un renversement de la perspective. On s'intéressera désormais avant tout aux
noms des familles, à leurs parcours individuels ; la
communauté s'en trouvera reléguée au second plan.

On ne reverra le destin collectif prévaloir sur le sort individuel que pendant le bref moment, tragique, du fascisme, des lois raciales, des déportations.

24

Un Juif peut-il être nommé ministre du royaume ?

Le télégramme au roi. — Une violente campagne de presse. — L'intervention du sénateur Musio. — Le rabbin Mortara. — Le refus d'Isacco Pesaro Maurogonato.

Le député de Lonigo Veneto, Francesco Pasqualigo, avocat à Venise depuis plus de trente ans, défenseur de la République en 1848-1849, et dont la réputation de « libéral dynamique et sincère » était indiscutée, n'éprouva pas l'ombre d'un doute, en cet été de l'année 1873 : il lui fallait envoyer un télégramme qu'il adresserait directement au roi. Le gouvernement Lanza venait de tomber et Pasqualigo avait eu vent de rumeurs intolérables : Isacco Pesaro Maurogonato était considéré comme l'un des candidats potentiels au poste de ministre des Finances. Il était urgent d'intervenir.

On reparlera longuement du geste — audacieux — de Pasqualigo, député de Vénétie, bien que le texte de son télégramme, égaré quelque part dans les archives royales, n'ait jamais été retrouvé : la nomination d'un Juif au ministère des Finances était inopportune.

La presse, qui dans un premier temps n'avait prêté à cette affaire qu'une oreille distraite, ne fut pas longue à déclencher une véritable campagne, poursuivie durant de longs mois. Cela nous permet aujourd'hui de reconstituer, partiellement il est vrai, l'atmosphère idéologique et culturelle dans laquelle se déroulèrent certains débats sur le problème de l'intégration juive en Italie, particulièrement aigu en Vénétie et à Venise, où il mit aux prises deux illustres personnages, vénitiens tous deux. Le premier jouissait, comme nous l'avons dit, d'une solide réputation libérale et ne pouvait en aucune façon être taxé de cléricalisme ou d'antisémitisme. L'*onoverole* Pasqualigo était en effet un homme qui s'était prononcé pour l'annulation du droit féodal dans les provinces de Vénétie, s'était opposé à la loi sur les *guarantige* et passait même pour un anticlérical convaincu. Le second, Maurogonato, économiste, administrateur puis directeur dans Assicurazioni Generali, avait été ministre des Finances de la République de Daniele Manin, puis député de Mirano, dans le royaume d'Italie, président de la commission parlementaire du Bilan, avant d'être, par quatre fois, nommé vice-président de la Chambre des députés.

Ce fut *La Stampa*, quotidien politique de Venise, qui mit le feu aux poudres, en publiant, le 15 juillet 1873, un article de fond sous le titre suivant : « *Un deputato Veneto.* » On y lisait entre autres choses : « L'intolérance, qui trouve parfois quelque justification lorsqu'elle est le fait d'une foule aveugle, ignorante, manipulée par des gens qui tentent de s'en faire un instrument de domination et de pouvoir, n'est pas compatible avec les sentiments devant inspirer un représentant de la nation. » *La Stampa* accusait Pasqualigo de folie intolérante et de comportement indécent, pour avoir tenté de forcer la décision de la couronne, apportant ainsi la preuve de son ignorance quant aux critères sur lesquels se fondent les choix d'un monarque constitutionnel. L'article, non signé, ironisait sur l'effet humoristique de l'étrange dépêche d'où émanait un parfum inquisitorial qui n'allait certes pas offusquer les douces narines de tous les *sanfedisti* d'Italie. Les électeurs de Lonigo ne manqueraient pas d'apprécier !

L'organe officiel de la gauche libérale, *Il Diritto di Roma*, publia à son tour, le 31 août, un éditorial sur trois colonnes : « L'affaire remonte à quelque temps déjà, mais un certain nombre d'affirmations récentes, certaines nostalgies, lui redonnent toute son actualité. Des rumeurs ont longtemps couru selon lesquelles l'onorevole Maurogonato allait être appelé à la direction des finances italiennes... Certains conjurèrent alors par télégramme Victor-Emmanuel de ne pas apposer le sceau royal sur le décret de nomination d'un ministre israélite. On pensa à une plaisanterie... Mais les faits furent confirmés, on assura qu'il s'agissait d'une affaire parfaitement sérieuse ; on sut que l'auteur de la dépêche n'était pas un ecclésiastique mais bien un député ; on apprit qu'il s'agissait d'un certain Pasqualigo, personnage en réalité peu connu et qui n'hésitait pas à affirmer sa conviction profonde que les israélites ne pouvaient être appelés à gouverner la chose publique dans un État catholique. L'affirmation, bien qu'émanant de l'un des cinq cents législateurs, ne méritait guère que l'on s'y attarde. On avait pensé que ses électeurs, ceux de Lonigo Veneto, auraient tôt fait de désavouer l'intolérance

415

de leur député. Il n'en fut rien. Bien au contraire, on fit à l'onorevole Pasqualigo les honneurs d'un banquet, et à présent, si l'on en croit certaines lettres et certains journaux, ces mêmes électeurs s'apprêtent à lui exprimer officiellement leur reconnaissance. L'affaire prend donc une tournure tout autre. Ce qui, chez un homme seul, pourrait passer pour un caprice ou une folie, devient une opinion que l'on se doit de prendre en compte lorsqu'elle est soutenue par un nombre important d'électeurs et que les libéraux que nous sommes se doivent de combattre sous peine de s'avouer vaincus... Le problème est d'établir la nature des rapports entre le gouvernement d'un État et la religion de ceux qu'il gouverne. On prétendait autrefois que les israélites ne pouvaient pas gouverner cet État, qui n'était pas le leur ; ils auraient, semble-t-il, une patrie plus grande, une patrie idéale et les intérêts de caste prévaudraient chez eux sur tous les autres. »

Pasqualigo qui avait jusqu'alors gardé le silence, répondit par une longue lettre publiée le 8 septembre dans *Il Diritto* et entièrement reproduite par le *Giornale della Provincia* de Vicenza. Il se défendait contre toute accusation d'intolérance religieuse ; son action se situait, au contraire, sur un plan purement politique. Il écrivait ainsi : « Mon opinion d'homme politique est que le gouvernement d'un peuple exige un sentiment patriotique unique et indivisible... j'estime par conséquent que les fonctions ministérielles ne doivent être attribuées qu'à des hommes *purement* italiens. Mon opinion est que les Juifs, dispersés parmi les autres peuples avant même que le christianisme ne fût, ont constitué et continuent de constituer entre eux une association politico-religieuse ; les intérêts de leur peuple sont de ce fait

416

de très loin supérieurs à ceux de l'État dont ils se trouvent être les citoyens ; la prétendue identification de ces intérêts avec ceux de la nation italienne n'a toujours pas eu lieu (peut-être en raison du peu de temps écoulé depuis l'émancipation) et pourrait, comme certains le pensent, ne jamais se produire. Mon opinion est donc qu'il ne faut pas nommer un Juif ministre du royaume d'Italie. Comment pourrait-on servir deux maîtres à la fois ! Qu'on ne voie là aucun préjugé d'ordre religieux ni aucun sentiment de haine ou d'intolérance que, pour ma part, je n'ai jamais connus. » Le député de Lonigo rappelait qu'un de ses collègues, député juif, avait fait baptiser ses enfants afin de les rendre plus italiens, s'exclamant : « Voici un homme que, bien que Juif, je n'hésiterais pas à nommer conseiller de la couronne. Mais ne s'agit-il pas là d'une exception ? »

La Stampa, répliquait le lendemain, 9 septembre, par un article de deux colonnes intitulé : « *L'onorevole Pasqualigo ha parlato* » : « Les Juifs ne sont citoyens d'aucun État au monde, ou plutôt, citoyen devant l'impôt, la conscription, ils perdraient cette qualité s'agissant du portefeuille d'un ministère quelconque. Et tout cela parce que le représentant de Lonigo est convaincu que les Juifs — il dit les israélites, en hommage à l'histoire — ne sont ni italiens, ni français, ni allemands, mais avant tout juifs et disposés de ce fait à tout sacrifier pour le triomphe de leur nationalité religieuse. » L'article dénonçait une fois de plus le caractère intempestif du message, non seulement dans son contenu, mais encore dans sa forme : il avait été envoyé directement au roi, et de surcroît à un moment où le gouvernement était en crise.

Le sénateur Giuseppe Musio, secrétaire d'État de

Sardaigne et premier président de la cour d'appel, unanimement respecté pour ses qualités politiques et morales, prit part aux débats par une longue série de lettres publiées dans le *Paese* de Rome et reprises ensuite par de nombreuses feuilles locales. Les Juifs pouvaient-ils occuper la fonction de ministre ? Le sénateur Musio tint des propos d'une portée très large : « Si je ne m'abuse, il s'agirait de savoir si un Juif devenu citoyen italien et donc soumis par ce statut, à l'allégeance envers l'État, à son autorité, sa tutelle, ses contraintes, a, comme tout autre citoyen, la possibilité et le droit... illimité, sans distinction aucune, d'occuper n'importe quelle charge civile et militaire, ou bien si du seul fait d'appartenir à la religion juive, il doit être considéré comme une nouvelle sorte de *capite minutus* et être déclaré inapte à exercer les plus hautes responsabilités de l'État et à siéger aux conseils de la couronne ? »

D'autres personnes illustres, tels le rabbin Marco Mortara de Mantoue et — de façon marginale — Isacco Pesaro Maurogonato lui-même, prirent part à cette polémique, qui illustre fort bien l'atmosphère culturelle et politique de cette période et, plus spécifiquement, les difficultés et les problèmes auxquels furent confrontés les Juifs italiens, sortis du Ghetto depuis quelques générations à peine.

Le rabbin de Mantoue adressa à Pasqualigo, en octobre 1873, un certain nombre de lettres personnelles, avant de publier, le mois suivant dans *Il Diritto* une série d'articles sous le titre « *Delle nazionalità e delle aspirazioni messianiche degli ebrei* ». Mortara accepta de débattre précisément du problème de la double allégeance, soutenant l'opinion que les Juifs avaient bien constitué une nation en des temps fort éloignés, mais qu'à présent, après tant d'années, toute aspiration nationaliste était morte. Bien sûr, le judaïsme n'était pas selon lui une simple religion, mais ce lien particulier qui unissait les Juifs ne pouvait pas être qualifié de national selon les critères modernes définissant une nation : le territoire, la langue, les traditions, et la constitution civile. Mortara rappelait la faculté des Juifs à assimiler les us et coutumes des peuples qui les accueillaient, que ce soit dans le domaine de l'alimentation ou de la langue, il suffisait de songer à l'utilisation du ladino ou du yiddish. Le messianisme juif qui apparaissait à Pasqualigo comme le signe d'une fidélité transitoire était, suivant Mortara, un mouvement religieux tendu vers la victoire de l'idée monothéiste. Fidèle à l'enseignement de Moisè Mendelssohn, l'un des principaux tenants de la philosophie des Lumières en Allemagne, Mortara considérait avec fierté que le judaïsme était la religion la mieux adaptée aux temps modernes et estimait qu'un Juif pouvait se sentir complètement italien sans le moindre reniement. La doctrine juive était en somme propice à toute éducation civique et à une pleine intégration dans une Italie qui aspirait à une évolution politique de type libéral.

Il est intéressant de noter que, dans ce type de polémique, les forces en présence ne furent jamais clairement rangées dans des camps délimités par les positions politiques : il existait des franges d'antisémitisme aussi bien dans le camp libéral que dans le camp clérical, de même qu'il y avait, dans l'un comme dans l'autre, des courants favorables à une politique tolérante et philosémite. Du point de vue du contenu du débat, ceux qui contestaient aux Juifs le droit d'accéder aux plus hauts postes de l'État mêlèrent souvent des arguments tenant de l'opportunisme politique à des réactions émotives et à des préjugés d'ordre religieux. Leurs contradicteurs, qui ne voyaient rien de choquant à l'éventuelle nomination de Pesaro Maurogonato au poste de ministre, se divisaient en deux camps, les uns prônant l'égalité de tous les citoyens face à la loi, les autres soutenant l'opinion du rabbin Mortara de Mantoue qui, sans renoncer à son judaïsme, tentait de le rendre plus acceptable, en insistant sur la faculté d'assimilation des Juifs, leur patriotisme et l'inexistence d'une idée nationale. Cette position née des théories de Mendelssohn, et qui se développa plus tard en Italie pendant tout le XIXe siècle, caractérisa une grande partie du judaïsme italien, jusqu'en 1938, lorsque la proclamation de lois raciales mit à nouveau en doute sa nature. Auparavant déjà, durant les premières décennies du XXe siècle, la polémique sur la double nationalité avait resurgi à l'intérieur de la communauté juive entre partisans et détracteurs du sionisme naissant.

Et Isacco Pesaro Maurogonato ? Sa réaction, nous l'avons dit, fut particulièrement mesurée. Il refusa le poste de ministre des Finances que lui proposa en 1873 le président du Conseil Minghetti. Quatre ans plus tôt il avait décliné les mêmes honneurs, invoquant des prétextes d'ordre familial ; mais en décembre 1873, il exposa au roi les vrais motifs de son refus : « Je n'aurais certes jamais osé désobéir aux ordres de Votre Majesté si je n'avais ressenti, au plus profond de ma conscience, que l'intérêt public et celui de la couronne interdisaient qu'une personne n'appartenant pas au culte catholique fût appelée à promulguer les lois sur les corporations religieuses à Rome. La sage direction adoptée et toujours si utilement suivie par le gouvernement de

Votre Majesté commande d'écarter tout ce qui, à tort ou à raison, pourrait être interprété comme une volonté de durcissement de mesures en elles-mêmes déjà fort sévères. »

Pour des raisons plus nobles, mais également d'origine politique, Pesaro Maurogonato jugeait donc, à son tour, inopportune la nomination d'un ministre juif.

La polémique déclenchée par ce bref télégramme, épisode en soi marginal, comporte toutefois un enseignement précis : malgré leur intégration et leur dispersion dans le corps national, les Juifs étaient toujours perçus comme un groupe monolithique que la question : un Juif était-il ou non ministrable ? mettait en cause dans son ensemble.

25

XXe siècle :
une histoire non encore écrite

*Le Ghetto au début du siècle. — La persécution
nazi-fasciste.*

« Dans le quartier de Venise dont je vous parle,
on n'entend que les humbles bruits quotidiens, les
journées s'écoulent, monotones, comme s'il s'agissait
d'un jour unique, et les chansons que l'on entend ne
sont que des lamentations croissantes, qui ne parviennent pas à s'élever, et pèsent sur les vies comme
un nuage de fumée. Dès le crépuscule un peuple
timide, en haillons, erre dans ses rues, d'innombrables enfants se retrouvent sur ses places, devant
les portes, étroites et froides ; ils jouent avec des
morceaux de vitre et des restes d'émail multicolore,
le même, sans doute, que celui utilisé par les maîtres
qui composèrent les mosaïques solennelles de Saint-
Marc. Il est rare qu'un noble pénètre dans le
Ghetto. »

Cette description, nous la devons au poète Rainer
Maria Rilke, qui se rendit à Venise au début du
XXe siècle, témoignant de ses impressions dans un
recueil de nouvelles intitulé *Histoires du bon Dieu.*

Presque au même moment, l'écrivain anglais Israël Zangwill succomba à l'atmosphère suggestive du célèbre Ghetto vénitien, dans lequel il situe l'action de quelques-uns parmi ses plus beaux récits. L'un d'entre eux, *Had Gadya*, raconte la crise traversée par un jeune Juif qui, revenu à Venise pour passer en famille la veille pascale du Seder, se jettera dans les eaux du Grand Canal. Le récit tente d'analyser la crise d'identité du jeune homme, qui ne parvient plus à donner un sens à des traditions auxquelles son père est en revanche resté fortement attaché. Avant de mourir il se demande pourquoi donc ses frères ont abandonné l'« esclavage serein du Ghetto », pourquoi ils ont demandé l'émancipation, pourquoi sa famille a quitté les lieux de son enfance et s'est transportée dans ce palais sur le Grand Canal. Le Ghetto avait été une sorte de giron maternel, sûr et accueillant ; le monde extérieur était inconnu, hostile. Le Ghetto avait permis de conserver l'identité juive ; la liberté, l'émancipation avaient entraîné sa dissolution.

Au-delà de la fiction littéraire, le problème posé est bien réel : l'histoire du Ghetto, pendant les deux derniers siècles, est en effet caractérisée par la perte progressive, irréversible, de l'identité culturelle et psychologique des Juifs vénitiens.

Vers la fin du siècle dernier, le Ghetto conservait encore un certain dynamisme. Une correspondance de voyage datée du mois de juillet 1887 parue dans le journal *Il Vessillo israelitico* (« L'étendard israélite ») établit un portrait très vivace de la communauté vénitienne de la fin du XIXe siècle. « La communauté juive vénitienne figure sans aucun doute parmi les plus importantes d'Italie, notam-

ment du fait des œuvres de bienfaisance, particulièrement généreuses sous l'impulsion d'un chef spirituel, qui peut, en toute liberté et sans avoir à tenir
compte les différents avis particuliers, soulager comme
il l'entend les cas les plus nécessiteux... on nous a
assuré qu'il existe dans l'hôpital civil un service
spécial, entretenu par la municipalité, et permettant
aux israélites de se nourrir selon nos rites et de
suivre librement les pratiques de notre religion... Il
existe de nombreuses institutions, grâce aux dons
généreux des familles principales, parmi lesquelles il
faut mentionner les Treves, si bien que toutes les
misères sont promptement secourues. La Casa d'Industria donne ainsi du travail aux israélites indigents
et procure aux plus jeunes une formation et un
métier ; le pieux établissement Hanau accorde des
dotations et des subventions destinées à l'instruction
publique ; la fondation Consolo Treves soulage les
détresses des plus vieux : il existe des écoles pour les
hommes et pour les femmes ainsi qu'un excellent
jardin d'enfants froebélien ; sont même prévues des
dots pour les jeunes filles dans la gêne... et cependant
les israélites miséreux ne manquent pas à Venise...
Et tous les millions des Hirsch et des Rothschild et
de cent autres bienfaiteurs ne suffiraient pas à sortir
du paupérisme certaines gens... de Venise, d'Italie
et du monde. »

A la fin du XIXᵉ et au début du XXᵉ siècle, on
procéda à la restauration de la synagogue espagnole
et de la synagogue levantine. En 1925 on découvrit
au Lido, au moment de la création d'un champ de
tir, certaines pierres tombales juives très anciennes ;
on entreprit alors de restaurer toutes les tombes de

l'ancien cimetière avec le concours de l'ingénieur Guido Sullam, qui dessina l'entrée du nouveau.

Les Juifs italiens prirent part, naturellement, à tous les événements qui éprouvèrent l'État italien, payant un lourd tribut à la Première Guerre mondiale. Le nom des victimes est inscrit sur la façade de la synagogue espagnole.

De nombreuses familles habitaient désormais hors du Ghetto, qui restait néanmoins le centre de la vie communautaire : il existait un jardin d'enfants, une école, un cercle très actif appelé « Cuore e Concordia », alors que la Casa di Industria e Ricovero était devenue une maison de repos pour personnes âgées. Il y avait un four pour la cuisson du pain azyme, qui se trouve toujours là du reste. Le Ghetto entier reprenait vie à l'occasion des fêtes, et surtout de celle de Purim, lorsque sur la place située devant le temple levantin (où a été construite depuis une école maternelle) venait s'installer la foire, avec ses manèges, ses concours de pêche à la ligne, ses étalages de sucreries.

Les lois raciales de 1938, édictées par le régime faciste de Mussolini, et les persécutions nazi-fascistes entre 1943 et 1945 frappèrent des hommes en plein processus d'assimilation et d'intégration. Aucun d'eux n'a oublié ces moments et, moins que tous, les quelques-uns qui sont revenus des camps. En revanche — mais cela peut se comprendre — il existe très peu d'articles ou de documents écrits susceptibles d'apporter quelque élément historique ou psychologique relatif à cette période tragique. Il nous paraît donc urgent de procéder à un recensement de ces témoins afin que leur expérience puisse être évoquée après leur disparition et que les générations futures puissent être informées.

L'histoire des Juifs vénitiens au XXe siècle et celle des sombres années 1943-1945 ne sont pas encore écrites.

Nous pouvons néanmoins, en guise de conclusion, rappeler quelques faits concernant la population juive de Venise, à l'époque contemporaine.

En 1938, les lois raciales s'abattirent sur la communauté juive italienne, constituée alors de quarante mille personnes environ. Les Juifs vénitiens, au nombre de mille deux cents à ce moment-là, parfaitement intégrés dans une ville on ne peut plus pacifique, furent brutalement désignés en tant que groupe, malgré le nombre important des mariages mixtes assurant un vaste brassage avec la population catholique. Les mesures discriminatoires furent nombreuses et variées : écartés de la fonction publique, radiés des registres des professions libérales, nombre de Juifs perdirent leur emploi et furent relégués au ban de la société. A la ségrégation institutionnelle succédèrent les humiliations quotidiennes ; on trouvait ainsi, aux portes de certains établissements publics, l'inscription suivante : « Interdit aux chiens et aux Juifs » ; durant l'été 1938, les Juifs ne purent se montrer sur les plages du Lido de Venise. Les lois raciales, en dépit de leur gratuité et de leur violence, n'impliquaient cependant pas encore l'anéantissement physique, la mort, la destruction.

Le 25 juillet 1943, le fascisme tomba et avec l'entrée des troupes allemandes en Italie, le 8 septembre 1943, la situation prit brusquement une tournure tragique. Le 16 septembre de cette même année, la communauté juive de Venise apprenait le suicide de son président, Giuseppe Jona : geste en soi pitoyable — effroyable par sa valeur symbolique. En octobre et en novembre, la situation s'aggrava.

Le 16 octobre à Rome, quelques jours plus tard à Florence, ce furent les célèbres rafles, préludes aux camps d'extermination. A Venise on ne procédait encore qu'à des arrestations individuelles ; le pire n'allait cependant plus tarder.

Le décret Buffarini Guidi du 30 novembre, ordonnant l'internement des Juifs italiens dans des camps de concentration, fut rendu public le 1er décembre. Les commissariats italiens mirent quelque temps à réagir, ce qui donna aux Juifs un délai de trois ou quatre jours que quelques-uns mirent à profit pour tenter l'impossible fuite. A Venise, l'alerte générale fut donnée le 2 décembre. En témoigne, malgré le langage bureaucratique, un message du Provveditore agli Studi, (directeur de l'enseignement primaire et secondaire) au chef de la province de Venise : « ... Suite à la nouvelle publiée hier, relative aux dispositions à l'égard des Juifs, l'école élémentaire juive, dépendant du ministère, a été complètement désertée hier soir. Les deux enseignantes affectées à cette école... après avoir rassemblé quelques objets personnels, ont quitté l'école dès les premières heures. Mon devoir est d'informer Votre Excellence des faits susmentionnés. »

Lentement, la sensation du danger avait grandi au cours des derniers mois. Certaines familles juives, ayant saisi suffisamment tôt la gravité de la situation, avaient eu le temps de se réfugier dans des pays lointains, l'Amérique du Sud ou les États-Unis. Tous ne réagirent cependant pas de la même manière : beaucoup de ceux qui avaient la possibilité de prendre leurs distances s'en sont abstenus, que ce fût pour des raisons d'ordre familial, par suite d'un certain optimisme, ou pour mille autres raisons personnelles. Les Juifs vénitiens, loin de former un groupe homogène, étaient très différenciés entre eux et surtout, comme nous l'avons dit, de nombreuses familles avaient établi avec les catholiques des liens très étroits qui décuplaient les réticences au départ, à la fuite, à la clandestinité, et permettaient d'imaginer qu'en fin de compte il était peut-être plus sage de rester. L'orage allait passer. Les réfugiés qui avaient transité par Venise dans les années 40 avaient été oubliés, et leur récits avaient cessé de raviver des peurs anciennes, ataviques, sur lesquelles l'emportait à présent, en dépit de tous les indices, un sentiment d'incrédulité. Des facteurs qui aujourd'hui semblent paradoxaux empêchèrent encore certains Juifs de quitter Venise : la volonté, par exemple, d'observer les lois italiennes scrupuleusement. Mais il y eut aussi le rejet d'autres sentiments, comme celui qu'eût provoqué la claire conscience d'être poursuivi pour la seule faute d'être né juif.

La nuit du 5 au 6 décembre, la garde fasciste et la préfecture lancèrent une rafle à Venise, au Lido, à Trieste, sur les îles, à Chioggia : plus de cent personnes, hommes, femmes et enfants entre trois et quatorze ans, furent arrêtées. Selon certains témoignages indirects, « on rassembla dans un premier temps tous ceux qui furent arrachés à leur demeures et qu'on alla chercher dans les maisons de repos, au collège Marco Foscarini, qui fit office de prison improvisée, dépourvue du moindre lit ». Les rapports de préfecture datés du 31 décembre 1943 permettent d'établir que toutes les victimes de la rafle furent internées à Fossoli. Voici le contenu d'un message téléphonique adressé par un commissariat de Venise à la direction des camps de concentration pour Juifs :

« Objet : Juif.

« Sont accompagnés, ce jour 31.12.43, par des agents de ce bureau, les mineurs de race juive dont l'état ne permet pas le transport.

« 1. L.M., de Beniamino, 4 ans.

« 2. L.L., de Beniamino, 6 ans.

« 3. T.S., d'Eugenio, 4 ans.

« 4. N.N., d'Eugenio, 3 ans.

« Les sus-nommés trouveront leurs parents dans ce camp de concentration.

« Le commissaire. »

Le camp de Fossoli passa aux mains des Allemands vers la mi-février 1944. Jusqu'au moment du départ des premiers convois vers l'Allemagne, la vie dans les camps n'avait pas eu de connotations réellement tragiques : il avait été possible de recevoir du courrier, des colis, et les familles n'avaient pas été séparées. Un enfant juif vénitien écrivait ainsi, le 1er février 1944, à un camarade chrétien de Venise : « Cher Mario, depuis le jour où nous nous sommes séparés à Venise, je ne t'ai plus écrit ; il faut que tu me pardonnes, mais il y avait une confusion indescriptible après notre arrivée dans le camp. A présent, nous sommes mieux installés et j'ai pu trouver un petit moment pour t'écrire ces quelques lignes. Dans notre petite chambre, nous sommes en bonne compagnie, avec mes parents, tante Ida, mon cousin Bruno et tante Pina. Le jour, nous sommes dans un couloir bien chauffé par deux énormes fourneaux, qui tiennent également notre petite chambre bien au chaud. Comme tu vois, il n'y a pas de quoi être triste : on chante, on joue, et même, on s'amuse,... T.A. »

Le 21 février, veille de la déportation en Allemagne, deux sœurs détenues dans le même camp envoyaient un message d'un ton autre : « Nous partons, priez pour nous. Que Dieu nous protège. Saluez tout le monde de notre part. Il est inutile de nous envoyer de l'argent ou de la nourriture. Jamais comme en ce moment nous n'avons pensé à ceux qui sont loin de nous. Notre avenir est un grand point d'interrogation. »

Durant toute l'année 1944, alors que la guerre faisait rage sur tous les fronts, la chasse à l'homme continua de plus belle, dans toute la Vénétie, avec son lot de déportations.

En été 1944, un groupe de SS, formé d'anciens de Treblinka, aux ordres de Franz Stangl, s'employa à traquer les Juifs avec un acharnement redoutable. Lors d'une première rafle, les SS déportèrent environ quatre-vingt-dix personnes : vingt-deux d'entre elles avaient été prises dans une maison de repos, vingt-neuf autres dans des lits d'hôpitaux ; parmi les prisonniers se trouvait le grand rabbin de la communauté, vieux et presque aveugle. Au début du mois d'octobre, les SS emmenèrent une partie des malades des hôpitaux psychiatriques des îles de San Servolo et de San Clemente. Ils furent rassemblés à l'hôpital de San Giovanni e Paolo, et déportés le 11 octobre. Certains furent éliminés dans le camp d'extermination de la rizière de San Sabba à Trieste, les autres furent envoyés à Ravensbrück.

Arrestations et déportations continuèrent de se succéder jusqu'au 25 avril, jour de la Libération. Malgré les signes de plus en plus évidents de leur défaite et la pression des partisans, les SS et les collaborateurs italiens se refusaient à relâcher leurs efforts.

Puis ce fut la Libération. Entre le 8 septembre

1943 et le 25 avril 1945, deux cents Juifs vénitiens avaient trouvé la mort. Des familles entières avaient été anéanties.

Quatre ou cinq survivants des *lager* ont pu regagner Venise. Certains d'entre eux ont raconté leur terrible expérience. Certains se sont tus. Revinrent aussi ceux qui avaient cherché refuge à l'étranger. Ceux qui s'étaient cachés dans quelque grenier, à la campagne ou dans les montagnes, revirent enfin le jour ; ils avaient reçu l'aide d'un ami, d'une simple connaissance, d'un modeste curé de village. Les rues de Venise, libérées du cauchemar des divisions nazi-fascistes, connurent une nouvelle fois l'ivresse de la Libération. Une nouvelle fois la vie reprenait le dessus.

Conclusion

L'histoire des Juifs vénitiens n'est pas terminée : aujourd'hui au nombre de six cents environ, ils sont parfaitement intégrés à leur ville. Les misères et les splendeurs du passé ne sont plus qu'un lointain souvenir que tous, du reste, ne connaissant pas la tumultueuse histoire de leurs ancêtres, ne conservent pas.

Le Ghetto où vécurent Léon de Modène, Simone Luzzatto, Sara Coppio Sullam et Giulio Morosini ne constitue plus le centre de la vie juive : restent les témoignages muets des pierres et des anciennes synagogues, où, durant tant d'années, rabbins et érudits célèbres disputèrent des nuances les plus secrètes de la Bible, du Talmud, du Zohar.

Après avoir été un temps délaissé, le Ghetto attire aujourd'hui de nouveau le regard des Vénitiens. Sur le grand mur près de la Maison de repos, on trouve, depuis quelques années, sept bas-reliefs en bronze, œuvre du sculpteur Arbit Blatas, à la mémoire des victimes de la persécution nazie.

La vie culturelle de la communauté juive connaît

un nouvel essor : des journées d'étude annuelles rassemblent un public nombreux, curieux et attentif.

La culture juive — d'hier et d'aujourd'hui — suscite encore de l'intérêt : si la condition du Juif dans l'histoire a depuis toujours été synonyme de précarité, celle de l'homme moderne, soumis à la menace nucléaire, ne l'est à présent guère moins. C'est en ce sens que l'homme moderne est devenu, bien malgré lui, quelque peu juif.

Ce raisonnement nous entraînerait cependant, véritable fil d'Ariane, sur un terrain qui échappe à notre propos.

Si l'effort déployé pour connaître son propre microcosme culturel a bien un sens, celui-ci ne peut résider que dans la lutte pour la tolérance et la justice à l'égard de tout homme, à l'égard de tout peuple.

L'histoire des Juifs de Venise ne fait que reconstituer ce long itinéraire sur lequel se sont engagés quelques milliers d'hommes et de femmes, partis à la conquête de cette tolérance, à la conquête de leur émancipation.

Aujourd'hui Shylock n'est plus.

Glossaire des termes hébraïques

par Raffaele Grassini

Les mots et les titres en langue hébraïque ont fait l'objet d'une transcription aussi proche que possible de la prononciation traditionnelle.

● Tous les mots, sauf indication contraire, sont accentués sur la dernière syllabe.

● La lettre h — correspondant à la *he* hébraïque — se prononce avec une légère aspiration.

● Le ch et le kh — correspondant au *chet* et au *khaf* — se prononcent tous deux [x] (jota, khamsin).

● L'apostrophe — correspondant au *'ain* — indique un son légèrement guttural.

● Le tz et parfois le z — correspondant au *tzadi* — se prononcent [ts] (tzigane).

● Le t et le th — correspondant au *tet* et au *tav* — se prononcent toujours [t].

L'orthographe des mots et des noms hébraïques extraits de citations ou de documents originaux n'a pas été modifiée, bien que ne correspondant pas toujours à la prononciation traditionnelle.

Les noms propres ont été transcrits selon l'orthographe la plus courante, la forme hébraïque ayant été maintenue chaque fois que cela a été possible.

AGGADAH Recueil, sous forme de récit, de commentaires rabbiniques, comportant les interprétations des Écritures les plus libres et les plus fantastiques.

ARBA' KANFOT Lit. les « quatre angles ». Il s'agit d'un châle rituel ; chacun de ses quatre bouts est orné d'une frange *(zizit)* nouée suivant une méthode traditionnelle. Contrairement au *taleth* (voir ce mot), il est porté sous les vêtements.

'ARELIM Lit. « ceux qui ne sont pas circoncis ». Terme par lequel on désigne parfois les non-Juifs.

ARON Lit. « arche ». Il s'agit de l'armoire sainte de la synagogue, contenant les rouleaux de la Loi (Torah).

'ARVITH OU HARVID Prière du soir.

BARUKH HABBA Lit. « Bienvenu », chanté particulièrement lors d'une circoncision.

BIMAH Le parchemin où sont écrites les prières que récite l'officiant.

CABALE voir KABALE.

CASHER Lit. « valide ». Terme qualifiant en général la nourriture préparée suivant les normes de la tradition juive.

CASHERUT L'ensemble des normes régissant l'alimentation juive.

CHANUKKAH OU HANUKKAH Lit. « inauguration ». Célébration durant laquelle est allumé le chandelier à neuf branches *(Chanukkiah)*, commémorant la résistance des Macchabées contre les Syriens, qui prétendaient helléniser les Juifs.

CHASSIDIM OU HASSIDIM (Sing. *Chassid*). Lit. les « pieux ». Disciples de Rabbi Israel Ba'al Shem Tov, et d'un certain nombre de sectes mystiques juives nées aux environs de 1700, en Pologne.

CHASSIDUT ou HASSIDUT Doctrine philosophique des Chassidim.

CHATZER ou HATZER Lit. « cour », « enclos ». Dénomination polulaire du ghetto.

CHAVER ou HAVER Lit. « compagnon ». Titre indiquant une préparation rabbinique sérieuse en dépit d'un jeune âge.

CHAZAN ou HAZAN Chantre de la synagogue.

CHAZAKAH ou GAZAKAH Droit d'usufruit sur certains biens.

CHÉREM Excommunication.

DIKDUK Grammaire.

ECHAL Lit. « sanctuaire ». Voir ARON.

GABBAIM Les responsables de la synagogue.

GHEMILUT CHASSIDIM Œuvres de charité.

GOIM Lit. les « peuples ». Terme commun pour désigner les non-Juifs.

HAFTARAH Passage du Livre des Prophètes récité à la synagogue pendant le Sabbat et les jours de fête.

HAGGADAH Histoire du peuple juif en Égypte. On la récite les deux premiers soirs de Pessach, en mangeant du pain azyme et des herbes amères.

HASSI BETULOD Confraternité offrant une dot aux jeunes filles démunies.

JESHIVA ou YESHIVA École talmudique et rabbinique.

KABALE Mystique juive fondée sur le Zohar.

KABBALAT SHABBATH Chants liturgiques célébrant le début du Sabbat.

KADDISH Prière des morts.

KAHAL GADOL Lit. « grande assemblée ». Le conseil principal de la communauté juive.

KAHAL KADOSH La communauté juive.

KEMI'OT Amulettes destinées à protéger contre le mauvais œil et les maladies.

KETUBOT (Sing. *Ketubah*). Document matrimonial dans lequel sont précisés les devoirs réciproques des conjoints ainsi que leurs obligations en cas de divorce.

KIDDUSH Cérémonie de sanctification du Sabbat et des fêtes au moyen d'un calice de vin.

KIPPUR Journée d'expiation des péchés, de jeûne, de prière et de repentir.

LASCION HA-QÒDDESH Lit. la « langue sainte ». L'hébreu, langue dans laquelle ont été rédigées les Écritures.

MA'AMAD Organe décisionnel de la communauté.

MAGGHID Représentation, plus ou moins fantastique, d'un ange annonciateur, pendant le sommeil.

MAS Impôt communautaire.

METATRON Nom d'un ange révélateur dans la doctrine cabalistique.

MEZUZAH Minuscule parchemin sur lequel sont inscrits des passages bibliques, que l'on place, protégés par une sorte d'étui, sur le montant de la porte.

MIDRASH Lit. « recherche ». Interprétation, moins littérale, des Écritures, fruit d'une recherche et exprimée dans un style figuré. Parfois ce terme est employé comme diminutif de *beth ha-Midrash* et indique l'école talmudique.

MINCHA Prière de l'après-midi.

MINHAGIM (Sing. *minhag*). Rites.

MISHNAH Lit. « répétition ». Loi transmise oralement, apportant des commentaires à la Torah (Loi écrite). Elle fut transcrite de crainte qu'elle ne se perdre, au IIe siècle de notre ère par rabbi Yehuda Ha-Nassi.

MITZVOTH (Sing. *mitzvah*). Préceptes bibliques, qui selon l'interprétation rabbinique seraient au nombre de 613, dont 365 négatifs (interdictions) et 248 positifs (obligations).

MOHEL Personne pratiquant la circoncision.

'OMER Nom donné aux sept semaines qui séparent Pessach de Shavu'oth (Pentecôte).

PARNASSIM (Sing. *Parnas*). Responsables de la communauté.

PÉSSACH Fête pascale, rappelant la libération des Juifs d'Égypte.

PESSAK Réponse écrite d'un rabbin à des questions portant sur le rituel.

PIDION SEVUIM Confraternité réunissant la rançon d'éventuels prisonniers.

PILPUL Subtil raisonnement talmudique.

PINQES Registre.

PIRKE AVOTH Traité de la Mishnah rassemblant les maximes des Maîtres.

PURIM Fête rappelant le sauvetage miraculeux des Juifs en Perse au temps d'Esther et d'Assuérus.

QOHELET Livre de l'Ecclésiaste.

RÙACH Signifie, dans la Bible, « âme », « esprit », entre autres choses.

SHABBATH NACHAMU Le Sabbat qui suit le jeûne du 9 Av, observé en commémoration de la destruction du Temple. On lit en cette occasion le passage prophétique « *nachamu* », qui console le peuple juif par des promesses de restauration.

SHACHRITH OU SHACRID Prière du matin.

SHAMASH Servant de la synagogue.

SHAVU'OTH Fête de Pentecôte, célébrant la révélation des Dix Commandements.

SHEMA' ISRAEL (*Seman* en dialecte vénitien). Lit. « Écoute Israël ». Profession de foi répétée par les Juifs quotidiennement. Elle se compose de trois passages bibliques, rappelant les fondements du judaïsme, dont l'unicité de Dieu.

SHÉMEN LA-MAOR Confraternité chargée de recueillir les fonds pour l'huile brûlée à la synagogue.

SHOCHET Personne qui abat les animaux selon le rituel juif.

SHOFAR Corne de bélier dont on joue en certains moments solennels et qui appelle à la méditation et à la pénitence.

SIMCHAT TORAH Lit. la « joie de la Torah ». Le jour où l'on fête la fin de la lecture du Pentateuque, à la fin de la fête des Cabanes. On fait circuler dans la synagogue les rouleaux de la Loi, au milieu de chants de joie et de danses.

SUKKOTH La fête des Cabanes, construites uniquement à l'aide de branchages et dans lesquelles on a l'habitude de converser et de prendre son repas en souvenir de la vie des Juifs dans le désert après leur sortie d'Égypte.

TALETH Châle revêtu lors de la prière du matin (voir ARBA' KANFOT).

TALMUD Lit. « étude ». L'ensemble des interprétations et des commentaires rabbiniques autour de la tradition orale (Mishnah). Il existe deux versions, le talmud hiérosolimitain, plus ancien (IVe siècle), plus réduit, et le Talmud babylonien (VIe siècle), plus étendu et plus important.

TALMUD TORAH Lit. « étude de la Torah ». Dénomination de l'école où l'on étudie la Torah, le Talmud et la tradition hébraïque (Universitas Judaeorum).

TARGUM Lit. « traduction ». Version araméenne de la Bible.

TEFILLAH Liturgie hébraïque.

TEFILLIM Phylactères. Il s'agit de deux petites boîtes de cuir, contenant certains passages bibliques, que l'on attache à l'avant-bras et au front avec des lanières de cuir pendant la prière du matin.

TEVA La tribune où sont lus les textes sacrés (voir BIMAH).

TORAH Lit. « enseignement ». Il s'agit du Pentateuque, rédigé par Moïse, que l'on lit à la synagogue. Le terme possède également le sens plus large d'ensemble des enseignements de la Bible et du Talmud.

VA'AD KATAN « Conseil mineur », assemblée communautaire.

ZEDACA Lit. « justice ». Charité faite aux pauvres et considérée comme un acte de justice.

ZOHAR Texte de base de la Cabale, commentaire de la Bible.

ZORCHE ZIBBUR Lit. les « besoins de la collectivité ». Synonyme de Zedaca.

Bibliographie

AA.VV., *Storia della cultura veneta*, 6 vol., Vicenza 1976-1983.

AA.VV., *Venedig. Geschichte und Gestalt seines Ghettos*, in « Emuna », n° 10, 1975.

AMADOR DE LOS RIOS J., *Études historiques, politiques et littéraires sur les Juifs d'Espagne*, Paris, 1861 (trad. J.G. Magnabal).

AMRAM W.D., *The Makers of Hebrew Books in Italy*, Philadephie, 1909.

ANCONA C.E., *Attacchi contro il Talmud di Fra' Sisto da Siena e la risposta, finora inedita, di Leon da Modena, rabbino in Venezia*, in « Bollettino dell'Istituto di Storia della Società e dello Stato Veneziano », n°s 5-6, 1963-64.

ANCONA C.E., *L'inventario dei beni appartenenti a Leon da Modena*, in « Bollettino dell'Istituto di Storia della Società e dello Stato Veneziano », n° 4, 1962.

ARTOM E., *Gli Ebrei del Settecento*, in « RMI », n° 1, 1950.

ASHTOR E., *Ebrei cittadini di Venezia?*, in « Studi Veneziani », vol. XVII-XVIII, 1975-76.

ASHTOR E., *Gli inizi della comunità ebraica a Venezia*, in « RMI », nos 11-12, 1978.

ASHTOR E., *L'apogée du commerce vénitien au Levant. Un nouvel essai d'explication*, in *Venezia centro di mediazione tra Oriente e Occidente*, vol. I, Florence, 1977.

BALLETTI A., *Gli Ebrei e gli Estensi*, Reggio Emilia, 1930.

BEDARIDA G., *Ebrei d'Italia*, 1950.

BEDARRIDE J., *Les Juifs en France, en Italie et en Espagne*, Paris, 1859.

BELOCH G., *La populazione di Venezia nei secoli XVI e XVII*, in « Nuovo Archivio Veneto », 1902.

BELTRAME D., *Storia della popolazione di Venezia dalla fine del secolo XVI alla caduta della Repubblica*, Padoue, 1954.

BIALIK H.N., *« Il giovane padovano »: M.H. Luzzatto*, in « RMI », no 1, 1948.

BLAU L., *Leo Modenas Briefe und Schriftstücke*, Budapest, 1906.

BLOCH J., *Venetian Printers of Hebrew Books*, New York, 1932.

BLUMENKRANZ B., *Les Juifs dans le commerce maritime de Venise, 1592-1609*, in « Revue des études juives », vol. II, 1961.

BOCCATO C., *Il caso di un neonato esposto nel Ghetto di Venezia alla fine del' 600*, in « RMI », no 3, 1978.

BOCCATO C., *Lettere di Ansaldo Cebà, genovese, a Sara Coppio Sullam, poetessa del Ghetto di Venezia*, in « RMI ». no 4, 1974.

BOCCATO C., *Testamenti di israeliti nel fondo del notaio veneziano Pietro Bracchi seniore (sec. XVII)*, in « RMI ». nos 5-6, 1976.

Boccato C., *Testimonianze ebraiche sulla peste del 1630 a Venezia*, in « RMI », n°s 9-10, 1975.

Boccato C., *Un altro documento inedito su Sara Coppio Sullam : il « Codice di Giulia Soliga »*, in « RMI », n°s 7-8, 1974.

Braudel F. *La Méditerranée et le monde méditerranéen à l'époque de Philippe II*, Armand Colin, 1978.

Calimani S., *Estame o sia catechismo ad un giovane israelita*, Verone, 1821 (rééd. : *Dialogo sull'ebraismo*, Venezia, 1984).

Canepa A.M., *Emancipazione, integrazione e antisemitismo liberale : il caso Pasqualigo*, in « Comunità », n° 174, juin 1975.

Canepa A.M., *L'atteggiamento degli ebrei italiani davanti alla loro seconda emancipazione : premesse e analisi*, in « RMI », n° 9, 1977.

Capitoli della Ricondotta degli Ebrei di Venezia e dello Stato Veneto, 1977.

Carletto G., *Il Ghetto veneziano nel Settecento*, Assise/Rome, 1981.

Cassuto U., *Leon da Modena e l'opera sua*, in « RMI », n°s 3-4, 1933.

Cattaneo C., *Interdizioni israelitiche*, rist. Torino, 1962.

Cecchetto G., *Gli Ebrei a Venezia durante la III dominazione austriaca*, in « Ateneo Veneto », 13 (1975), n° 2.

Ciriacono S., *Olio ed Ebrei nella Repubblica veneta del Settecento*, Venise, 1975.

Giscato A., *Gli Ebrei in Padova (1300-1800)*, Padoue, 1901.

Cohen M.R., *Leone da Modena's Riti : A Seventeenth-century Plea for Social Toleration of Jews*, in « Jewish Social Studies », n° 34, 1972.

COPPIN P., *Sommario storico dei costumi del popolo d'Israello*, Padoue, 1820.

CORYAT T., *Coryat's Crudities* (rééd. de l'édition de 1611), 2 vol., Glasgow, 1905.

D'AZEGLIO M., *Sull emancipazione degli israeliti*, Florence, 1848.

DEL BIANCO COTROZZI M., *La communità ebraica di Gradisca d'Isonza*, Udine, 1983.

DE POMIS D., *De medico hebreo. Enarratio apologetica*, Venetias, 1588.

DE POMIS D., *Discorso intorno a' l'humana miseria e sopr'al modo di fuggirla*, Venise, 1572.

Discorso sopra gli accidenti del parto mostruoso nato dai una Hebrea in Venetia nell'anno 1575.

FRANCO M., *Essai sur l'histoire des Israélites de l'Empire ottoman depuis les origines jusqu'à nos jours*, Paris, 1897.

FRIZZI B., *Elogio dei rabbini Simone Calimani e Giacobbe Saraval*, Trieste, 1791.

GALLICCIOLLI G.B., *Storie e memorie venete profane ed ecclesiastiche*, 8 vol., Venise, 1795.

GAON S., *Abravanel and the Renaissance*, in *Studi sull'ebraismo italiano*, Rome, 1974.

GEIGER A., *Leon da Modena Rabbiner zu Venedig (1571-1648)*, Breslau, 1856.

GEORGELIN J., *Venise au siècle des lumières*, Paris, 1978.

GRENDLER P., *L'Inquisizione romana e l'editoria a Venezia (1540-1605)*, Rome, 1983.

GRENDLER P., *The Distruction of Hebrew Books in Venice, 1568*, in « Proceedings of the American Academy for the Jewish Research », n° 45, 1978.

GRUNEBAUM-BALLIN P., *Joseph Nasi duc de Naxos*, Paris, 1968.

HARRIS A.C., *La demografia del ghetto in Italia (1516-1797 circa)*, in « RMI », nos 1-5, 1967.

IOLY ZORATTINI P.C., *Processi contro ebrei e giudaizzanti nell'Archivio del S. Uffizio di Aquileia e Concordia*, in « Memorie storiche forogiuliesi », no 58, 1978.

IOLY ZORATTINI P.C., (sous la direction de), *Processi del S. Uffizio di Venezia contro ebrei e giudaizzanti (1548-1560), e (1561-1570)*, 2 vol., Florence, 1980-1982.

IOLY ZORATTINI P.C., (sous la direction de), *Processi del S. Uffizio di Venezia contro ebrei e giudaizzanti (1570-1572)*, Florence, 1984.

IVE A., *Banques juives et Monts-de-Piété en Istrie : les Capitoli des Juifs de Picane*, in « Revue des Études Juives », II, 1881.

JACOBY D., *Les Juifs à Venise du XIVe au milieu du XVIe siècle*, in *Venezia centro di mediazione tra oriente e occidente (secoli XV-XVI) : aspetti e problemi*, 2 vol., Florence, 1977.

JACOBY D., *Venice, The Inquisition and The Jewish Communities of Crete in the early 14th century*, in « Studi Veneziani », XII, 1970.

KAUFMANN D., *A Contribution to the History of the Venetian Jews*, in « JQR », no 2, 1890, rééd. 1966.

KAUFMANN D., *Die Vertreibung der Marranen aus Venedig in Jahre 1550*, in « JQR », no 13, 1901, rééd. 1966.

KLAUSNER J., *Don Jehuda Abravanel e la sua Filosofia dell' Amore*, in « RMI », nos 11-12, 1932 ; no 6, 1931-32 ; et nos 7-11-12, 1932-33.

KOBLER F. (sous la direction de), *Letters of Jews through the Ages*, New York, 1952.

LATTES M., *Documents et notices sur l'histoire*

politique et littéraire de Juifs en Italie, in « REJ », V, 1882.

LUZZATTO S., *Discorso circa il stato de gl'Hebrei et in particolar dimoranti nell'inclita città di Venetia* (fac-similé de l'éd. de Venise de 1638), Bologne, 1976.

LUZZATTO S., *Discorso circa il stato de gl'Hebrei et in particolar dimoranti nell'inclita città di Venetia*, ed. G. Colleoni, Venise, 1638.

MARAVALL J.A., *Potere, onore, elites nella Spagna del secolo d'oro*, Bologne, 1984.

MARGULIES S.H., *La famiglia Abravanel in Italia*, in « Rivista Israelitica », nos 3-4, 1906.

MELAMED A., *The Myth of Venice in Italian Renaissance Jewish thought*, in « Italia Judaica », Rome, 1983.

MILANO A., *I « banchi dei poveri » a Venezia*, in « RMI », no 6, 1951.

MILANO A., *Storia degli Ebrei italiani nel Levante*, Florence, 1949.

MILANO A., *Storia degli Ebrei in Italia*, Turin, 1963.

MOCCATTA F.D. *Gli Ebrei della Spagna e del Portogallo e l'Inquisizione*, Naples, 1887.

MODENA (da) L., *Historia de' Riti Hebraici*, in « RMI », nos 7-12, 1932.

MODONA L., *Sara Copio Sullam, sonetti editi ed inediti*, Bologne, 1887.

MOLMENTI P.G., *La storia di Venezia nella vita privata dalle origini alla caduta della Republica*, II, Bergame, 1925.

MOROSINI G., *Via della fede mostrata a' gli ebrei*, Rome, 1683.

MORPURGO E., *L'Università degli Ebrei in Padova nel XVI secolo*, Padoue, 1909.

MORTARA M., *Indice alfabetico dei rabbini e scrittori israeliti*.

MUELLER R.C., *Charitable Institutions, the Jewish Community, and Venetian Society. A Discussion on the Recent Volume by Brian Pullan*, in « Studi veneziani », XIV, 1972.

MUELLER R.C., *Les prêteurs juifs de Venise au Moyen Age*, in « Annales : Economies, Sociétés, Civilisations », n° 30, 1975.

MUSATTI E., *Storia di Venezia*, 2 vol., Venise, 1968-1969 (rééd.).

NUNES VAIS ARBIS B., *La communità israelitica di Venezia durante il Risorgimento*, in « RMI », n°s 5-8, 1961.

OSIER J.P., *D'Uriel da Costa à Spinoza*, Paris, 1983.

OTTOLENGHI A., *Abraham Lattes nei suoi rapporti colla Repubblica di Daniele Manin*, in « RMI », n° 1, 1930.

OTTOLENGHI A., *Il Governo democratico di Venezia e l'abolizione del Ghetto*, in « R.M.I. », n. 2, 1930.

OTTOLENGHI A., *L'azione di Tommaseo a Venezia*, Venise, 1933.

OTTOLENGHI A., *Leon da Modena e la vita ebraica del ghetto di Venezia*, in « RMI », n° 12, 1981.

PIATTELLI A., *Un arazzo veneziano del XVII secolo*, in *Scritti del' 600*, in « RMI », n° 1, 1969.

POLIAKOV L., *Les Banquiers Juifs et le Saint-Siège du XIII siècle au XVII siècle*, Calmann-Lévy, 1967.

POLIAKOV L., *Histoire de l'antisémitisme*, Calmann-Lévy, 1974-76.

POLIAKOV L., *Un tentativo di Venezia per attirare gli Ebrei di Livorno*, in « RMI », n° 7, 1957.

PULLAN B., *La politica sociale della repubblica di Venezia 1500-1620*, vol. I (*Le scuole grandi, l'as-

sistenza e le leggi sui poveri), vol. II *(Gli ebrei veneziani e i Monti di Pietà)*, Rome, 1982.

PULLAN B., *The Jews of Europe and the Inquisition of Venice (1550-1670)*, Oxford, 1983.

RAVID B., « *A Republic Separate from an Other Government* »; *Jewish Autonomy in Venice in the Seventeenth Century, in Thought and Action*, in *Essays in Memory of Simon Rawidowicz*, Haïfa, 1983.

RAVID B., *Contra Judaeos in Seventeenth-Century Italy : two Responses to the Discorso of Simon Luzzatto by Melchiore Palontrotti and Giulio Morosini*, in « AJS review », vol. 7-8, 1982-83.

RAVID B., *Economics and Toleration in Seventeenth-century Venice: The Background and Context of the Discorso of Simone Luzzatto*, Jérusalem, 1978.

RAVID B., « *How Profitable the Nation of the Jewes Are* »: *the Humble Addresses of Menasseh ben Israel and the Discorso of Simone Luzzatto*, in *Essays in Jewish Intellectual History in Honor of Alexander Altmann*, Durham, N.E., 1982.

RAVID B., *Money, Love and Power Politics in Sixteenth Century Venice: The Perpetual Banishment and Subsequent Pardon of Joseph Nasi*, in « Italia Judaica », Rome, 1983.

RAVID B., *The Establishment of the Ghetto Vecchio of Venice, 1541*, in « Proceedings of the Sixth World Congress of the Jewish Studies », II, Jérusalem, 1975, p. 153-67.

RAVID B., *The First Charter of the Jewish Merchants of Venice, 1589*, in « Association for Jewish Studies Review », I, 1976, p. 187-222.

RAVID B., *The Jewish Mercantile Settlement of*

Twelfth and Thirteenth Century Venice : Reality or Conjecture ?, in « AJS », vol. 2, 1977.

RAVID B., *The Legal Status of Merchants of Venice*, thèse, Harvard University, 1973.

RAVID B., *The Prohibition against Jewish Printing and Publishing in Venice and the Difficulties of Leone da Modena*, in « Studies in medieval Jewish history and literature », Cambridge, 1979, p. 135-153.

RAVID B., *The Socioeconomic Background and the Expulsion and the Readmission of the Venetian Jews, 1571-1573*, in *Essays in modern Jewish History: a Tribute to Ben Halpern*, Rutherford-Madison-Teaneck, 1982.

REVAH I.S., *Les Marranes*, in « REJ », I, 1959.

RIVKIN E., *Leon da Modena and the Kol Sakhal*, Cincinnati, 1952.

ROMANIN S., *Storia documentata di Venezia*, 10 vol., Venise, 1912-1921 (réimpression).

ROMANO G., *Di una filastrocca pasquale in italiano e delle sue lontane origini*, in « RMI », n°s 2-3, 1974.

ROTH C., *A History of the Marranos*, Philadelphie, 1932.

ROTH C., *Léon de Modène*, ses Riti Ebraici *et le Saint-Office à Venise*, Paris, 1929.

ROTH C., *Les Marranes à Venise*, in « REJ », LXXXIX, 1930.

ROTH C., *Nel Ghetto italiano*, in « RMI », n°s 3-4, 1926.

ROTH C., *Storia del popolo ebraico*, Milan, 1962.

ROTH C., *The House of Nasi : Dona Grazia*, Philadephie, 1947.

ROTH C., *The House of Nasi : the Duke of Naxos*, Philadephie, 1948.

ROTH C., *The Last Florentine Republic 1527-30*, Londres, 1925.

SCHWARZFUCHS S., *I Responsi di Rabbì Meir da Padova come onte storica*, in *Scritti in memoria di Leone Carpi*, Jérusalem, 1967.

SERENI P., *Della comunità ebraica a Venezia durante il fascismo*, in *La resistenza nel Veneziano*, Venise, 1985.

SERENI P., *Gli anni della persecuzione razziale a Venezia : appunti per una storia*, in *Venezia ebraica*, Rome, 1982.

SHULVASS M.A., *The Jews in the World of the Renaissance*, Chicago, 1973.

TAMANI G., *Catalogo dei manoscritti ebraici della Biblioteca Marciana di Venezia*, Florence.

TOAFF A., *Nuova luce sui Marrani di Ancona (1556)*, in *Studi sull'ebraismo italiano*, Rome, 1974.

TOAFF E., *La vera fonte del « Mercante di Venezia » di Shakespeare*, in « RMI », n° 4, 1956.

TOMMASEO N., *Diritto degli Israeliti alla civile uguaglianza*, in « RMI », n°s 5-6, 1975.

VANZAN MARCHINI N.E., *Il dramma dei convertiti nella follia di una ex-ebrea*, in « R.M.I. », n°s 1-2, 1980.

VANZAN MARCHINI N.E., *Medici Ebrei e assistenza cristiana nella Venezia del'500*, in « RMI », n°s 4-5, 1979.

WEINBERG J., *The Collection of Hebrew Printed Books in the Antoniana Library of Padua*, in « Il Santo », septembre-décembre 1974.

YEUSHALMI Y.H., *From Spanish Court to Italian Ghetto — Isaac Cardoso — A Study in Seventeenth-Century Marranism and Jewish Apologetics*, University of Washington Press, 1981.

Table des matières

Cet ouvrage a été réalisé sur
Système Cameron
par la SOCIÉTÉ NOUVELLE FIRMIN-DIDOT
Mesnil-sur-l'Estrée
pour le compte des Éditions Stock
le 6 février 1989

Imprimé en France
Dépôt légal : février 1989
N° d'édition : 2118 – N° d'impression : 11417
54-07-3787-02
ISBN 2-234-02146-4

54-3787-6